ISBN 978-0-331-16973-7
PIBN 11022134

Organon

$\overline{Z}$

der

menschlichen Erkenı

von

Johann Jakob Wagn

Erlangen,

in der Palmischen Verlagsbuchhan

1830.

Vorrede und Einleitung.

Das Werk, welches ich hier dem Publikum vo[r]
lege, war jahrelang das Ziel meines wissenschaft[li-]
chen Strebens, und jezt, da es vollendet ist, [be-]
trachte ich es als das lezte und bleibende Resul[t]
meines Forschens. Ich glaube daher, den Le[ser]
nicht besser in dasselbe einführen zu können, a[ls]
durch eine historische Darlegung des Ganges mein[er]
Geistesentwicklung in einer möglichst unpartheyisch[en]
Kritik meiner sämmtlichen Schriften nach der R[ei-]
henfolge ihrer Erscheinung. Da ich schon in m[ei-]
nen akademischen Jahren als Schriftsteller auftra[t,]
und jezt in der Reife männlicher Jahre stehe, so
hat meine schriftstellerische Laufbahn die vier Pe=
rioden jeder Laufbahn vollständig, und es enthäl[t]
die erste Periode die unreifen aus Gemüth und
Lektüre hervorgegangenen Jünglingsbestrebungen, die
zweite schließt sich an den Ideengang des Zeital=

1 *

ters an, wie ihn damals Schelling vorgezeichnet,
die dritte enthält meine Versuche zu selbstständiger Gestaltung meines wissenschaftlichen Strebens
auf eigenem Standpunkte und in der vierten tritt
die Vollendung der Wissenschaft in ihrer Form als
Weltgesetz anfangs als Mathematik und endlich als
Organon hervor, welches die beiden bisher bekannten formalen Wissenschaften, Logik und Mathematik, in der wahren und einzigen höhern Form auflöst, und so die Wissenschaft für immer vollendet.

Erste Periode.

I. **Lorenzo Chiaramonti,** oder Schwärme-
reien eines Jünglings. Nürnberg bei Riegel
und Wießner 1801. 8. 180 Seiten. (Ohne
Namen).

Schon 1797, wo ich in Göttingen studirte, geschrieben. Expektorationen über Physiognomik,
Kantische Philosophie, vorzüglich den praktischen
Theil derselben, dann über die von dem Zeitalter
damals im Gegensatze mit der Schule gesuchte Le-
bensphilosophie, über die Xenien und andre Erscheinungen der damaligen schönen Litteratur. Die Fabel
des Romans ist unbedeutend. Der Held, ein Ita-
liener, in Deutschland erzogen, verliebt sich in ein

Weib, in welcher er am Ende seine ihm unbewußt
ebenfalls nach Deutschland gekommene Schwester erkennt. Im Stil und in der Art dieser Expektorationen ist die Erinnerung an Werther nicht zu ver-
kennen.

II. Wörterbuch der platonischen Philosophie. Göttingen bei Dietrich, 1799. 8.
LXXII und 202 Seiten.

Resultat meines in den Jahren 1797 und 1798
in Göttingen getriebenen Studiums der platonischen
Schriften, die mit ihrer Begeisterung den Jüngling
ergriffen und sich von dieser Seite an den Eindruck
angeschlossen hatten, welchen die praktische Philosophie Kants auf ihn gemacht hatte. Zugleich wollte der Verfasser seine Freude, die nicht geringen
Schwierigkeiten, welche Platons spielehde und schwankende Denk- und Darstellungsweise dem Leser entgegensezt, überwunden zu haben, hier mit dem Publikum theilen, indem er die platonischen Ansichten
an ihre Hauptausdrücke geknüpft mit höchster Bestimmtheit und Treue entwickelte, ohne wie Ten-
nemann in einem Systeme der platonischen Philosophie das Abgerissene dieser Ansichten durch An-
reihung zu ergänzen, oder durch weitere systemati-
sirende Ausführung zu verbessern. Das Buch be-

ginnt mit einer Abhandlung über das Studium der
Philosophie überhaupt und der alten insbesondere,
in welcher der Verfasser sich deklamatorisch bemüht,
den ihm sehr am Herzen liegenden Satz: daß spe-
kulatives Talent nur in Verbindung mit Charakter-
grösse möglich sey, dem Leser aufzubringen. Später hat der Verfasser allerdings seine Meinung hierüber geändert. Nach dieser Abhandlung folgt ein
kurzer Abriß der platonischen Philosophie, dann eine Uebersicht der staatswissenschaftlichen Ansichten
Platons, in welchen beiden Aufsätzen der Verfasser
noch jezt eine scharf bestimmte Darlegung der platonischen Ansichten erkennt, die vorzüglich auf das
Verdienst Anspruch macht, in Platon nichts fremdes
hineingetragen zu haben. Aus dem darauf folgenden eigentlichen Wörterbuche hatte der Verfasser das
Jahr zuvor eine kleine Probe als Inauguralabhand-
lung unter dem Titel: Lexici Platonici speci-
men, drucken lassen.

III. Ueber Fichte's Nikolai, oder Grundsätze des Schriftstellerrechts. Nürnberg b. Riegel und Wießner. 1801. 8. 64 Seiten.

Veranlaßt durch den Eindruck, welchen die bekannte Fichtesche Construktion des Nikolaischen Schrift-

stellercharakters bey dem mitleidigen Publikum gemacht. Hier sollte bewiesen werden, daß ein solches Verfahren in der Schriftstellerwelt ganz natürlich sey, und von moralischer Seite nichts gegen
sich habe. Diese Schrift von dem Standpunkte der
Fichteschen Wissenschaftslehre ausgehend nimmt die
im platonischen Wörterbuche bereits ausgesprochene,
dem Verfasser so sehr am Herzen gelegene, Idee:
daß der Philosoph nothwendig ein Mensch von moralischer Grösse seyn müsse, wieder auf, und meint,
sie nach der Fichteschen Wissenschaftslehre deducirt
zu haben. Besser als diese Deduktion ist aber die
Nachweisung gelungen, daß die Schriftstellerey als
Wechselwirkung der Geister nothwendig sey, weil
durch sie allein die Vielheit der Geister auf Einheit
zurückkomme. Bey dieser Wechselwirkung stehen
dann die Schriftsteller zu einander auf dem Fuße
der Gleichheit, nicht in dem Verhältniß des Lehrers
zum Schüler, hier gelte also das Recht der geistigen Stärke. Man dürfe aber nur mit wissenschaftlichen Waffen kämpfen, und ein System könne nur
durch ein andres widerlegt werden, keineswegs aber
durch einzelne Einwürfe. Weil aber das litterarische Leben eines Mannes aus lauter unwissenschaft-
lichen Aeusserungen zusammengesezt seyn könne, so

sey es auch erlaubt, den Mann in solcher Nichtig-
keit zu ergreifen und darzustellen, wie Fichte mit
Nikolai gethan habe, und der Witz behaupte als
geistige Waffe hier auch seine Rechte.

In den Ansichten über das Verhältniß der
Ton = und Schrift = Sprache, die hier eingewebt
sind, liegt schon die nachherige Philosophie des Verf.
über diesen so wichtigen Theil der Aufgabe menschlicher Intelligenz.

Zweite Periode.

IV. Theorie der Wärme und des Lichtes. Leipzig bei Breitkopf und Härtel. 1802.
8. 86 Seiten.

Ein Versuch, die Ansicht, welche der Verf.
durch das Studium der Naturphilosophie von Licht
und Wärme gewonnen hatte, auf dem Wege der
Induktion in das Publikum zu bringen, und dieses
dadurch auf die Erscheinung des Werks: von der
Natur der Dinge, vorzubereiten. Diese Ansicht
von Licht und Wärme findet sich daher auch in dem
letztern Werke.

V. Philosophie der Erziehungskunst.
Leipzig bei Breitkopf und Härtel. 1802. 8.
254 Seiten.

Vorrede und Einleitung.

Diese Schrift gieng aus einer zufällig
terbrechung des Verf. in seiner Arbeit an der
ke: von der Natur der Dinge hervor.
Verf. hielt sich damals in Salzburg auf,
im freundschaftlichem Umgange mit dem nad
Wien verstorbenen Schuldirektor Vierthal
diesem auf die so anziehende und halb poetif
lende Manier Platons in Behandlung der I
Gegenstände der Philosophie zu sprechen kam.
thaler, ebenfalls mit Platons Schriften r
und Verfasser einer kleinen klaren und grü
Schrift über die Sokratik, äusserte den Wunf
Pädagogik in dieser Art behandelt zu seher
ich, den dieser Gedanke sogleich lebhaft ergri
warf noch selben Tages den Plan zu dieser (
die in vier Wochen ausgearbeitet an den 2
abgieng. Die Manier dieser Schrift ist c
Reminiscenz aus meinem Studium der plat
Schriften zu betrachten, und ein in dieser
vorkommender sokratischer Dialog über E
überzeugte Vierthalern vollends, daß ich m
fer Manier vollkommen bemächtigt hatte.

Das Buch zerfällt in zwey Abtheilung
Entwicklungsstufen der Menschheit; II. Kr

Erziehungsmittel und Methoden, und enthält eine
Menge neuer Ansichten der Wissenschaft und des
Lebens, die dem Verf. seit etwa einem Jahre aus
dem Studium der Schellingschen Schriften entstanden waren, und in welchen vorzüglich das Streben
nach einer Vollendung der Philosophie durch die
Form vordringt. Der Verf. hatte schon bey dem
ersten Studium der Mathematik während seiner akademischen Jahre in Göttingen die Idee gefaßt, daß
die Mathematik in ihrer bisherigen blos rechnenden
und messenden Form nicht bestehen dürfe, sondern
durchaus philosophirt werden müsse; und diese Idee
wird denn hier dem Leser sogleich in der Vorrede
aufgedrungen, und kehrt im Buche oft wieder. Das
erste Kapitel des Buchs verlangt einen Kanon der
Wahrheit, der Gesetz des Erkennens und Seyns
zugleich sey, und findet ihn darin, daß geistige und
physische Natur nach denselben Gesetzen des Entgegensetzens und Gleichsetzens produktiv sind, Thesis,
Antithesis und Synthesis also als allgemeine Con-
struktionsform anerkannt werden müssen, und wenn
bey Durchführung dieser Form in einem Begriffs-
ganzen für jedes Glied dieses Ganzen eine der algebraischen ähnliche bestimmte Bezeichnung gebraucht
werde, so könne über Ton- und Schriftsprache hin-

aus noch eine jedem Geiste verständliche
phie gefunden werden.

Die Erziehungskunst wird übrigens vo
Verf. einseitig nur als Erregungskunst beg
in der Art aber, wie der Verfasser im fünfte
sechsten Kapitel der zweiten Abtheilung die
hung durch den Geschlechtsunterschied durchführ
er sich eine Aufgabe gegeben, die er nach
mehreren Schriften zu verfolgen nicht ablassen
te, nämlich: die Individualität in der Sex
zu construiren.

VI. Von der Natur der Dinge. I
Büchern mit einer physiognomischen Ku
fel. Leipzig bey Breitkopf und Härtel.
8. 614 Seiten.

Dieses Werk charakterisirt sich selbst in de
rede auf folgende Weise: "es enthält den
"Versuch, Schellings Idee einer Naturp
"phie in einem universalen Plane durchzuf
"Was bisher theils von Schelling, theils von
"Schülern geliefert worden ist, war entwede
"Grundriß des Ganzen oder nur Ausführung
"einzelnen Details; diese Ausführung des g
"Details ist also allerdings die erste."

In der That ist auch dieses Werk nach seiner Anlage das umfassendste, das auf dem Gebiete der Naturphilosophie gedacht werden mag. Es beginnt mit der mineralischen Natur, schreitet durch die pflanzliche und thierische fort, und endet als Anthropologie und Psychologie mit der menschlichen Natur. Noch an der dreygliedrigen Construktion hängend hatte der Verf. die thierische und menschliche Natur noch nicht scharf zu scheiden gewußt, daher denn das Ganze in drey Bücher abgetheilt ist. Im dritten Buche nimmt der Verf. Gelegenheit, seine Lieblingsidee von einer in Philosophie umzuwandelnden Mathematik wieder voranzustellen. Er erklärt die Mathematik als Wissenschaft der organischen Form und behauptet, daß die Philosophie ohne durchgängige mathematische Construktion ihrer einzelnen Aufgaben es nie zur Vollendung bringen könne.

VII. Wagner über das Lebensprinzip und Lorenz Versuch über das Leben, aus dem Französischen übersezt. Leipzig bey Breitkopf und Härtel. 1803. 8. 280 Seiten.

In dem Werke: von der Natur der Dinge war eine ungeheure Masse empirischen Wissens

verarbeitet, aber in dieser Verarbeitung war die
Form so wenig zum Durchbruche gekommen. Dieß
veranlaßte den Verf. in dieser Schrift an dem Cen=
tralpunkte der organischen Natur, dem Lebensprin=
zip, einen Versuch rein spekulativer Behandlung zu
wagen, und die hier übersezte Schrift eines franzö=
sischen Arztes, die als rein empirisches Wasser an=
zusehen ist, lud den Verf. durch ihren Gegensatz
mit der Spekulation noch mehr dazu ein. Uebri=
gens steht diese Abhandlung über das Lebensprin=
zip noch ganz auf dem Schellingschen Standpunkte
und construirt nach der Trias des Endlichen, Un=
endlichen und Ewigen polarisirend und parallelisi=
rend, wie es damals in der Naturphilosophie üb=
lich war.

VIII. Ueber die Trennung der legisla=
tiven und executiven Staatsgewalt.
Ein Beitrag zu Beurtheilung des Werthes land=
ständischer Verfassungen. München bey Sche=
rer. 1804. 8. 100 Seiten.

Diese kleine Schrift verdankt ihre Entstehung
einem kurzen Aufenthalte des Verf. in München,
gerade zu der Zeit, als Churfürst (nachher König)
Max Joseph die Reste landständischer Verfassung in

Baiern aufhob. Das Für und Wider dieses Schrit-
tes der bairischen Regierung wurde damals in München lebhaft besprochen und veranlaßte den Verf.
die Sache aus dem höchsten Standpunkte der Philosophie gründlich zu würdigen. Die wahre Idee
des Staates hatte er selbst schon (und zwar der erste in Deutschland) in seiner: Philosophie der
Erziehungskunst S. 108. so ausgesprochen, daß
der Staat nichts als die organische Form des Volkslebens und das Recht in demselben die Gliederung
sey, und diese zugleich philosophische und welthistorische Idee des Staats wird in dieser kleinen Schrift
ebenfalls zum Grunde gelegt, und aus der Paral-
lele des Staates mit einem individuellen menschlichen Organismus wird gezeigt, daß legislative und
exekutive Gewalt im Staate sich eben so in einer
absoluten Einheit (Majestät) begegnen müssen, wie
Vernunft und Wille des Menschen sich in seiner
absoluten Einheit (Seele) begegnen. Daher sey es
staatswissenschaftlich unrichtig, in einer Monarchie
beide Gewalten zu trennen, und wenn die Politik
diese Trennung empfehlen wollte, um dadurch den
königlichen Despotismus unmöglich zu machen, so
würde sie, meint der Verf., den Staat nur zu einem aufreibenden Kampfe beider Gewalten oder zu

einer Stockung seiner Administration durch

Gegensatz bringen. Das repräsentative Syst

der Monarchie sey daher ganz zu verwerfen.

Der Verf. hatte hier offenbar nicht ir

Idee des Staats, auch nicht in der Parallelu

derselben mit einem individuellen menschlichen

ganismus geirrt, wohl aber in der Durchfü

der organischen Form für beiderley Fälle, nac

her die eine (legislative) Richtung sich von

auf gegen den Mittelpunkt bildet, wie die E

im Menschen, die andere (executive) Richtung

gleich den Bewegungsnerven vom Mittelpunkte

geht und nach unten zu endet. Endlich hatte

Verf. auch übersehen, daß in einem durchgeür

ten organischen Ganzen alles Einzelne suchen

ein Bild des Ganzen zu werden, sich also mit

tergeordneter Selbstständigkeit ebenfalls organ

muß, wie es die Gemeindeverfassung neuester

ten verlangt. —— Uebrigens waren bekanntlic

Reste der landständischen Verfassung deutscher

der, namentlich in Baiern, der Idee einer V

repräsentation gänzlich untreu geworden, un

mochte ihre Aufhebung durch den Fürsten, de

nem Lande später eine wahre Volksrepräsent

gab, allerdings zu billigen seyn.

Dritte Periode.

IX. System der Idealphilosophie. Leipzig bey Breitkopf und Härtel. LXIV. und 300 Seiten. 1804. 8.

X. Ueber das Wesen der Philosophie, Ein Programm zur Eröffnung seiner Vorlesungen für das Wintersemester. Würzburg bey Göbhardt. 1804. 8. 16 Seiten.

Die Schriften Nr. IV. bis VIII. haben den Standpunkt der Schellingschen Philosophie mit einander gemein, und auch Nr. IX. ist noch im Werke selbst nach diesem Standpunkte geschrieben, und springt nur in der Einleitung davon ab, welche Losreißung denn in dem Programme den Zuhörern des Verf. angekündigt wird. Auch nach dem Schellingschen Systeme theilte sich die Philosophie in zwey Hälften für den Geist und die Natur, und der Verf. der in dem Werke: von der Natur der Dinge die zweite Hälfte bearbeitet hatte, wollte in diesem Werke das System durch Bearbeitung der anderen Hälfte ergänzen. Was Schelling unter dem Titel: System des transscendentalen Idealismus, Tübingen 1800. 8. noch ziemlich treu nach Fichte gegeben, wurde hier unter dem Titel: System der Idealphiloso-

phie

phie dargeboten, und enthielt im ersten Buche die
theoretische Philosophie, im zweiten Buche die praktische, und im dritten die Aesthetik. Während der
Ausarbeitung des Buches aber entzweite sich der
Verf. mit dem Schellingschen Systeme immer mehr,
und als Schelling in seiner Schrift: Philosophie und Religion, alle Selbstständigkeit seines spekulativen Standpunktes aufgebend sich gänzlich in den platonischen Idealismus verlohr, so
glaubte der Verf. seine Trennung von dem Schellingschen Standpunkte in der Einleitung zu der
Idealphilosophie, deren drey Bücher bereits abge-
druckt waren, noch bestimmt aussprechen zu müssen.

Das erste Buch dieser Idealphilosophie enthält eine Theorie des Bewußtseyns, in welcher
Fichtisch-Schellingsche Spekulation mit vieler Pre-
ziosität durchgeführt ist, doch aber wieder die eignen
Ideen des Verf. von Philosophirung der Mathematik und einer auf diesem Wege zu findenden Pasigraphie, dann von formaler Vollendung der Philosophie in einem als Construktionslehre erscheinenden Organon mit grosser Klarheit hervortreten. Mit
mehr Selbstständigkeit entwickelt das zweite Buch
die Idee der praktischen Vernunft als des von der
Stufe des höchsten Bewußtseyns in die Objektivität

2

herabsteigenden Willens, welcher mit der auf dieser
Höhe gewonnenen Begeisterung des Göttlichen reli-
giös in das Leben eingreift, in welchem die Gottheit als Vorsehung waltet. Dieses Gebiet der Vorsehung wird hier als Weltgeschichte in vier Perioden sehr gut entwickelt, und aus dieser Idee die
des Staates abgeleitet, in welchem ein Volk sich
zu eigener Geschichte gestaltet, indem es seine Verfassung von unten herauf in Ständen, von oben
herab in Aemtern entwickelt. Auf Platonische Weise wird sodann die Sittlichkeit als dieselbe Organisation der Vielheit im Innern des Individuums
gesezt, wie die Gerechtigkeit in der Vielheit der
Bürger, und der hier durchgeführte Gegensaz männlicher und weiblicher Sittlichkeit, sowie die Construktion der Liebe und Ehe, gehören unter die Aufgaben, welche der Verf. am meisten mit Liebe und
Glücke bearbeitet. Im dritten Buche ist die Wissenschaft des Schönen zu einem Umfange entwickelt,
den sie damals noch in keinem Werke der neuern
Philosophie erhalten hatte. Beissende Ausfälle gegen die damaligen in der Litteratur sich hervordrän-
genden Amphibien der Kunst und der Wissenschaft
bezeichnen die litterarische Stellung, welche sich der
Verf. gegeben.

In der Einleitung spricht der Vorf. seine Trennung von der Schellingschen Spekulation, die im Buche selbst noch nicht durchgeführt ist, detaillirt aus. Schelling hatte in seinen früheren Schriften: über das Ich als Prinzip der Philosophie, und: System des transscendentalen Idealismus, die Fichtesche Wissenschaftslehre noch anerkannt und treu wiedergegeben, und erst als ihm allmählich die Idee einer Naturphilosophie zur selbstständigen Entwicklung gediehen war, fieng er an, die Philosophie des Ich und die der Natur als zwey Seiten der Philosophie überhaupt zu betrachten, was ihn dann weiter auf die Idee des Absoluten als einer Indifferenz des Idealen und Realen führte. In dieser sollten Ideales und Reales ihren Gegensatz ablegen, und so nannte man seine Ansicht mit Recht das Identitäts = System. Dabey aber hatte Schelling das Verhältniß seiner Idee des Absoluten zu dem in ihr erlöschenden Gegensatze so wenig ins Klare zu bringen vermocht, daß er, wie vorzüglich in Nr. X. nachgewiesen ist, mit sich selbst in die auffallendsten Widersprüche hierüber verfällt, und endlich in seiner Schrift: Philosophie und Religion, die Selbstständigkeit seines Standpunktes aufgebend mit Plato

2 *

das Ideale als Absolutes sezt; somit also aus der
Indifferenz der beiden Glieder des Gegensatzes heraustretend das eine Glied auf Kosten des andern
erhöht. Dieß veranlaßte mich, der Schellingschen
Spekulation, welche nun selbst das Absolute in den
Gegensatz mit hineinzog, entgegen zu treten und in
der Einleitung zu erklären: 1) die Idee des Absoluten sey über den Gegensätzen der Spekulation
zu halten und als Gottheit anzuerkennen; 2) die
Idee, welche die Gegensätze mit dem Gegensatzlosen vermittle, heisse Leben, und 3) die Gegensätze, die aus demselben hervorgehen und in dasselbe wieder aufgelöst werden, müssen von der Wissenschaft im Gleichgewichte gehalten werden, und
darum sey 4) eine viergliedrige Construktion für die
Wissenschaft allein zureichend.

XI. Grundriß der Staatswissenschaft
    und Politik zum Gebrauche akademischer
    Vorlesungen. Leipzig bey Breitkopf und Här-
    tel. 1805. 8. 206 Seiten.

Nachdem der Verf. auf die eben angezeigte
Weise die Selbstständigkeit seines philosophischen
Standpunktes ausgesprochen, war er bemüht, theils
die von ihm neu gewonnene Form der viergliedri-

gen Construktion in der Anwendung durchzuführen,
theils auch die beyden Seiten der Weltanschauung,
die subjektive und objektive, in anschaulicher Erkenntniß zur Weltgeschichte und Naturwissenschaft
auszubilden. Die von ihm schon in Nr. V. und
VIII. ausgesprochene eigene Idee des Staats drang
sich ihm aus Veranlassung akademischer Vorträge
zunächst zur Bearbeitung auf, und so entstand dieses Compendium, das bey den damals sehr mangel-
haften Kenntnissen des Verf. von den wirklichen
Staatseinrichtungen allerdings sehr unvollkommen
ausfallen mußte, aber doch das Verdienst hat, den
Inhalt des Staates zum erstenmal aus dem Standpunkte seiner einzig wahren Idee beleuchtet zu haben. Die viergliedrige Construktion kündigt sich
hier gleich im ersten Kapitel arithmetisch ausgedrückt
als Weltgesetz an.

XII. Journal für Wissenschaft und
    Kunst. Erstes Heft. Leipzig bey Breitkopf
    und Härtel. 1805. 8. 142 Seiten.

Dieses Journal, dessen Fortsetzung durch die
kriegerischen Zeitumstände gehindert wurde, war
zur Niederlage von Aufsätzen bestimmt, in welchen
des Verf. Ansicht von Wissenschaft sich nach allen

sollte entwickeln sollte. In dem ersten Aufsatze:
Wissenschaft und Kunst, in welchistorischer Absicht
vom Herausgeber, geht der Versu auf die ersten
Anfänge der Entwicklung menschlicher Intelligenz in
der Weltgeschichte zurück, und bemüht sich zu zeigen, daß die Wissenschaft nach ihrer Losreißung
von der Religion, in welcher sie Anfangs mit der
Kunst Eins gewesen, nun die doppelte Aufgabe zu
lösen habe, einmal sich in der Form zu vollenden,
welche als Gesetz der Welt und der Erkenntniß zugleich in einem Organon für jede mögliche Anwendung selbstständig aufzustellen wäre; zweitens das
empirische Wissen nach solcher Form organisirt in
voller Klarheit als Weltgeschichte und Naturgeschichte auftreten zu lassen, und nicht mehr, wie die bis-
herige Spekulation, unreife Empirie durch noch un-
reifere Form der Spekulation zu entstellen. Einem
Versuch solcher anschaulichen Darstellung des empirischen Wissens nach vorausgesezter Methode der
Wissenschaft enthält der zweite Aufsatz: Leben,
Gesundheit und Krankheit, ebenfalls vom Herausgeber und für das Gebiet der Physiologie bearbeitet, und der dritte Aufsatz: über Popularphiloso-
phie und Volkspoesie von demselben Verfasser zeigt,
wie das Zurückziehen der Philosophie und der Poe-

sie aus der wahren Allgemeinheit, die sie durch reine Beobachtung des Weltgesetzes erhalten konnten, beide in eine Aenstlichkeit der Schule gebracht habe, bey welcher das Volk sich seine Allgemeinheit durch Gemeinheit zu ersetzen sucht.

XIII. Von der Philosophie und der Medicin. Ein Prodromus für beide Studien. Bamberg bey Göbhardt. 1805. 8. XII und 170 Seiten.

Nachdem der Verf. das Schellingische Philosophiren im Ganzen als eine chaotische Mischung unreifer Empirie mit unreifer Spekulation anerkannt und bezeichnet hatte, konnte er sich auch nicht enthalten, vor der übereilten Anwendung dieser Philosophie auf Heilung zu warnen, indem gerade damals die Aerzte, denen das empirische Tasten des Instinktes nicht mehr genügte, in der Naturphilosophie ein geistiges Auge gefunden zu haben glaubten, mit welchem sie die Werke der Heilung sicher zu beginnen vermöchten. Im Journale schon war die Idee des Lebens im §. 1. des zweiten Aufsatzes so ausgesprochen: "alles Leben, welches individu-
"lisirt in unsre Anschauung fällt, ist gegründet
"dem Leben der Gottheit, welches sich aus ihr

"Welt mittheilt, auch ist nichts ohne Leben;" und
auf der Grundlage dieser Idee entwickelt nun dieses Buch in seinem ersten Kapitel: von der Welt
und dem Menschen, eine in möglichster Continuität
dargestellte Ansicht der Stufenfolge des Lebens von
dem Mineral an bis zum Menschen, was allerdings hier im vierten Abschnitte des Organon als
Welttafel besser gelungen seyn mag. In dem zweiten Kapitel: von der Philosophie und dem Studium derselben, expektorirt sich der Verf. nach einer
sehr unbefriedigenden Deduktion der Kunst und der
Wissenschaft vorzüglich über das Schicksal der leztern, durch möglichst viele einseitige Versuche mit
der Form (spekulative Systeme) diese erst allmählich finden, und dadurch auch die Gediegenheit und
Klarheit objektiver Anschauung stören zu müssen.
Sey aber die klare und selbstständige Form einmal
gefunden, so könne dann für den Philosophen, wie
für den Dichter die objektive Anschauung ihre ganze Lebendigkeit wieder erhalten; und der Philosoph,
dem Gleichgewichte der Elemente seiner eignen Natur wiedergegeben, aus welchem die Spekulation
ihn herausgeworfen, könne als Weiser enden. Das
Bedürfniß der Spekulation sey übrigens schon aus
einer Zerreissung der Menschennatur hervorgegan-

gen, welche dem Theologen als Sünde, dem Juri
sten als Unrecht bekannt sey, indeß sie in der phy
sischen Seite der Menschennatur als Krankheit vor
komme. Theologe, Staatsmann und Arzt müssen
sich also für die Wiedergenesung der Philosophie in
teressiren. Der Verf. führt nun seinen Krieg gegen
die Spekulation auch in dem dritten Kapitel
von der Medizin und dem medizinischen Studium,
fort, und man wird schon von selbst erwarten, daß
er den Kranken nicht den spekulativen Polaritäts
versuchen des naturphilosophischen Arztes, sondern
der klaren Beobachtung und glücklichen Combina
tionsgabe des ärztlichen Talentes preisgeben werde,
daß aber, wenn es der Philosophie gelingen sollte,
ihre eigene Form in dem Weltgesetze klar zu erken
nen, allerdings seinen Gegenstand und sein Ver
fahren durch Philosophie in universeller Bedeutung
zu fassen im Stande seyn werde. Der Epilog des
Buches sagt dazu: Amen, und der Verf. würde
jezt nur noch hinzufügen, daß die Sicherheit der
Construktion sehr oft die mangelhafte Empirie zu
ergänzen im Stande sey.

XIV. Jdeen zu einer allgemeinen My=
thologie der alten Welt. Frankfurt am

Mainz in der Andreäischen Buchhandlung. 1808.
8. XVI und 496 Seiten.

Bey dem Plane des Verf. die Wissenschaften
einerseits auf Naturgeschichte, andererseits auf Weltgeschichte zu reduziren, mußten ihm Versuche, das
Religiöse der Weltgeschichte, als den Keim der ganzen geistigen Entwicklung des Menschengeschlechts,
zu bearbeiten, natürlich seyn, und die erste Abhandlung in seinem Journale hatte auch schon den
Grund dazu gelegt, welcher denn in diesem Werke
nur nach reicherem Detail ausgeführt erscheint. Her-
der, der in seinen: ältesten Urkunden des
Menschengeschlechts für das Ideensystem der
alten Welt sogar die Spur eines ursprünglichen
Schematismus der Erkenntniß nachgewiesen, hatte
Veranlassung zu diesem Werke gegeben, das aber,
wie der Titel schon zeigt, gar keine Ansprüche darauf machte, für ein System allgemeiner Mythologie zu gelten.   Die grösseren Werke in dieser Art
von Kanne, Kreutzer und Görres waren damals noch nicht erschienen.

Die drey ersten Kapitel des Buchs versuchen
eine Construktion der allgemeinen Momente des innern und äußern Lebens der ältesten Menschheit
in Religion, Kultus, Mysterien, Zeitrechnung,

Sprache, Schrift, Staat, Stände, Gesetze, und das vierte Kapitel entwirft für die Religio=
nen der alten Welt folgendes Schema:

1) subjektiv im Subjektiven — die Re=
 ligionen des östlichen Asiens;

2) objektiv im Subjektiven — die Reli=
 gion der Semiten;

3) subjektiv im Objektiven — der Natur=
 dienst;

4) objektiv im Objektiven — griechische
 Mythenreligion.

Das vierte Kapitel selbst noch entwickelt eine
Uebersicht des hindostanischen Göttersystems, und
das fünfte enthält eine Darstellung des verwand=
ten tibetanischen Mythus. Das sechste Kapitel
charakterisirt den vorderasiatischen Sabäismus bey
Babyloniern, Persern, Egyptern und Phöniziern;
das siebente versucht eine Zurückführung der grie=
chisch = römischen Mythologie auf ihre wahren Ur=
sprünge, und hier glaubt der Verf. vorzüglich in
seinen Ansichten der griechischen Mysterien und des
orphischen Kultus Erspriessliches geleistet zu haben.
Das achte Kapitel stellt das Zoroasterische System
aus Zendavesta auf, und im neunten Kapitel ver=
sucht der Verf. nach eine Darstellung der skandinar

rischen Mythologie, welche aber von dem Mangel
an Quellen und Hülfsmitteln nicht wenig gedrückt
wird.

Seite 376. dieses Buches gedenkt der Verf.
noch eines zwey Jahre früher ausgearbeiteten Werkes von ihm selbst, welches aber wegen äusserer
Zufälle nicht zum Drucke gekommen. Es hieß:
Homer und Hesiod. Ein Versuch über das
griechische Alterthum.

In diesem Werke war der Gesichtspunkt ganz
in Homer und griechisch-plastisch genommen, und
alle orientalische Ansicht, die über Homer stünde,
geflissentlich abgehalten. Auch Hesiod war hier in
derselben Ansicht gefaßt, und mit Homer in allem
sorgfältig verglichen.

XV. Theodicee. Bamberg und Würzburg b.
Göbhardt. 1809. 8. 212 Seiten.

Dieses Buch ist in Dialogen geschrieben. Der
Verf. hatte das Studium der Schriften Platons in
seinen Jünglingsjahren so ergriffen, daß er schon
in seiner ersten eigentlich wissenschaftlichen Schrift,
der Philosophie der Erziehungskunst, eine Nachbildung der platonischen Manier versuchte, und der
Nachklang derselben auch noch in den spätern Schrif-

ten des Verf., namentlich in der Mythologie, merk-
lich ist, wo er neben der trockenen Aufstellung des
empirischen Materials oft widerlich absticht. Diese
Manier besteht in dem Wechsel der ernsten und der
spielenden Behandlung des Stoffes, wobey der Au-
tor sich oft einen Freund oder Gegner fingirt, an
welchen er die Rede richtet, die dadurch subjektive
Freiheit und gemüthliches Interesse gewinnt. Den
platonischen Dialog aber hatte der Verf. noch nie
nachzubilden versucht, bis er ihn übertreffen zu können glaubte, indem Plato in seinem Dialoge fast
dieselbe Unvollkommenheit zeigt, die man dem Dialoge des Aeschylus und zum Theil nach dem Sym-
posiers verwerfen mag, nämlich eine Menge ein-
sylbiger und nichts sagender Antworten, in welchen
keine Persönlichkeit des Sprechenden und keine Fortbewegung der Sache enthalten ist. Die Dialogen
dieses Buchs sollten diese Fehler vermeiden, und
der Verf. hatte deshalb den Personen des Gespräches nicht nur geistige, sondern auch gemüthliche
Individualität mitgegeben, so daß sie fast dramati-
sches Interesse gewähren. Der Verf. kennt sehr
gut, was die Deutschen im philosophischen Dialoge
geleistet, und glaubt dennoch, hier glücklich nach
der Palme gerungen zu haben.

Das Thema dieser Dialogen, der Ursprung des
Uebels, war seit Leibnitz von den Philosophen
nicht mehr bearbeitet; und der Verf. nicht zufrieden
mit der Wahrheit, daß das Uebel auf dem universellen Standpunkte sich eben so gut in die Harmonie des Ganzen auflöse, wie die Dissonanzen in
der Musik, wollte es aus den Verhältnissen, in
welchen es vorkommt, begreifen. Das Uebel wird
hier aus der Verschiebung der Verhältnisse der Dinge erklärt, welche überall die natürliche Folge ihrer
succeßiven Entwicklung ist, und die Entstehung der
Schiefe der Ekliptik wird für unsere Erde als das
Faktum angegeben, aus welchem ihren Kindern
das Uebel entstanden sey. Wie es nun durch die
beginnende Entwicklung gesezt sey, so müsse es durch
die vollendete Entwicklung wieder aufhören.

Uebrigens tritt hier die Idee einer philosophischen Mathematik oder mathematischen Philosophie,
welche zugleich eine Stammtafel der Begriffe geben
müsse, mit grösserer Klarheit, als in den früheren
Schriften des Verf. hervor, und die Lieblingsideen
des Verf. vom Unterschiede der Geschlechter, und
vom Staate, dessen Gesezbuch am Ende mit dem
Wörterbuche der Nation Eins werden müsse, erhalten er eine b ondere   Bearbeitun

Vierte Periode.

XVI. Mathematische Philosophie. Erlangen bey Palm. 1814. 8. XII und 338 S.
XVII. Buchwald, Friedrich, Elementarlehre der Zeit- und Raum-Größen. Ebend. 1818. 8. 168 Seiten.

In Nr. XVI. realisirte endlich der Verf. seine erste, ihm schon in den akademischen Jahren entstandene, Idee, die Mathematik in Philosophie aufzulösen, auf eine wenigstens dem Umfange nach vollständige Weise, indem hier die Mathematik als Arithmetik und Geometrie nach allen ihren Stufen auf Begriffe und Ideen zurückgeführt und als Form der Erkenntniß und der Welt dargestellt wird. Weil nun der Verf. in der also begriffenen Mathematik zugleich die Form der Objektivirung des Geistigen d. h. die Sprache erkannte, in welcher die Grundformen der Erkenntniß (Kategorien) auch als Grundformen der Sprache erscheinen und durch ihre Wechselbestimmung unter einander die abgeleiteten Begriffe gefunden werden sollten, so erhielt das lezte Kapitel des Buches den Titel: Organon, und wurde abgetheilt in eine Topik oder ein Verzeichniß der durch Zahlen und Figuren gegebenen allgemeinsten Begriffe, und eine Heuristik oder Anlei-

hier nicht nur die ganzen Kapitel des Buches auf
tetradische Schemate zurückgeführt, sondern es werden auch sehr viele einzelne in den Paragraphen
berührte Begriffe auf Tetraden gebracht, damit die
Allmacht der viergliedrigen Construktion unwidersteh-
lich einleuchte, und am Ende erklärt sich noch der
Anhang des Buches über diese Construktion selbst,
woben in sechs Tetraden ein Versuch gemacht wird,
Grundbegriffe oder Kategorien zu geben, welche an
sich nicht mathematisch, aber auf Mathematik reduci-
erbar sich in jeder Construktion einer Idee als
Seiten derselben sollten nachweisen lassen. Darin
war nun stillschweigend anerkannt, was aber der
Verf. noch einige Jahre später in der Isis gegen
Blasche nicht zugeben wollte, daß die Form von
Erkenntniß und der Welt in ihrem ursprünglichen
Wesen über der Mathematik, in welche sie denn
zweygetheilt übergehe, gesucht werden müsse. Uebrigens ist dieser neue Versuch des Verf. in Kategorien, wie die Vergleichung derselben mit den Kategorien des Organon beweist, dem Verf. wenig
gelungen.

   Die Durchführung der Idee des Staates selbst
in diesem Buche hat, ungeachtet der meist trefflich
gelungenen tetradischen Construktion in den einzel-

nen Theilen ihrer Entwiklung, den wesentlichen
Mangel, daß hier die Construktion der Geschichte
des Staates mit der Construktion seines Wesens
vermengt wird. Im Wesen des Staates lag die
Rechtsseite als erste Stufe und Grundlage, und
auch diese hätte die polizeiliche, dann die Kulturseite
und endlich die Staatsform selbst als vierte und
synthetische Stufe folgen sollen, und in der Geschichte des Staats hätte das alles seine vier zeitlichen Stufen durchlaufen müssen. Hier aber wurde
die Rechtsstufe nur als Eigenthumsrecht aufgefaßt
und als Erdverhältniß der Völker zum Grunde gelegt, auf dessen Basis sodann das vielfache Leben
in den Familien- und Standesverhältnissen entwikkelt wird, wobey denn die polizeiliche und die Kul-
turstufe des Staates keineswegs gehörig gesondert
und für sich durchgeführt werden. Erst der vierte
Abschnitt des Buches, Staat überschrieben, faßt
die Staatsform in der ihr gebührenden Weise als
Schlußform der ganzen Gestaltung auf, ist aber
dem Verf. in ihrer einzelnen Durchführung auch
wieder öfters mislungen. Dagegen entwickelt der
Verf. das auf dem Eigenthumsrechte ruhende Leben
der Völker in der zweyfachen Form, in welcher es
die Geschichte zeigt, nämlich unter der Herrschaft

des Gemüthes und des Begriffes, wahr und reich,
so daß solche Entwicklung des Völkerlebens wohl
in keinem andern Werke zu finden seyn möchte, und
dann stellt der dritte Abschnitt des Buches, Geist
überschrieben, das Prinzip, auf welches dieses Völ-
kerleben gebracht werden kann, theils im Sinne
der ältesten Vorzeit als Priesterthum dar, theils
im Sinne der Zukunft als Akademie oder etwa
vom Staate selbst organisirten Gelehrtenverein, welcher die Wissenschaft handhaben soll, aus welcher
der Staat allein sein Gesetz nimmt. Das Kapitel
vom Priesterthume für eine künftige Weltgeschichte
tief und klar ausgearbeitet wird im Anhange noch
unterstützt durch Auszüge aus den mythologisch-phi-
losophischen Schriften von Kanne, welche auf dem
Wege genialer Sprachforschung dasselbe Ziel erblicken
lassen, zu welchem hier die philosophische Construktion führte. Im Ganzen des Buches glaubt der
Verf. noch jezt in Hinsicht auf Darstellung und
Sprache etwas geleistet zu haben, das dem Ersten,
was unsere Litteratur in dieser Art aufzuweisen hat,
sich anschliessen darf.

XIX. Religion, Wissenschaft, Kunst und
Staat in ihren gegenseitigen Ver-

hältnissen betrachtet. Erlangen b. Palm 1819. 8. 304 Seiten.

Dieses Buch kündigt der Verf. selbst so an: "Religion, Wissenschaft und Kunst begegnen sich "nothwendig im Staate, als welcher das organi= "sirte menschliche Gesammtleben ist, in meinem Bu= "che vom Staate sind also diese Ideen sammt ih= "ren Verhältnissen schon berührt, so weit es Um= "fang und Zweck des Buches gestatteten: Demun= "geachtet hat mich der Kampf unserer Tage um ei= "ne klare Erkenntniß jener Ideen bewogen, sie mit "ihren Verhältnissen einer besondern Darstellung zu "unterwerfen, welche theils mehr Ausführlichkeit, "theils mehr welthistorische Anschaulichkeit und Ge= "meinfaßlichkeit hätte, als jenes Buch, in welchem "die Wissenschaft ihre Architektur zeigen sollte, den "meisten Lesern gewähren konnte." — Die Kapitel des Buchs 1) alte und neue Zeit; 2) Heidenthum; 3) Produkte des Heidenthums; 4) die Opfer; 5) die Reformatoren Buddha, Zoroaster, Moses; 6) die Propheten; 7) das Christenthum; 8) der Mes= sias; 9) die Kirche; 10) Katholizismus und Pro= testantismus, führen nun mit den vielfachsten aus tiefer Kenntniß des Alterthums geschöpften Belegen die Idee durch, daß die Weltgeschichte vor ihrem

Wendepunkt Christus den Charakter der Involution des Geistes im Gemüthe und beider in einer visionairen und somnambulen Anschauungsweise der Welt gehabt habe, seit Christus aber und durch ihn sich in die Trennung des Geistes von dem Gemüthe und eine durch die isolirte Vollendung der Form bedingte freie Weltanschauung geworfen habe. Die Gegensätze von Heidenthum und Christenthum, Moses und Propheten alten und neuen Testaments, Katholizismus und Protestantismus x. erhalten durch diese Idee, welche den höchsten Gegensatz der Weltgeschichte ausspricht, erst ihre volle Beleuchtung. Vorzüglich sind hier die Bücher des alten Testaments zu einer tiefen Charakteristik der vorchristlichen Zeit benützt worden, und hinwiederum haben diese selbst dadurch mannigfache Beleuchtung erhalten.

XX. System des Unterrichts, oder Encyclopädie und Methodologie des gesammten Schulstudiums. Nebst einer Abhandlung über die äussere Organisation der Hochschulen. Aarau bey Sauerländer 1821. 8. XIV und 356 Seiten.

— Veranlaßt durch ein in Würzburg entstandenes Erziehungsinstitut, bey welchem der Verf. zum Theil

allvollend war, entwickelt er hier die in
Philosophie der Erziehungskunst bereits begr
lore des Unterrichts durch die Acten des A
und die Stufen der Schule hindurch. Diese
fen sezt er als 1) Mutterschule für die E
rung in den Gebrauch der Sprache und die
selbe beherrschen Vorstellungswelt; 2) Ele
tarschule für die Einführung in das Gebi
Begriffe zum Behufe der Behandlung jedes g
nen Stoffes; 3) Kenntnißschule (Gymna
für die Einführung in das Gebiet des gesam
Wissens nach der Gruppirung desselben in a)
mein bildende, b) naturwissenschaftliche, c) h
sche Kenntnisse und d) Religionsunterricht, w
am Ende für die 4) Wissenschaftsschule
versität) mit dem Standpunkte der durch die
(System) geschlossenen Ganzheit die vier Faku
entstehen. Wie die einzelnen Wissenschaften
nach dem verschiedenen Standpunkte dieser C
stufen verschieden behandelt werden müssen, ist
besonders an dem Beispiele eines dreifach du
führten Religionsunterrichts, ausführlich gezeigt
den, und in dem Kapitel von der Elementar
benützt der Verf. bereits seine in der Constr
gemachten Fortschritte, um das sogenannte El

taxiren der Pestalozzischen Schule auf sichere Methode zu bringen. Bey der Hochschule bringt wieder die Idee des Organon vor, und der Verf. verlangt namentlich eine mit der Schule des Philosophen in Verbindung stehende Dichterschule, in welcher die Gewalt der Construktion über die Ideen auch an ihrer poetischen Darstellung geübt werden soll. — Der Anhang enthält Ansichten über Professorenverhältnisse, akademische Vorträge, Lebens und Studirweise der Studenten, und die angemessene Lokalität einer Hochschule, wobey dem Verf. auch die Erfahrung seiner zwanzigjährigen Amtsführung zu statten kam.

XXI. Organon der menschlichen Erkenntniß. 1830. 8. Erlangen bey Palm.

Die Hauptidee, welche der Verf. durch seine ganze wissenschaftliche Laufbahn verfolgte, war, die organische Form der Erkenntniß zu finden, welche, da die Erkenntniß das Bild der Welt ist, auch Weltgesetz seyn mußte, und da der Verf. schon als Jüngling sich die Aufgabe gesezt hatte, die Mathematik in Philosophie umzuwandeln, und die Mathematik selbst nichts als Form enthält, welche in Zahlen und Figuren schon dem Alterthum symbo-

lich gewesen, so verfiel er darauf, die Mathematik
für diese Form der Erkenntniß und der Dinge zu
halten. Im Mittelalter hatten Raimund Lul-
lus und Giordano Bruno eine solche Form
auf abentheuerliche Weise gesucht, und das Mittelalter im Ganzen war geneigt, die Logik für diese
Form zu halten, daher denn auch die logischen
Schriften des Aristoteles unter dem Titel: Organon, herausgegeben worden, auch war bis auf
unsere Zeit nach allgemeiner Meinung außer der
Logik und der Mathematik keine formale Wissenschaft vorhanden, daher denn auch einige darauf
fielen, die eine oder die andere als Methode des
Philosophirens zu brauchen. Mir hatte die Logik
immer ungenügend geschienen, etwas mehr als die
relative Verbindung der Begriffe zu Stande zu
bringen, und ich suchte die Architektur der Welt
und der Erkenntniß immer in der Mathematik, bis
mich endlich der Dualismus derselben in Arithmetik
und Geometrie auf die Idee brachte, daß die höchste Form der Welt und der Erkenntniß wohl über
die Mathematik hinausliegen müßte. So suchte ich
denn in der Anschauung, welche das lebendige Wort
festzuhalten vermag, jene Form auszusprechen, und
aus ihr als erste Produkte ihrer (intensiven) Mul-

stillation mit sich selbst (Brechung) Kategorien zu
entwickeln, deren erste vier Tafeln, wiewohl noch
in sehr unvollkommener Gestalt, ich im Anfange
des Jahrs 1823 gefunden, und welche also als allgemeinste Oerter aller Begriffe die Aufgabe lösen
sollten, welche das Mittelalter unter dem Namen der
Topik verfolgt hatte.   Da mit diesen Kategorien
zugleich auch der Prozeß gefunden war, durch welchen abgeleitete Begriffe aus ihnen dargestellt werden, so war dadurch auch eine Heuristik gegeben,
und da in den Kategorien und ihrer lebendigen Bewegung die Welt und ihre Lebendigkeit treu ausgedrückt war, so war durch die reine Bezeichnung der
Kategorien und ihrer Fortbildung auch die Idee
der Sprache im höchsten Sinne realisirt.

So entstand dieses Buch, das also in seinem
ersten Abschnitte die Kategorien mit ihrem lebendigen Entwicklungsprozesse als Weltgesetz aufstellen,
und im zweiten die Stufen der Erkenntniß mit dem
jeder Stufe eigenthümlichen Organismus enthalten
mußte, wobey die Logik ihre Stelle als Organismus der dritten Erkenntnißstufe gefunden.   War die
Erkenntniß auf diese Weise durchschaut, so kam es
nur noch darauf an, auch ihre Darstellungsformen
als Sprache zu organisiren, und hier fand denn die

Mathematik mit ihrer Abstraktion des Fortschreitens (Arithmetik) und des Entgegensetzens (Geometrie) ihre Stelle, indeß das lebendige Wort beides vereinigend über, und das Bild beides objektivirend unter ihr stand. Der vierte Abschnitt hatte dann noch in einer Welttafel die Realisirung des Weltgesetzes im Großen zu zeigen.

Hatte das Buch seine Aufgabe wirklich gelöst, so mußte vermittelst desselben bey Voraussetzung des empirischen Materials jede andere wissenschaftliche Aufgabe gelöst werden können, indem hier der Geist, vollkommen seiner selbst bewußt und mächtig sich nach allen Richtungen mit gleichem Erfolge zu bewegen und jeden Vorstellungsinhalt durch die Macht der Form in Wissenschaft zu verwandeln, im Stande seyn mußte. Daher habe ich denn im Anhange des Buches noch Beispiele der Lösung mannigfacher Aufgaben aus edleren und geringeren Gebieten des Wissens hinzugefügt, und mich besonders bemüht zu zeigen, wie die bisher getrennten Seiten des Geistes, Poesie nämlich und Philosophie, sich vollkommen frey in einander umwandeln können.

Wenn nun gegenwärtiges Buch, indem es die Erkenntniß auf das ewige Gesetz der Welt zurückführt, die abentheuerlichen Versuche der Spekulation die Welt zu begreifen, für immer abschneidet, so wird man einsehen, wie es eben dadurch auch möglich werde, die Empirie nach dem ihr inwohnenden Gesetze rein aufzufassen und zur Wissenschaft zu gestalten, und daß der Philosoph, um zu philosophiren, nicht mehr sich selbst und den Gegenstand zu zerreissen brauche, sondern beide in ihrer Gesundheit gelassen werden, was denn auch mit meinen frühesten Ansichten von der Integrität des innern Menschen und der klaren Gediegenheit des empirischen Auffassens der Dinge, wie auch von vollkommener Freiheit in Behandlung der Wissenschaft, erfreulich zusammenstimmt.

———————

Ich kann diese historische Darstellung dessen, was meine eigene Geistesentwicklung für die Erfindung der in diesem Organon begründeten Construktion gethan, nicht ganz schliessen, ohne der Versuche einiger Freunde und ehemaligen Zuhörer in Anwendung dieser Construktion wenigstens kurz zu gedenken. Der erste, der durch meine Vorträge veranlaßt in dieser Construktion sich versuchte, war Herr Professor Ditmar (am Gymnasium zu Grünstadt in Rheinbaiern), von welchem die schon im

Jahre 1816 gefundene, im Organon §. 355 an=
geführte Verhältnißreihe für die Buchstaben des Al=
phabets ist, durch welche meine tetradische Construk=
tion des Alphabetes erst ihre Bestätigung erhält.
Solche Verhältnißreihe läßt sich für jede Construk=
tion bilden, die auf vier Tetraden gekommen ist.
Der zweite, der in dieser Construktion ungefähr um
dieselbe Zeit sich versuchte, ist Herr Professor Pau=
plus (am Forstinstitute zu Aschaffenburg) der ich
dem ehemals erschienenen Forstjournale von Meßen
eine sehr gelungene Skizze der Grundverhältnisse
der Forstwissenschaft in einer Reihe von Tetraden
entworfen, und seitdem in seinen forstwissenschaftli=
chen Schriften: 1) Die verschiedenen Betriebsarten
der Holzwirthschaft. 1820. 8. 2) Beschreibung der
natürlichen Verhältnisse der Holzwirthschaft. 1822.
8. 3) Ueber die Bildung des Forstmannes. 1822.
8. 4) Ueber Forstpolizey. 1824. 8. 5) Der Holz=
wuchs in der Natur. Mainz 1826. 8. 6) Die
Holzwirthschaft. 1827. 8. 7) Beiträge zu der Leh=
re von der Waldwerthberechnung. 1827. 8. und 8)
die Ordnung der Holzwirthschaft. 1829. 8. diese
Construction mit dem besten Erfolge durch das ein=
fachste Material durchgeführt hat. Ueberall hat er
diese Construktion richtig _auf die Grundverhältnisse_

der Sache geleitet, und wenn er sie nicht überall
gleich weit im Detail durchzuführen vermochte, so
ist es nur darum, weil der Gegenstand selbst noch
zu wenig bearbeitet und zu roh erst nach künftiger
mehrfacher Bearbeitung für diese Construktion reif
wird. Der dritte, den ich hier nennen kann, ist
Herr D. August Köhle (E. preußischer Finanzrath
und Oekonom in Franken), dessen Einmaleinstäfel-
chen ich im Anhange S. 45. Note erwähnt habe,
und Ver. in seinem: Systeme der Technik. Ber-
lin bei Amelang. 1822. 8. 430 Seiten, einen höchst
gelungenen Versuch mit dieser Construktion im Grossen gemacht. Das unendlich reiche Gebiet der Technik
wird durch diese Construktion in tetradischen Tafeln,
deren der Verf. statt des Registers am Ende des Buchs
mehrere beifügt, wissenschaftlich gestaltet und einfach;
und es ist nur zu wünschen, daß die Leser dieses
in seinem Fache neue Bahn brechenden Werkes nicht
die Aussenseite dieser Construktion als Klassifikation
auffassen, sondern in das Innere ihrer Entwicklung
selbst eingehen mögen. — Zuletzt hat noch Herr
D. Heidenreich in Ausbach in einer kleinen
Schrift: von der Seele. Erlangen 1828. 8. diese
Construktionsmethode versucht.

Inhalt,

_____

1) ....
2) ....
3) ....

Organisation

....

Inhalt.

I.
Weltgesetz.

§. 1.

Die Idee der Gottheit ist selbstständig und über alles erhaben. Wir entwickeln hier die Wissenschaft der endlichen Dinge.

§. 2.

Gott ist aber der lebendige Gott, und das Leben, welches er den idealen und realen Dingen verliehen hat, ist ihre Grundlage. Daher setzen wir diese Idee des Lebens, in welcher sich Seyn und Werden durchdringen, für die Construktion des Idealen und Realen voraus, alle Dinge nur als Formen dieses Lebens nachweisend.

   Anmerkung. Das Leben der Natur zeigt sich in ihrem ewigen Bildungs- und Rückbildungsprozesse, und der Geist ist durchaus nur als lebendige Thätigkeit zu begreifen.

§. 3.

Dieses Leben ist demnach das Wesen der Dinge, und sie selbst sind dieses Wesens unendlich-endliche Form. Dadurch sind Wesen und Form selber als erste Urbegriffe bestimmt, von welchen die Erkenntniß endlicher Dinge ausgehen muß.

§. 4.

Das Wesen als Leben ist allen Dingen gemeinschaftlich und in sich Eines, die Form aber jedem Dinge eigenthümlich und selbst Ursache der Vielheit. In jedem Dinge ist das Wesen unter eine andere Form aufgenommen, und jedes Dinges Form wird von dem allgemeinen Wesen getragen.

§. 5.

Die beiden Urbegriffe Wesen und Form sind sich entgegengesezt und werden hinwiederum durch das Leben vermittelt, dessen erste Prädikate sie sind. Daburch entstehen zwischen den beiden Urbegriffen zwey neue, nämlich der Gegensaz und die Vermittlung, oder, weil alle Vermittlung nur Vermittlung eines Gegensatzes seyn kann, der unvermittelte (unmittelbare) und vermittelte Gegensaz.

§. 6.

Demnach sind die beiden Urbegriffe einander entgegengesezt und die beiden Mittelbegriffe ebenfalls, so daß die vier Begriffe zusammen zwey in einander verschlungene Gegensätze ausmachen, als:

Wesen

Gegensaz   Vermittlung

Form

in welchem Schema die Urbegriffe mit ihren Urverhältnissen ausgedrückt sind.

Anmerkung. Anschauliche Exempel zu diesem Urschema liegen überall nahe; z. B. im Raume das rechtwinklichte Kreuz mit seinem Oben, Unten, Rechts

und Links, welches in einer Sphäre die beiden Achsen mit: Nord und Süd, Ost und West giebt, in
die Zeitform des Umlaufs ausgenommen aber die
vier Tages- und Jahreszeiten, und im menschlichen
Leben den Fötus und den Greis vermittelt durch den
Jüngling und den Mann. In Farben fällt zwischen
den extremen Gegensatz von Roth und Grün der
mittlere von Gelb und Blau, in Tönen fällt zwischen
Prime und Oktave der Gegensatz von Terze und
Quinte; in Künsten zwischen Plastik und Poesie die
Mahlerey und Musik, im Civilrechte fallen zwischen
die extremen Begriffe von Person und Sache die
mittlern von Besitz und Erwerb, und im Menschen
zwischen Seele und Leib die mittlern Begriffe von
Gemüth und Geist. Dieß giebt ähnliche Schemate
wie das obige, und der völlig allgemeine objektiv
anschauliche Ausdruck dieser Schematisirung liegt in
dem rechtwinklichten Kreuze mit seinen vier Polen.

§. 7.

Obiges Urschema als Satz ausgesprochen heißt: das
Wesen der endlichen Dinge geht durch vermittelte Gegensätze in die Form über. Dieß ist der
oberste Grundsatz der Philosophie, und kann, weil das
Leben zwischen Wesen und Form hin und her spielt, auch
umgekehrt werden, als: die Form der endlichen
Dinge geht durch Lösung aller Vermittlung
und Erlöschen aller Gegensätze in das einfache Wesen zurück.

Anmerkung. Diese zwei Sätze enthalten die Ge-

schichte alles Lebens und die Norm für alles synthetische und analytische geistige Bilden. Unter Gegensatz verstehe man vorerst überhaupt zwey Entgegengesezte z. B. zwey Punkte, wovon der eine rechts,
der andere links steht, und unter Vermittlung verstehe man vorerst das, was diese entgegengesezten
Punkte in einander übergehen macht, wie etwa die
Linie, deren Endpunkte sie sind. In der Folge wird
alles noch klarer hervortreten.

§. 8.

Demnach beginnt der Uebergang des Wesens in die
Form mit der Entwicklung von Gegensätzen, und das
Wesen ist das noch gegensatzlose Leben selbst, welches
Träger der in ihm entstandenen Gegensätze wird. Die
Form, deren erste Erscheinung der Gegensatz ist, schreitet weiter, wenn die Vermittlung der Gegensätze hinzukommt, und erreicht ihr Ende, wenn alle in dem Wesen
liegenden Gegensätze ihre Vermittlung unter sich gefunden haben, und im Umfange des Wesens zusammengefaßt werden. Daher ist in dem obigen Urschema das
erste Glied ganz, nämlich das noch unentwickelte Wesen
selbst, das lezte Glied ebenfalls ganz, nämlich das zur
geschlossenen Entwicklung gekommene Wesen, die zwey
Mittelglieder aber sind nur halb, indem das zweite Glied
nur das Zerfallen des ersten in Gegensätze, das dritte
Glied aber nur die relative Vermittlung derselben enthält. Die zwey in dem Urschema in einander verschlungenen Gegensätze sind also keineswegs gleicher Art, und
eben so ist es auch in allen nachgebildeten Schematen,

indem z. B. der Gegensatz von Nord und Süd ein ursprünglicher Achsengegensatz ist, der von Ost und West
aber ein Gegensatz des Uebergangs und des Umlaufs.
Wesentlich aber ist für das Urschema und für alle ihm
nachgebildeten Schemate, daß die vier Glieder Einem Leben gehören, und aus seiner Entwicklung hervorgehen,
also nicht von aussen und fremdartig zusammengestellt
seyen, wodurch eben diese Schematisirung sich von der
Klassifikation scharf unterscheidet.

§. 9.

Wie nun alles Leben dadurch seine Entwicklung erhält, daß in ihm das Wesen mit seiner Einfachheit von
der Form mit ihrer Vielheit von Gegensätzen unterscheid-
bar wird, so ist eben dadurch auch für alle Schemate als Formeln dieser Entwicklung das Verhältniß ihrer Glieder scharf bestimmt, indem nämlich das erste Glied überall die Einfachheit des Wesens, das vierte
aber die Geschlossenheit der Form, in deren Vielheit das
Wesen selber als Einheit erscheint, darstellen muß, wie
es z. B. bey dem Fötus und dem Greise der Fall ist.
Eben so haben die Mittelglieder eines Schema für sich
das Gesetz der Zerstreuung, welches im menschlichen Leben die Jugend beherrscht, und das der Sammlung,
welches bey dem Manne als Selbstbestimmung hervortritt. Nur von der genauen Beobachtung dieses Gesetzes
erhalten die Schemate ihren Werth als Formeln des Lebens in einem bestimmten Gebiete desselben, wie z. B. der
Mittag alle Beleuchtung vereinigt, welche die Mitternacht
in ihrem Schooße trug, der Morgen in Gegensätze (Lich-

ter und Schatten) zerſtreute, und der Abend wieder zu
ſammeln bemüht war. Hier ſcheint nun die Reihenfolge
der Tagszeiten die Verhältniſſe des Schema in etwas zu
ändern, indem das dritte Glied (Abend) der Zeit nach
vor das erſte (Mitternacht) zu ſtehen kommt; allein der
Gegenſaß von Mitternacht und Mittag (Weſen und Form)
iſt dennoch in ſeiner ganzen Bedeutung vorhanden, und
zwiſchen ihn treten die Mittelglieder Morgen (aufgehen-
der Gegenſaß) und Abend (erlöſchender Gegenſaß) ebenfalls in ihrer ganzen Bedeutung hinein. In dem Schema der Tagszeiten entſteht alſo die ſcheinbare Abwei-
chung vom Urſchema blos durch die eigenthümliche Weiſe, in welcher dieſes hier in Auſſenverhältniſſen des Lichts
und Sphärenumlaufs in die Erſcheinung eintritt, indem
in der Zeit ein Raumkreis durchlaufen wird.

§. 10.

Wenn das Urſchema nach ſeinem Begriffe als Ver-
ſchlingung zweier Gegenſätze in einander durch das rechtwinklichte Kreuz mit ſeinen vier Polen richtig ausgedrückt
wird, ſo iſt doch in dieſem Ausdrucke der Gegenſaß der
Pole ſelbſt nur durch ihre Stellung angedeutet, und ſelbſt
der Unterſchied des urſprünglichen Gegenſaßes in der Achſe
und des abgeleiteten in dem Querdurchmeſſer kann nur dadurch ausgedrückt werden, daß man ſich dieſes Kreuz in
einer beſtimmten Stellung fixirt denkt, wodurch die eine Linie zum Perpendikel (Achſe) die andere zur Horizontale
wird, wie Zettel und Einſchlag des Webers. Will daher
der geometriſche Ausdruck auch auf die Eigenthümlichkeit
der Glieder des Urſchema eingehen, ſo muß er das Weſen

durch den alles involvirenden Punkt und die Form durch
den alle Entwicklung der Richtungen zusammenfassenden
Kreis ausdrücken, wobey denn für die Mittelglieder des
Urschema, d. h. für die zweifache Entwicklung, der Halbmesser und die ihm gegenüberstehende Sehne übrig bleibt,
so daß in Punkt, Halbmesser, Sehne und Kreis das
Urschema geometrisch individuell ausgedrückt ist. Eben so
kann die Arithmetik das noch unentwickelte Wesen durch
ihre alle Zahlen als Brüche enthaltende Eins, die Form
aber durch die alle Zahlenentwicklung schliessende Null
ausdrücken, wobey denn auf die Mittelglieder des Urschema die Zahl Zwey als Zahl des unvermittelten, die Drey
aber als Zahl des vermittelten Gegensatzes kommt, und
das Urschema also hier: Eins, Zwey, Drey, Null heißt.
In Kehllauten kommt auf das unentwickelte Wesen das
am wenigsten gebrochene a, auf die Form das o mit der
schärfsten Brechung an der Zahnreihe, auf die Mittelglieder des Urschema kommen aber die Vokale von mittlerer
Brechung am Gaumen und an der obern Zahnreihe, nämlich e und i, und werden diese als Terze und Quinte,
jene aber als Prime und Oktave behandelt, so kehrt das
Urschema singbar als musikalischer Akkörd wieder.

§. 11.

Wenn das Urschema sich in einer Erscheinung darstellt, welche ihrer Einfachheit wegen nicht erlaubt, die
in dem ersten Gliede zu denkende Involution, die in dem
lezten Gliede zu denkende Geschlossenheit der Evolution,
und die in den Mittelgliedern gesezte Zerstreuung und
Sammlung objektiv darzustellen, wie z. B. der Ausdruck

des Urschema durch Kehllaute oder Farben von diesem
Mangel gedrückt wird; so bleibt doch in allen Darstel-
lungen, welche das Urschema spiegeln, das Wesen immer dem ersten und unbestimmtesten Gliede, die Form
aber dem lezten und am meisten bestimmten, und das eine der Mittelglieder ist dem ersten und seiner geringsten
Bestimmtheit, das andere aber dem lezten und seiner
höchsten Bestimmtheit verwandt, das eine Mittelglied also wesenartig, das andere formartig.

§. 12.

Wie das Urschema seinen Begriff als Verschlingung
zweier Gegensätze in einander geometrisch durch das rechtwinklichte Kreuz (Decussation) ausdrückt, so spricht es
denselben arithmetisch aus durch die Vierzahl seiner Glieder, welche auf die Pole des Kreutzes, nicht aber auf
die Seiten eines Vierecks, zu deuten ist, als welche leztere viel abgeleiteteren Ursprunges sind. Demnach ist das
allgemeine Gesez der Entwicklung ideal und real nur in
der Vierzahl der Glieder befriedigt, welche Glieder aber
keineswegs einander blos wiederholend, wie die Seiten
des Vierecks, vielmehr die Verhältnisse des Wesens und
der Form in ihrem wechselseitigen Uebergange darstellen,
also zwey sich durchkreuzende Gegensätze enthalten müssen.

§. 13.

Klar ist, daß das Urschema durch das genau bestimmte Verhältniß seiner vier in der engsten Beziehung
auf einander stehenden Glieder ein geschlossenes Ganzes
ausmache, in welchem der Gegensatz das organisirende Prinzip ist. Dieser kommt hier vor 1) als Gegensaz

der zwey extremen Glieder, deren jedes das Ganze enthält; 2) als Gegensatz der beiden Mittelglieder, deren
jedes nur einen Uebergang zwischen jenen extremen Gliedern enthält; 3) als Gegensatz dieser beiden Gegensätze,
deren erster absolut, der letzte aber relativ heißen mag.
Ist nun der Gegensatz im Urschema das organisirende
Prinzip, so ist er es auch in allen abgeleiteten Schematen, und ist es überhaupt in allen endlichen Dingen.
Das Leben ist also überall ein Spiel von Gegensätzen,
das von zwey ersten in einander verschlungenen Gegensätzen ausgeht.

§. 14.

Ist durch das Urschema einmal des Lebens ganzer
Inhalt dargestellt und durch die darinn enthaltenen Verhältnisse das Leben weiter zur Entwicklung aufgeschlossen,
so kann das Spiel des Lebens nur in Wiederholungen
des Urschema sich fortsetzen, und aus diesen Wiederholungen muß die ganze Vielheit endlicher Dinge hervorgehen. Dieß geschieht, indem die vier Glieder eines auf
irgend einem Gebiete der Dinge zum Grunde gelegten
Schema in ihrem Umfange sich wiederum schematisch ent-
falten, so daß z. B. in dem Schema für die Kunst jedes Glied nach demselben Gesetze, welches dem ersten
Schema zum Grunde liegt, ein neues aus sich selbst entwickelt. Es sey das Schema für die Kunst überhaupt
folgendes:

Plastik

Mahlerey   Musik

Poesie

so geht die weitere Entwicklung dadurch von statten, daß im Umfange jeder dieser vier Kunstformen wiederum vier Formen nachgewiesen werden, in deren Verhältnissen zu einander die Verhältnisse des ersten Schema sich wiederholen, z. B. für die Poesie die lyrische, historische, dramatische und epische Form, für die Plastik die Büste, Statue, Relief, Tempel u. s. w. Dabey erhält denn jede neue Entwicklung ihren Charakter von dem Gliede des ersten Schema, in dessen Umfange sie gemacht worden ist, wird also dadurch ebenfalls plastisch, musikalisch u. s. w. Solche das Urschema wiederholende Entwicklung ausgehend von den Gliedern eines zum Grunde gelegten ersten Schema auf irgend einem Gebiete der Dinge giebt überall die Grundverhältnisse dieses Gebietes, und die Grundverhältnisse eines bestimmten Begriffes werden eben so gefunden, wenn auf seinem Umfange ein solches Schema entwikkelt wird.

§. 15.

Das Urschema, welches die Grundverhältnisse aller endlichen Dinge enthält und die Formel ihres allgemeinen Lebens ist, kommt ganz auf dieselbe Weise durch Wiederholung seiner selbst in seinen vier Gliedern zur Entwicklung speziellerer Verhältnisse, und zwar ist diese Entwicklung hier wie überall dem Gesetze der Vierheit unterworfen, welches in dem Urschema schon liegt. Demnach sind für das erste Glied des Urschema vier Formen aufzuzeigen, deren erste selbst wieder das Wesen der

drey übrigen, die lezte aber die ganz bestimmte Form
der ersten enthält, indeß die beiden mittlern von der ersten aus- und in die vierte übergehen. Das Schema

Endlichkeit

Quantität   Qualität

Realität

enthält die verlangten vier Formen des Wesens.

§. 16.

Da für unsere ganze Wissenschaft die Idee des Lebens vorausgesezt wird, so kann auch jeder noch zu fin-
dende Begriff nur in dieser Idee seine Bedeutung haben,
und die Endlichkeit ist nichts als das Leben, in welchem Gränze gesezt worden durch es selbst, und dieß ist
mit anderem Worte das Seyn. Da im Idealen wie
im Realen das Leben seine Wogen nach demselben Gesetze wirft, so ist auch das Ideale, d. h. in ihm ist ebenfalls Leben begränzt, obwohl anders als im Realen. Ueberall aber ist das Seyn enthalten im Leben.

§. 17.

Endlichkeit oder Seyn, als Begränztheit des Lebens
überhaupt, ist an sich einfach und muß bey allen Dingen vorausgesezt werden, indem sie eben durch die Begränzung des allgemeinen Lebens nur sind. Durch die
Endlichkeit aber ist in das begränzte Leben ein Verhältniß des Lebens und seiner Schranke gesezt, welches zu
Gunsten jenes oder dieser ausschlagen oder auch das
Gleichgewicht halten kann, und Quantität heißt.

§. 18.

Die Quantität als erstes Verhältniß der Endlichkeit

ist offenbar nicht mehr einfach, sondern der angeführten dreifachen Verschiedenheit fähig, die in jedem Verhältnisse liegt. Ausserdem aber hat die Quantität ihre vollständige Vierheit dadurch, daß sie beurtheilt werden kann: 1) nach dem Leben, welches durch die Schranke mehr oder minder gebunden ist; 2) nach der Schranke, welche durch das Leben mehr oder minder bezwungen ist; 3) nach dem Wechsel dieser beiden Verhältnisse in einerley Umfang der Endlichkeit; 4) nach dem Umfange und Inhalte dieser Endlichkeit selbst. Daraus entstehen für den Begriff der Quantität folgende zwey synonyme Schemate:

	intensiv		Grad
extensiv	numerär	Größe	Vielheit
	collectiv		Inbegriff

wobey man sich hüten muß, das Wort Größe, welches eigentlich blos in der Extensität seine wahre Bedeutung hat, statt des allgemein formalen Begriffs der Quantität zu gebrauchen. Blos die Geometrie ist eine Größenlehre, die Arithmetik aber eine Vielheitslehre, und die ganze Mathematik eine Quantitätswissenschaft oder quantitative Philosophie.

§. 19.

Die erste Form der Quantität oder der Grad enthält also das von der Schranke gebundene Leben, welches im Kampfe mit dieser Schranke Kraft genannt wird, nach seiner verschiedenen Gebundenheit oder Freiheit so, daß hier die Ansicht von dem Leben ausgeht, und die Schranke als zufällig betrachtet, indeß die ex-

tensive Größe von der Schranke ausgeht, und es
als zufällig betrachtet, wie weit es dem Leben gelinget
sich ihrer zu entledigen. Für die Intensität ist also die
ganz in sich selber gedrängte Kraft als prägnanter Moment das erste, für die Extensität aber die an der Entwicklung gehinderte conzentrirte Kraft oder der Punkt,
und diese beiden Ansichten sind in der Sache zwar Eins,
indem das Prägnante immer auch das Conzentrirte seyn
muß und umgekehrt, doch sind sie zwey verschiedene Seiten derselben Sache.

Anmerkung. Wie sich diese Begriffe in der sinnlichen Zeit und im sinnlichen Raume gestalten, wird
unten gezeigt werden. Bis jezt konnte von Raum
und Zeit überhaupt noch nicht die Rede seyn.

§. 20.

Liegt in diesen beiden Ansichten die gebundene Kraft
und die überwundene Schranke beide für sich, so enthält
das allgemeine Leben mit seiner unendlichen Endlichkeit
eben auch alle verschiedenen Quantitäten von beiden und
dadurch die Vielheit, deren Inbegriff das allgemeine Leben selbst ist. Jede bestimmte Quantität in dieser
Vielheit erscheint sodann als Besondres in jenem allgemeinen Inbegriffe.

§. 21.

Wo die Vielheit entstanden ist, die ursprünglich als
eine graduelle erscheint, und erst durch weiter fort ge-
schrittene Begränzung aus einer Vielheit von Graden zu
einer Vielheit von Dingen wird, da erscheint auch zugleich der innere Gegensatz des gradweise Verschiedenen

als Qualität. Ihr Anfang ist die Gedunkenheit des Lebens überhaupt oder das Einfache, welches bey möglichst geringer Intensität ein gleichgewichtiges Schwanken des Lebens und seiner Schranke enthält, und von welchem aus das Uebergewicht entweder auf das Leben selbst fällt, welches seine Schranke auf das Minimum bringt, was man basische oder inhaltige Qualität nennt, oder auf die Schranke, welche in das Leben einbrechend in verschiedenem Grade diesem vielfache Form giebt. Lezterere Qualität mag die formale heissen, und wenn die beiden einseitigen Qualitäten sich unter einander auf ein Gleichgewicht bringen, so erhält ihre Verbindung einen gegensatzlosen Charakter, welcher neutral heißt. Das Schema der Qualität ist also:

einfach

inhaltig   formal

neutral

und es fällt in die Augen, welche Beziehungen dieses Schema auf die beiden vorangegangenen hat. Da nämlich die Qualität blos der Gegensatz des Beschränkten ist, so muß alle Qualität sich auf Quantität gründen, und das Minimum von Intensität muß auch die gegensatzloseste Qualität d. h. das Einfache seyn, und wie die Schranke zurückweicht, wodurch das Leben in die Extensität fällt, muß das Uebergewicht seines Inhaltes hervortreten, indeß die vielfach eindringende Schranke als formale Qualität ein numerär gebrochenes Leben erzeugt, beide einseitige Qualitäten aber mit einander verbunden müssen eine Indifferenz darstellen, welche den Gegensatz auslöscht oh

ne die erste Einzelheit wieder herstellen zu können, was
man Neutralität nennt. Solche Neutralität ist aber zugleich ein Inbegriff der in ihr ausgelöschten Einzelheit-
keiten.

Anmerkung. Das Wasser ist eine Neutralität aus
der basischen Qualität (Hydrogene) in ihrer Vermäh-
lung mit der formalen Qualität (Oxygene) erzeugt;
und das Einfache, wovon diese beiden Qualitäten
ausgiengen, ist vorerst der Chemie noch ganz unbekannt. Eben so sind die Neutralsalze Neutralitäten
von Säuren und Kalien. Im Geistigen ist jede Darstellung ein Einfaches, das durch Einbildungskraft
auf seine basische (anschauliche) durch Verstand aber
auf seine formale Qualität gebracht, und dann auch
wieder im klaren Begriffe neutralisirt werden kann.
Was hier die Klarheit ist, das ist auf dem physischen Gebiete die Durchsichtigkeit.

§. 22.

Ist die Endlichkeit (Seyn) durch die Quantität zur
Qualität gelangt, welche beide auf die oben gezeigte
Weise zusammenhängen, so ist sie dadurch real, d. h.
allseitig bestimmt geworden, indem nämlich die Quantität
dem in der Endlichkeit gebundenen Leben seine Gränze
anwies, die Qualität aber in das Verhältniß der Faktoren des gebundenen Lebens, d. h. in die Grade der Bindung, den Gegensatz hineinbrachte, welcher das allgemeine Verhältniß des freieren Lebens zu dem gebundenen
ist. Die Bestimmtheit jenes Grades und dieses Verhältnisses zusammengenommen giebt den Begriff der Reali-

tät, welche z. B. bey einem körperlichen Dinge in seiner Intensität (Dichtigkeit), Extensität (Volum) und seinem indifferenten, kalischen, sauren, oder neutralen Verhalten besteht. Bleibt die Realität auf der ersten Form der Quantität und Qualität, d. h. auf der Intensität und Einfachheit, stehen, so ist sie, wie etwa der die Sphärensysteme durchdringende Aether, eine uranfängliche; schreitet sie in die Mittelglieder der beiden Schemate der Quantität und Qualität fort, wie etwa das Licht und die Luft, so ist sie eine dynamische; kommt sie aber zum Inbegriffe und zur Neutralität, wie etwa das Wasser, so ist die Realität eine vollständige. Das Dynamische der Realität stellt sich aber zweyartig dar, nämlich als Streben, wie im Strahlen des Lichtes, und als Conflikt, wie im Klange der Luft, und die vollständige Realität heißt im Physischen Stoff. Im Idealen heißt die uranfängliche Realität Seele, die dynamische, welche doppelt ist, heißt Streben und Empfinden, und die vollständige Realität heißt Selbst. Dynamische Realität ist also überall nur eine halbe, sey es als Streben, das von der uranfänglichen Realität ausgeht, oder sey es als Conflikt dieser mit einer ihr gegenüberstehenden und in sie eingreifenden Schranke.

§. 23.

Die uranfängliche Realität ist demnach zu betrachten als die fruchtbare Mutter aller Formen der Endlichkeit, welche durch die beiden dynamischen Formen durchgehend ihre Realität vollständig machen. Haben sie dieses erreicht, so ist sowohl ihr uranfängliches Seyn als ihr

ihr doppeltes dynamisches Leben in die Gränze eingeschlossen, welche sie mit der Vollständigkeit ihrer Realität gewonnen haben, wodurch denn eben das allgemeine Leben des All in jedem Dinge zu einem besonderen wird.

§. 24.

Die Formen der Endlichkeit: Quantität, Qualität und Realität, gehören dem Wesen und machen seine nothwendige Vierheit. Wenn aber das Wesen in die Form übergeht, so tritt, wie an dieser Vierheit schon sichtbar wurde, der Gegensatz ein, welcher selbst als erste Form gedacht werden muß. Denn wenn die Endlichkeit als Begränzung erkannt worden, so ist ja in ihr schon das Leben mit seiner Gränze im Gegensatze, und dieser Gegensatz entwickelt sich in den folgenden Gliedern des mit der Endlichkeit anfangenden Schemas nur weiter. In dem Gegensatze als zweitem Gliede des Urschemas muß also dieselbe Vierheit durchgeführt werden, welche im Wesen als erstem Gliede bereits durchgeführt worden ist.

§. 25.

Die erste Form des Gegensatzes erscheint sogleich an den beiden Begriffen Wesen und Form, welche beide einander darin gleich sind, daß der eine wie der andre das Ganze enthält, der erste nämlich das ganze Wesen vor aller Form, der lezte aber das Wesen ganz in Form übergegangen. Ein Gegensatz, dessen Glieder sich also verhalten, heißt ein absoluter Gegensatz, und bildet in jedem Schema die extremen Glieder, nämlich das erste und vierte, und mit ihm steht im Gegensatze ein anderer Gegensatz, dessen Glieder nicht das Ganze, sondern

B

nur das Getheilte enthalten, also das, was nicht mehr reines Wesen und noch nicht vollendete Form ist. Ein solcher Gegensatz giebt überall die Mittelglieder zu einem Schema und heißt ein relativer.

§. 26.

Der Gegensatz von absolutem und relativem Gegensatze constituirt die Schemate und damit auch die Weltform, ist also ein formaler Gegensatz. Dadurch wird die Construktion auf einen realen Gegensatz geführt, und der Gegensatz dieser beiden Gegensätze muß darin bestehen, daß in dem realen Gegensatze beide Glieder sich innerlich entgegengesezt sind, wie z. B. die Qualitäten der Dinge, dagegen die Glieder des formalen Gegensatzes sich äußerlich entgegengesezt verhalten wie die Quantitäten, z. B. das Allgemeine und das Besondre, das Ganze und der Theil. In der That verhalten sich auch die Glieder jedes Schemas quantitativ, weil die extremen Glieder das Ganze die Mittelglieder aber das Getheilte enthalten; zugleich aber sind die extremen Glieder, an deren Natur die Mittelglieder Antheil nehmen, sich als Wesen und Form qualitativ entgegengesezt. Wenn demnach der formale Gegensatz auf Quantitatives, der reale Gegensatz aber auf Qualitatives zurückläuft, so wird das Schema des Gegensatzes überhaupt folgendes seyn: . . .

absolut

quantitativ   qualitativ

relativ

und das Urschema vereinigt in sich alle diese Formen. Folglich enthält das Urschema, indeß es die Urbegriffe

zum Inhalte hat, auch die Urform, und da die Dinge
nichts haben als Wesen und Form, so erweist sich auch
dieses Urschema als höchster Grundsatz aller Erkenntniß,
wie es in §. 7. ist ausgesprochen worden.

§. 27.

Auf den Gegensatz folgt die **Vermittlung**, in welcher das in den Gegensatz herausgetretene Wesen dadurch
in die Vollständigkeit der Form übergeht, daß es die
Glieder des Gegensatzes einander nähert, um sie in einander übergehen zu machen. Alle Vermittlung geschieht
durch Annäherung, und ist so vielfach als der Gegensatz
selber, hat also mit diesem einerley Schema.

§. 28.

Geschieht alle Vermittlung durch Annäherung, so ist
die erste und höchste Vermittlung, welche eben darum auch
die **absolute** heissen mag, die, in welcher die Glieder
des Gegensatzes zwar in der Form unterschieden, im
Wesen aber doch nicht getrennt sind, wie eben das Wesen und seine Form selbst, so daß kein Mittelglied zwischen sie eintritt. Dergleichen nennt man in der Sprache unmittelbar, und findet sich dieses Verhältniß in der
Geometrie zwischen dem Kreise und seinem Punkte, so
lange noch keine Radien gezogen sind, in der Logik zwischen dem Subjekte und Prädikate des kategorischen Urtheils, in den Dingen zwischen dem Wesen und seiner
Erscheinung u. s. w. Dagegen bezeichnet sich die **relative** Vermittlung überall durch eingeschobene Mittelglieder, wie z. B. der Satz: blauer Himmel, durch eingeschobene Copula sich in ein logisches Urtheil: der Himmel

ist blau, verwandelt, oder das kategorische Urtheil durch eingeschobenen Bedingungsbegriff ein hypothetisches wird, oder ein allgemeines und besonderes Urtheil durch einen eingeschobenen Untersatz einen Syllogismus ausmachen. Was nun als Mittelglied (Bindungsmittel, Copula) eintritt, muß wie der Mittelbegriff eines Syllogismus, der im Obersatze Subjekt, im Untersatze aber Prädikat ist, auf beide zu vermittelnde Glieder eingehen.

§. 29.

Sind die Glieder des zu vermittelnden Gegensatzes sich dem Wesen nach entgegengesezt, wie Qualitäten, so ist auch ihre Vermittlung wesenhaft oder qualitativ, wie bey der Umwandlung in einander oder Neutralisation; liegt aber der Gegensatz nur in der Form, so daß Einheit des Wesens zum Grunde liegt, so ist auch die Vermittlung blos quantitativ, wie bey mittleren Temperaturen, Geschwindigkeiten, Mittelpreisen u. s. w.

§. 30.

Für die drey ersten Glieder des Urschemas sind also jezt die Schemate gefunden; das vierte Glied, welches die Form ist, findet sein Schema im Gegensatze mit dem Schema des Wesens. Wenn dieses vom Seyn ausgeht, welches ist, so muß das Schema der Form aussprechen, wie es ist: und da ergiebt sich, daß alles Seyn im allgemeinen Leben gesezt sey, und nachdem es einfach gesezt worden, inneren Gegensatz in sich selber entfalte, der mit getheiltem Leben in seinen Gliedern sich entgegenwirkend endlich in der Realität zu einem gemeinschaftlichen Seyn der Glieder des Gegensatzes ausschlage. Mit abstrakten Worten ausgedrückt heißt dies:

Thesis

Analysis   Antithesis

Synthesis

und enthält wie das Urschema wieder die allgemeine Geschichte des Lebens.

§. 31.

Das Schema der Form als das vierte in der Exposition des Urschema und ausgehend von dem vierten
Gliede desselben muß den Charakter der zwey Mittelglieder, also den unvermittelten und vermittelten Gegensatz,
in dem Umfange des ersten noch gegensatzlosen Gliedes
zusammenfassen, das erste Glied in dem vierten Schema
muß also blos setzen, ohne entgegenzusetzen, und von seinen zwey Mittelgliedern muß das erste, dem gegensatzlosen nähere, Glied den Gegensatz im ersten Gliede blos
als Trennung des Einfachen in sich selbst d. h. als Analysis setzen und es dem folgenden Gliede überlassen, das
in sich selber getheilte Leben durch Gegenwirkung seiner
Theilungsglieder d. h. durch Antithese zu einer Vermittlung zu bringen, welche im vierten Gliede eine Synthesis möglich macht. Wo das Leben sich in seiner Thätigkeit zusehen kann, wie das bey den geistigen Operationen der Fall ist, kann die Thesis in jedem freien Denken einer Vorstellung, die Analysis in dem theilweisen
Denken ihres Inhaltes, die Antithesis in dem Herausheben der in diesem Inhalte liegenden Gegensätze und die
Synthesis in dem Zusammenfassen dieses ganzen unter
sich entgegengesezten Inhaltes zur Bestimmung der einen
anfangs unbestimmt gesezten Vorstellung erkannt werden.

§. 32.

So sind im Urschema aus den zwey Urbegriffen vier geworden, welche zwey in sich verschlungene Gegensätze enthaltend das Urgesetz der Dinge darstellen, und durch die Wiederholung dieses Gesetzes in jedem Gliede des Urschema sind die viermal vier eben bezeichneten Begriffe entstanden, welche aller Dinge Grundformen sind. In Sätzen ausgesprochen heissen nun diese Grundformen so:

I.

1) Alles Seyn ist endlich; §. 16.

2) Alles Endliche ist begränzt; §. 17. 18.

3) Alles Begränzte ist Glied eines Gegensatzes; §. 21.

4) Alle Realität ist das gemeinschaftliche Resultat bestimmter Endlichkeit, bestimmter Begränztheit und bestimmten Gegensatzes; §. 22.

II.

5) Höchster Gegensatz ist der, dessen Glieder ein Ganzes enthalten, das in dem einen Gliede im Wesen, im andern Gliede aber in der Form ganz ist.

6) Geringerer Gegensatz ist, wenn die Glieder bey gänzlicher Einheit des Wesens blos in der Form entgegengesezt sind, wie Allgemeines und Besondres.

7) Eben so, wenn die Glieder ihren Gegensatz nur im Wesen tragen, wobey die Form gleich oder wenigstens gleichgültig ist, wie bey Qualitäten.

8) Gegensatz in Form und Wesen zugleich stellt beide getheilt dar und heißt relativer Gegensatz; §. 25. und 26.

III.

9) Absoluter Gegensatz wird durch Umwandlung des einen Gliedes in das andre vermittelt, wodurch ein Ding sein eigenes Gegentheil wird; §. 28.

10) Quantitativer Gegensatz wird durch Zueinanderfließen vermittelt; §. 29.

11) Qualitativer Gegensatz wird durch gegenseitige Umwandlung der Glieder in einander vermittelt, und giebt Neutralisation; §. 29.

12) Relativer Gegensatz wird durch Mittelglieder vermittelt, welche in die Einseitigkeit beider Glieder eingehen; §. 28.

IV.

13) Das Wesen in seiner einfachsten Form ist gesetzt; §. 31. 32.

14) In seiner nächsten Form trägt es einen Gegensatz in sich selber;

15) Die Glieder dieses Gegensatzes suchen durch Wechselwirkung ihre Vermittlung;

16) Des Wesens höchste Form erscheint dann, wenn alle aus ihm hervorgetretenen Gegensätze durch Wechselwirkung in und mit seinem Umfange vermittelt sind; §. 31. 32.

Was nun diese sechszehn Sätze in Worten ausführlich sagen, das drücken die vorhin entwickelten vier Schemate einwortig durch die Stellung ihrer Glieder also auf die concentrirteste Art aus, so daß man begreift, wie es möglich sey, die ganze Wissenschaft in solchen Schematen, deren eines aus dem andern erwächst, darzustellen.

Zugleich ist klar, daß vier Schemate unter einander sich eben so. verhalten, wie die vier Glieder des Urschema und jedes andern, das nach diesem gebildet ist.

§. 33.

Wenn vier Schemate, die aus den vier Gliedern eines ersten Schema (welches hier das Urschema war) erwachsen sind, sich eben so zu einander verhälten, wie die vier Glieder des ersten, so müssen die gleichnamigen d. h. die ersten, zweiten, dritten und vierten Glieder solcher vier Schemate ebenfalls zu einander in einem schematischen Verhältnisse stehen, indem sie immer einerley Begriff in vier Formen ausdrücken, deren erste aus dem Charakter des Wesens, die vierte aus dem Charakter der Form genommen ist, die beiden mittlern also dem unvermittelten und vermittelten Gegensatze gehören. So z. B. liegt in den vier Gliedern

Endlichkeit

absoluter Gegensatz   absolute Vermittlung

Thesis

durchaus der Charakter des Ersten, so daß dieses Schema das Erste im Wesen und in der Form, dann in den zweyerley Gegensätzen enthält. Eben so enthält das Schema:

Realität

relativ. G.   relativ. Verm.

Synthesis

alles Lezte oder vollständig entwickelte in seinen vier Formen, also die Form des Wesens, der beiden Gegensätze und der Form selbst. Alle zweiten Glieder der vier zu

ren Schemata der Reihe nach in Ein Schema verbunden zeigen den Charakter des zweiten Gliedes der Dinge
in seinen vier Formen als Quantität, quantitativer Gegensatz, quantitative Vermittlung und als Analysis, so
wie alle dritte Glieder, nämlich: Qualität, qualitativer
Gegensatz, qualitative Vermittlung und Antithesis, den
Charakter des dritten Gliedes der Dinge, nämlich den
Uebergang in die Synthetische Vollendung des vierten
Gliedes ausdrücken. Daß in dem Schema des Gegensatzes, so wie in dem der Vermittlung das Quantitative
dem Qualitativen vorangeht, kommt daher, daß der Gegensatz selbst formaler Natur so wie die Vermittlung erst
oberflächlich beginnt (als formaler Gegensatz quantitativ),
in das Wesen eingreifend als realer Gegensatz (qualitativ) fortfährt, und als relativer Gegensatz entgegengesezte Qualitäten und Quantitäten vereinigend endet. Auch
in dem Schema des Wesens geht die Quantität der Qualität voran.

§. 34.

Demnach ist klar: 1) das innere Gesetz von jedem
Schema, wie es im Urschema als Kreuzung von zweyerley Gegensätzen allgemein vorgestellt ist; 2) das allgemeine Verhältniß aller schematischen Glieder als Erstes
und Leztes und Ausgehen von jenem und Uebergehen in
dieses, wodurch das Erste und Lezte selbst als allgemeine Begriffe erscheinen, durch welche weiter zwey andre
Begriffe, nämlich das Zweite und Dritte, bestimmt werden; 3) die gesetzmäßige Entwicklung abgeleiteter Schemate aus einem ersten oder Urschema; und 4) das Ver-

hältniß von vier solchen Schematen zu einander, welches daſſelbe iſt wie zwiſchen den Gliedern Eines Schema, und woraus folgt, daß alle ihre gleichnamigen Glieder ſich ſelbſt wieder zu einem Schema, an einander anſchlieſ ſen. Daburch hat man einen Cyklus von Conſtruktion, der von der Durchkreuzung zweier Gegenſätze anfängt, mit der Wechſelbeſtimmung der Glieder fortfährt, in die Entwicklung neuer Schemata übergeht, und mit der Ver flechtung ihrer Glieder in einander endet. Dieſe Ver flechtung iſt die lezte Probe einer geſezmäßig geführten Conſtruktion.

Anmerkung. Man ſieht wohl, daß dieſe vier Din ge ſelbſt wieder ein Schema ausmachen, welches aber wegen Mangels an ſcharf bezeichnenden Wor ten nicht einwortig ausgedrückt werden kann.

§. 35.

Bey dieſer Entwicklung des Urſchema in vier unter geordnete oder abgeleitete Schemate ſind die für die Be griffe von Quantität, Qualität und Realität noch beſon ders aufgeſtellten Schemate §. 18., 21., 22. als Neben zweige zu betrachten, welche der Hauptſtamm nach der Seite hinaustreibt, und dieſer ſelbſt heißt:

Weſen

Endlichkeit

Quantität   Qualität

Realität

Gegenſatz   Vermittlung

abſoluter   abſolute

quantitativer   qualitativer   quantitative   qualitative

relativer   relative

Form
Theſis
Analyſis   Antitheſis
Syntheſis

Die Möglichkeit von Nebenzweigen aber geht gerade ſo
weit, als in dem Umfange eines Begriffes, der zu dem
Hauptſtamme gehört, noch Gegenſätze gefunden und durch
Wortausdruck unterſchieden werden können. Daher mögen oft Nebenzweige ſelbſt wieder Nebenzweige entwik-
keln, wie in der phyſiſchen Natur bey den Flaumfedern
die Strahlen der Fahne ſelbſt wieder zu Federn geworden ſind.

§. 36.

Dieſer Hauptſtamm der Urbegriffe iſt nur viergllie-
brige Expoſition des Urſchema und enthält wie dieſes;
1) das Eine Weſen, welches durch ſeine ganze Expoſition hindurch daſſelbe bleibt, ſonach den Begriff der
Identität; 2) die Glieder der Expoſition haben eine
beſtimmte Identität und Nichtidentität, die erſtere in ſo
ferne ſie alle in dem Einen ſind, die lezte in ſo ferne
ſie in demſelben eine verſchiedene Stelle einnehmen, d. h.
ſie haben ein Verhältniß zu einander und zum Ganzen; 3) der Gegenſatz der Glieder iſt vermittelt durch
das Leben, deſſen Expoſition ſie ſind, und das ſie alle
mit einander in Beziehung ſezt; 4) die vollendete Entwicklung oder Expoſition bezieht ſich zurück auf das Einfache, welches in dieſelbe eingegangen, wie ſich der Kreis
auf ſeinen Mittelpunkt zurückbezieht. Dieſe Zurückbeziehung, welche in Linien Krümmung genannt wird, heißt

mit ihrem allgemeinen Ausdrucke Reciprocität, und enthält ein continuirlich lebendiges Ineinandergreifen des Wesens und der Form, so daß leztere sich aus dem erstern stets erneuert, und dieses beständig jene trägt und hält.

§. 37.

Diese vier Begriffe:

Identität

Verhältniß Beziehung

Reciprocität *)

bilden zu dem Urschema und seiner Exposition ein Schema rein formaler Begriffe, welche Prädikamente heißen mögen, und zu welchen sich das Urschema mit seiner Exposition selbst wie Wesen zu der Form verhält. Als Sätze ausgedrückt lauten sie so:

1) $A = A$, oder das Wesen ist unter allen Bestimmungen, in welchen es erscheinen oder gedacht werden mag, immer dasselbe.

2) Verhältnisse sind Grade der Identität und Nichtidentität, theils im Wesen theils in der Form gegründet, und theils real theils ideal, d. h. seyende oder gedachte.

3) Beziehungen verbinden das durch die Form getrennte entweder real durch lebendiges gegenseitiges Ein-

---

*) Um das Wort Reciprocität im rechten Sinne zu nehmen, denke man an das pronomen reciprocum in der Grammatik, z. B. Cajus hat sich getödtet, wo also der Gegenstand der Handlung auf das Subjekt derselben zurückbezogen wird.

wirken (z. B. Beziehungen der Sphären eines Sphären=
systems, oder der Glieder einer Familie) oder ideal durch
Hinundhergehen der Reflexion (Vergleichen) zwischen zwey
Gliedern eines Verhältnisses;

4) Verhältnisse und Beziehungen, in welchen sich die
Form eines durch die Exposition erschöpften Wesens ent=
wickelt darstellt, beziehen sich auf eben dieses zurück, in=
dem sie über seine eigene ursprüngliche Bestimmtheit we=
der in der Quantität noch Qualität hinauszugehen ver=
mögen.

§. 38.

Die beiden Schemate:

	Wesen			Identität
Gegensatz	Vermittlung		Verhältniß	Beziehung
	Form			Reciprocität

welche sich selbst wie Wesen und Form zu einander ver=
halten, neben einander gestellt entsprechen sich Glied für
Glied so, daß sie einzelne Verbindungen zulassen, wie
folgt:

1) das Wesen ist identisch;

2) der Gegensatz ist ein Verhältniß;

3) die Vermittlung ist eine Beziehung;

4) die Form ist die Reciprocität der Beziehungen
und Verhältnisse mit dem Wesen;

wobey durch alle diese Verbindungen ein und dasselbe
Gesetz herrscht.

§. 39.

Dieses Gesetz ist, daß die Form, wo sie nicht wie
in dem Urschema als viertes Glied dem Wesen als dem

erstere gegenübersteht und in ihm aufgeht, so wie dieses
in ihr, zu dem Wesen ein relatives Verhältniß erhalte,
welches sich in der ungleichen Quantität beider ausspricht.
Das Wesen erscheint hier als enthalten in der Form,
und die Prädikamente des Urschema werden für seine
einzelnen Glieder zu Prädikaten, diese zu Subjekten.

§. 40.

Dieses Verhältniß des Wesens zu der Form erscheint
überall, wo Wesen und Form einander entgegengesezt
werden ohne die Continuität des beide vermittelnden Lebens, welches in jedem Schema das erste Glied in das
vierte verwandelt. Diese Continuität, welche in allem
ursprünglichen Leben ist, fällt hinweg, wenn das
ursprüngliche Leben über seine eigenen Produkte formlos
hinausgehend von diesen erst seine Form nimmt, wo es
dann subjektiv heißt und von den Gegensätzen des ursprünglichen nun objektiv gewordenen Lebens afficirt wird.
Diese Gegensätze in sich selbst nachbildend wird es erkennend und Wesen und Form des objektiven Lebens erscheinen getrennt, weil das subjektive Leben von beiden
besonders afficirt wird, von dem Wesen durch Widerstand überhaupt, von der Form aber durch die spezifische
Bestimmtheit des Widerstandes. Nun ist alle Form nichts
als Resultat der weiter fortgeschrittenen Entwicklung des
Wesens, folglich allgemein, indem das Wesen auf solche Stufe entwickelt auch solche Form annehmen muß;
folglich erscheint dem erkennenden Subjekte das Wesen als
enthalten in der Form, und diese von grösserem Umfan-

ge als jenes. Zugleich kommt aber die Form z. B. Vielheit, Größe ꝛc. überall in einem bestimmten Grade als
so viel, so groß ꝛc. zur Erkenntniß; und durch diesen
Grad scheint die Form wiederum im Wesen (als sein
Merkmal) enthalten zu seyn, und das ganze relative
Verhältniß von Wesen und Form, wie es den vier Sätzen des §. 38. zum Grunde liegt, ist nur Werk der Reflexion, dagegen das absolute Verhältniß beider, wie es
im ersten und vierten Gliede des Urschema erscheint, die
Umwandlung nämlich, das wahre und wesentliche ist.
Jene vier Sätze, in welchen die Prädikamente des Urschema zu Prädikaten seiner Glieder geworden, sind demnach Urtheile und zwar die Ur-Urtheile des menschlichen Geistes. Da aber in aller Reflexion die wesentliche
Einheit von Wesen und Form (daß sie sich in einander
umwandeln und einander aufwiegen) aufgegeben ist, so
erscheint in allen Urtheilen nur eine vermittelnde Einheit
von Wesen und Form (Subjekt und Prädikat), welche
sehr passend Copula heißt.

Anmerkung. Da alle vom Subjekte ausgehende
Darstellung nur die nach außen umgestülpte Refle-
xion ist, so erscheint auch in der Darstellung die
Form immer außer dem Wesen und dieses umfas-
send. So erscheint der Punkt, der mit seinem Krei-
se doch wesentlich Eins ist, vom Kreise umschlossen
als sein Mittelpunkt, und die Form der räumlichen
Dinge, die an sich überall nur Endlichkeit ihres
Seyns ist, läßt sich als Gränze abstrahiren und als
Linie zeichnen. Eben so sind die Zahlen Brüche der

Eins und in lebendiger Einheit mit ihr selbst; im
Rechnen und Schreiben erscheinen sie aber von ihrer
Mutter und untereinander getrennt, und das heißt
man ganze Zahlen.

§. 41.

Da die in §. 35. aufgestellte Stammtafel der Begriffe nur Exposition des Urschema ist, und die in §. 37.
aufgestellten Prädikamente die abstrahirte Form dieses Urschema enthalten, indeß seine absolute Form in
seiner innern Durchkreuzung und seinen Gliederverhält-
nissen liegt, so hat man an jener Stammtafel und den
dazu gehörigen Prädikamenten einen geschlossenen Cyklus
allgemeiner Begriffe und zwar den ersten, der möglich
ist. Nach diesem ist alles Wesen thetisch und identisch,
alle Form synthetisch und reciprok, und aller Gegensatz
so wie alle Vermittlung, seyen sie im Wesen (real) oder
in der Form der Dinge (formal) genommen, muß in die
Umwandlung fallen (absolut) oder in den Uebergang zwischen der Umwandlung (relativ). Der Gegensatz aber
ist zuerst ein analytisches Verhältniß, welches durch Antithese seiner Glieder zur Vermittlung gebracht wird.

§. 42.

Wird das Gesetz der Dinge also begriffen, so ist
klar, daß das, was in der Form des Lebens als Entwicklung erscheint, nämlich die Bildung des Vielen,
im Wesen des Lebens eine Brechung sey, durch welche
das Einfache analytisch immer neue Gegensätze in seinem
eigenen Umfange gebiehrt, dagegen das, was in der
Form des Lebens als Auflösung erscheint, nämlich

das

das Vergehen des Vielen, im Wesen des Lebens eine
Wiederherstellung seiner ursprünglichen Einheit sey,
und daß in diesem Spiele das Leben bestehe.

§. 43.

In diesem Spiele muß alle Realität oder Synthesis
vorkommen, weil das Leben seine Endlichkeit oder Thesis
nach allen Graden und Qualitäten analytisch und antithetisch durchführt. Ein bestimmter Grad mit bestimmter
Qualität heißt nun ein Ding, und ist Wesen von Gegensätzen eingeschlossen.

§. 44.

In der Endlichkeit eines Dinges wiederholen sich
aber die allgemeinen Verhältnisse des Lebens wieder, und
das einzelne Ding erscheint also:

1) in seiner Thesis — Begründungsstufe;
2) in seiner Analysis — Entwicklungsstufe;
3) in seiner Antithesis — Verdopplungsstufe;
4) in seiner Synthesis — Vollendungsstufe.

Die methodische Construktion dieser Stufen giebt relativ allgemeine Begriffe, nämlich für jede Stufe besonders, welche zum Unterschiede der bisher entwickelten Urbegriffe Kategorien genannt werden sollen. Es folgen
also jetzt auf die bereits gegebene Tafel der Urbegriffe
vier Tafeln der Kategorien.

———————

Erste Tafel.
§. 45.

Das Ding ist in der allgemeinen Entwicklung der
Endlichkeit gesetzt, und hat hier seine Stelle. Daher hat

C

es nicht nur überhaupt Endlichkeit, sondern ein Daseyn, d. h. ein besonderes Seyn an einer bestimmten
Stelle des allgemeinen.

Anmerkung. Die Produkte der Erde haben ihr Daseyn in ihr und sind ihr eben deswegen durch Schwere (Zurückbeziehung) verbunden, die Erde hat ihr
Daseyn im Sphärensysteme, nach deſſen Einheit ſie
gravitirt. Der Staat hat ſein Daseyn in der Weltgeschichte.

§. 46.

Da das Ding einen bestimmten Grad der Endlichkeit mit bestimmter Qualität enthält, oder vielmehr solcher Grad und solche Qualität selber ist, so wird der
allgemeine Gegensatz der Dinge in jedem einzelnen Dinge auf seinen Umfang beschränkt und in demselben auf
eigene Weise gestellt zu des Dinges Faktoren.

Anmerkung. So sind die Faktoren des Klanges Expansion und Contraktion des klingenden Körpers im
Conflikt mit einander, die Faktoren des Rechtsbe-
griffs sind die Freiheit des Einzelnen und ihre Beschränkung durch die Freiheit der andern, die Faktoren der Bewegung sind das Raumverhältniß und
seine Veränderung u. s. w.

§. 47.

Der Gegensatz der Faktoren wird in den Dingen
vermittelt durch das Eingreifen des Lebens, wodurch sie
zuvörderst aus dem Gegensatze des Nebeneinanderbeste-
hens (analytisch) zu einem Gegensatze der Wechselwirkung
(antithetisch) gebracht werden, welcher Prozeß heißt.

Anmerkung. Die sogenannten vier Rechnungsarten enthalten selbst die abstrakte Form solcher Prozesse, und in der physischen Natur sind die elektrischen und chemischen Prozesse bekannt. Unter den Menschen ist z. B. der Krieg ein welthistorischer Prozeß und im bürgerlichen Leben ist der Verkehr ein Ausgleichnngs=prozeß der Bedürfnisse und ihrer Befriedigungsmit=tel. In der Wissenschaft ist jede Untersuchung und Construktion ein Prozeß und die Begeisterung des Dichters ist auch ein Prozeß, in welchem sich sein Inneres nach aussen entladet.

§. 48.

Sind die Faktoren eines Dings in den wirksamen Gegensatz gekommen, so finden sie ihre Vermittlung in der Wiederherstellung der ersten Verhältnisse, bey wel=chen ihr Gegensatz schlief, oder in neuen Verhältnissen, in welchen ihr Gegensatz sich beruhigen kann, in beiden Fällen erscheint das Ding als Produkt solcher Fakto=ren in solchem Prozesse.

Anmerkung. So lassen sich aus dem Wasser die beiden bekannten Gasarten als Faktoren hervorru=fen und geben nach ihrer Vereinigung in den alten Verhältnissen wiederum Wasser, in andern Verhält=nissen aber vereinigt Kalien und Säuren zum Pro=dukte.

§. 49.

Demnach ist das Grundschema der ersten Tafel fol=gendes:

Daseyn

Faktoren Prozeß.

Produkt

und die Construktion hat nun diese vier Begriffe wieder auf ihre Schemate zu bringen. Was zuvörderst das Da= seyn betrifft, welches die Stelle eines besonderen Dings in der allgemeinen Endlichkeit ist, so ist die Endlichkeit dieser Stelle jedes Dings Grundwesen, aus welchem es sich durch engere Begränzung abscheidet, und diese Abscheidung ist sein Ursprung. Wie aber aller Ur= sprung ein in dem Grundwesen entstandener Gegensatz ist, der wieder seine Vermittlung verlangt, so wird die= se Vermittlung zur Ursache und das dadurch bestimm= te Ding selber die Wirkung.

§. 50.

Bey jedem Dinge ist daher zuvörderst nach seinem Grundwesen zu fragen, d. h. auf welchem Gebiete der Dinge es einheimisch sey, und die deutsche Sprache hat solche Gebiete selbst mit dem Worte Wesen bezeichnet, z. B. Kriegswesen, Seewesen, Forstwesen, Bauwesen u. s. w. Alle solche Gebiete sind von einem gemeinschaft= lichen Begriffe beherrscht und enthalten eine Vielheit, welche nicht über den Umfang desselben hinausgeht, da= her denn auch alles, was hier einheimisch ist, nur als Theil von der Exposition dieses Grundwesens betrachtet werden muß, und durch Construktion des Grundwesens wissenschaftlich gefunden werden kann. In der Logik, wo sie von den Definitionen redet, heißt dieses Grund= wesen genus, und sie verlangt, daß man bey jedem zu definirenden Begriffe zuerst das genus angebe, und her= nach noch die differentia specifica hinzufüge.

§. 51.

Alle Grundwesen (Gebiete der Endlichkeit) werden wissenschaftlich gefunden durch Construktion von oben herab, d. h. von dem Urschema und seiner Exposition durch die Kategorien und ihre Exposition hindurch, wobey mit jedem Schritte das Gebiet enger wird, weil immer im Umfange des vorangegangenen Begriffs Gegensätze hervortreten, die in diesen Umfang sich theilen, wie z. B. Faktoren und Prozesse mit ihren Produkten in den Umfang des Daseyns sich theilen. Wenn nun Gegensätze unter den Produkten entstehen, so theilen sich diese wieder in den gemeinschaftlichen Begriff des Produkts, und jeder Begriff, in dessen Umfang Gegensätze genommen worden, wird für diese zum Gebiet oder zum Allgemeinen, indeß die Gegensätze selbst z. B. Natur- und Kunstprodukte, als das Besondere auf diesem Gebiete erscheinen, das aber selbst wieder Allgemeines werden kann, wenn in den Naturprodukten der Gegensatz der organischen und unorganischen, in den Kunstprodukten aber der Gegensatz der sichtbaren und der hörbaren aufgezeigt wird. So kann nun umgekehrt wieder vom Besondern aufgestiegen werden zum Allgemeinen, wenn von den Gegensätzen abgesehen (abstrahirt) wird, wie eben in den Naturprodukten vom Gegensatze des Organischen und Unorganischen; wobey dann nur noch das Naturprodukt überhaupt bleibt. Wo die Construktion fehlt, ist die Abstraktion der einzige Weg, Grundwesen oder Gebiete zu finden, und sie würde, da sie nur die absteigende Richtung der Construktion in eine aufsteigende umwandelt,

selbst auch Construktion werden müssen, wenn sie sich
des Gesetzes, nach welchem sie Gegensätze aufhebt, so
wie der Zahl und Stellung dieser Gegensätze deutlich bewußt würde, welches aber nur in Schematen möglich
ist, als welche die Glieder zählen und jedem Gliede die
Stelle sicher bestimmen. So geht aber die construktions-
lose Reflexion, wenn sie ein Grundwesen (genus) suchen
will, überall nur auf die nächste Allgemeinheit zurück,
z. B. daß eine Uhr eine Maschine sey, unbekümmert um
die Stellung dieses allgemeinen Begriffes im System der
Begriffe. Daher findet diese Abstraktion zwar wohl ge-
nera, aber doch kein System, und wenn nun zu dem
genus noch die differentia specifica verlangt wird, so
sezt diese Abstraktion wieder einen zunächstliegenden Gegensatz einseitig in das genus hinein, z. B. daß die Uhr
eine Zeitmessungsmaschine sey, unbekümmert um die Erschöpfung der Gegensätze, welche der Begriff Maschine
auf seinem Gebiete enthalten mag. Den Zeitmessungsma-
schinen sind nämlich die Raummessungsmaschinen entgegengesezt, und den Messungsmaschinen überhaupt alle
andern Maschinen, die nicht zum Messen gebaut sind,
welches alles aber zur Seite liegen bleibt, wenn für die
Uhr die Definition gesucht wird, daß sie eine Zeitmessungsmaschine sey. Die Construktion dürfte das alles
nicht liegen lassen.

§. 52.

Das Grundwesen wird Grund alles dessen, was auf
seinem lebendigen Gebiete sich bildet, z. B. das Mittelalter ist Grund aller aus ihm hervorgegangenen Erschei-

zungen, die denn auch von ihm ihren generischen Charakter nehmen, und durch spezifische Differenz sich unter einander entgegengesezt sind. Auf welchem Gebiete der Dinge aber sich etwas bilde, so geschieht dieß immer durch einen auf diesem Gebiete entstandenen Gegensatz, indeß das Gebiet selbst, z. B. das Mittelalter, durch Gegensatz mit andern Gebieten (Zeitaltern) seine eigene Begränzung und Bestimmtheit erhalten hat. Der Gegensatz nun, mit welchem im Umfange des Grundwesens neue Bildungen beginnen, heißt für diese der Ursprung. So findet sich z. B. im Wesen des Mittelalters der Gegensatz von ritterlicher und kirchlicher Begeisterung als Ursprung der Kreuzzüge, wie der in der Atmosphäre erwachte elektrische Gegensatz Ursprung des Blitzes wird.

§. 53.

Der Ursprung aller Dinge muß demnach in dem ersten Gegensatze gesucht werden, der im Urwesen gesezt wurde, und wenn mythisch das Urwesen als Urnacht gesezt wurde, so war der Ursprung aller Dinge in der Scheidung des Lichtes von der Finsterniß zu suchen, die Urnacht selbst (Athor, Leto) war aber nicht Finsterniß (relative Nacht), sondern das Verborgenseyn (Leto) aller Dinge in dem Einen Urwesen, welches leztere, wenn man die Keime der Dinge halb geschieden hinein dachte, zum Chaos wurde, aus welchem dann durch werdende Ordnung (Organisation) die Dinge gestaltet heraustraten. Jenes Hineindenken der Keime in das Urwesen war aber weiter nichts als eine willkührliche Fiktion, denn im Urwesen ist von den Dingen gar nichts enthalten als ihre bloße Möglichkeit, und ihre Wirklichkeit findet erst statt, wenn einzelne Begränzung in dem Urwesen hervortritt.

§. 54.

In jedem Ursprunge wird das Grundwesen analytisch gespalten, indem es nach zwey entgegengesezten Richtungen auseinandertritt. Nun sind aber die gespaltenen Theile selber das Eine, und wenn Spaltung in dasselbe gesezt worden, so fordert der Gegensatz Wiedervereinigung, und diese vermittelt sich durch die lebendige Wechselwirkung der Spaltungstheile anthithetisch. Die Wiedervereinigung oder Synthesis ist sodann ein neu begränztes Daseyn auf dem Gebiete des Grundwesens, welche neue Erscheinung **Wirkung** (effectus) genannt wird, indeß die den Ursprungsgegensatz vermittelnde Thätigkeit **Ursache** heißt. So wurde die doppelte Begeisterung des Mittelalters, aus welcher die Kreuzzüge ihren Ursprung nahmen, vermittelt und auf Ein Ziel gerichtet durch Peter von Amiens, Bernhard von Clairvaur und die Päbste, als welche die Ursache der Kreuzzüge sind, und wenn als Grundwesen der menschlichen Individuen die Gattung genommen wird, so ist die Spaltung der Geschlechter Ursprung und die Begattung Ursache von dem Daseyn der Individuen, welches als Wirkung jener Ursache und jenes Ursprunges erscheint.

§. 55.

Da die Wirkung im Schema die vierte Stelle einnimmt, und dem Begriffe von Grundwesen gerade gegenübersteht, so ist die Wirkung ein Wesen, welches aus

jenem abgeleitet durch besondern Gegensaz und besondere
Vermittlung bestimmt worden, und wenn eine Erkenntniß als Grundwesen gesezt und eine andere daraus abgeleitet worden, so heißt die abgeleitete Erkenntniß die
Folge, und die Caussalität heißt hier Consequenz. Es
ist aber die Caussalitätsreihe oder die Folge von Ursa-
chen und Wirkungen keineswegs eine einfach fortschreitende Gliederreihe, wie etwa eine Zahlenreihe, sondern in
jeder Caussalität entwickelt sich, wie eben gezeigt worden,
ein ganzes viergliedriges Schema von Grundwesen, Ursprung, Ursache und Wirkung, und eben so ist es auch
in einer Consequenzreihe. Nur hat hier die Reflexion
wieder wie bey den Definitionen das organische Wesen
der Construktion bey Seite gesezt, und so scheint ihr ein
Begriff unmittelbar und für sich allein den andern zu
zeugen, indeß doch alle Zeugung getrennte Geschlechter
in einem geschlechtslosen Grundwesen vorausfezt und in
ihrem Gegensatze vermittelt. Nach der gemeinen Reflexion hat Peter von Amiens die Kreutzüge bewirkt, das
Christenthum hat ihn dazu angetrieben, Karl der Große
hat es im Occident herrschend gemacht, von Rom aus
ist es nach dem Frankenreiche gebracht worden, und Christus hat es im Morgenlande gestiftet, Petrus aber nach
Rom gebracht. Dieß nennt man eine Caussalitätsreihe,
und eine Consequenzreihe macht man eben so einseitig,
z. B. die Schwächlichkeit ist eine Folge des Alters, das
Alter ist eine Folge des Verhältnisses der menschlichen
Lebensperioden, diese sind eine Folge der menschlichen
Sterblichkeit, diese ist eine Folge der Endlichkeit über-

haupt. In beiden Beyspielen ist ein einseitiges Aufstei-
gen von Glied zu Glied sichtbar, bey welchem aber nirgend etwas ergründet wird, indeß die Construktion im
ersten Beyspiele welthistorische im zweiten physiologische
Entwicklung gewesen seyn würde.

§. 56.

Jede Wirkung ist demnach keineswegs einfach, sondern sezt die Vermittlung eines Gegensatzes voraus, mit
welchem sie auf demselben Gebiete liegt; sie ist aber weder jener Gegensatz (Ursprung), noch der Vermittlungsakt (Ursache), sondern eine neue Bestimmung des Daseyns, welche durch die Vermittlung jenes Gegensatzes
erst entsteht. So ist z. B. der Blitz eine Lichterscheinung
in der Luft entstanden aus der Vermittlung ihrer elektrischen Gegensätze, welche aber auch durch Wasserbildung
vermittelt werden können, Blitz und Regen sind also hier
Wirkungen. Das von dem Blitze in die Erde geschla-
gene Loch heißt nun des Blitzes Wirkung, ist aber eine
neue Bestimmung in der Erdoberfläche, hervorgegangen
aus ihrem Widerstande gegen die einbringende Gewalt
des Blitzes, wobey dieser Gegensatz in solcher Form und
Größe des Loches seine Vermittlung gefunden hat, daher
ist die Wirkung überall ein Kind, das seinen Eltern ähnlich ist, seine Mutter ist der Gegensatz (Ursprung), sein
Vater aber die Vermittlung (Ursache), und die Eltern sind
auf einerley Gebiet der Dinge einheimisch (Landsleute),
obwohl sie verschiedener Stufe (Standes) seyn können,
wie z. B. Licht und Luft, Luft und Erde.

§. 57.

Aus dem Gesagten wird man nun leicht einsehen, daß das erste Schema der ersten Kategorientafel das eleusinische Geheimniß, den ἱερὸς γάμος der Mysterien, enthält. Die Mysterien sezten den Gegensaz, aus dessen Vermittlung alles hervorgegangen, als Himmel und Erde, die ältesten Götter, und als sie den Vermittlungsakt besonders personificirten, so wurde er zum Götter und Menschen beherrschenden Ἔρως. Dieses erhabene Geheimniß der Zeugung im Weltall heißt aber in Begriffen Definition, und einen Begriff definiren heißt sein Vaterland und seine Eltern angeben. Gründlich kann dieß nur geschehen nach unserem Schema, und so lautet die oben §. 51. angeführte Definition der Uhr, wie folgt: die Uhr ist ein mechanisches Kunstprodukt (Grundwesen), hervorgegangen aus dem Bedürfnisse eines stets gegenwärtigen Zeitmaaßes (Ursprung), dargestellt durch etwas die Zeit in ihrem Laufe schrittweise begleitendes (Ursache), welches eben dadurch die Zeit mißt (Wirkung).

Anmerkung. Die Vergleichung einer solchen construirenden Definition mit den gewöhnlichen logischen Definitionen, welche blos genus und differentia specifica angeben, wird die Oberflächlichkeit der leztern zeigen, und zugleich klar machen, daß jene construirenden Definitionen nach unserem Schema wahrhaft genetische sind.

§. 58.

Die Formen des Daseyns sind also:

Grundwesen

Ursprung . Ursache.

Wirkung

und weil in jedem Dinge der Gegensatz des Ganzen sich wiederholt, so erscheint er in des Dinges Umfang einge-schlossen als Faktoren. Nach der Zahl der Glieder eines Gegensatzes sind dieser Faktoren überall zwey, ihr Verhältniß zu einander muß aber vierfach seyn, weil sie durch dieses das Gesetz des Ganzen erfüllen.

§. 59.

Zuerst sind die Faktoren jedes Dinges dem allgemei-nen Verhältnisse von Wesen und Form entsprechend In-halt und Gränze, so daß der Inhalt das allgemeine Wesen, die Gränze aber die besondre Scheidung aus dem allgemeinen Wesen ist, in welcher dieses Ding den andern Dingen sich quantitativ entgegensezt. Wie nun jedes Ding dem Ganzen gleich sein eignes Daseyn in Setzen und Begränzen seines Wesens theilt, so ist das Setzende in ihm der positive und das Begränzende der negative Faktor, welche beide vom Leben aufge-regt sich wechselnd thätig oder leidend zeigen, je nach-dem die überwiegende Lebendigkeit dem einen oder dem andern von beiden Gliedern zu Theil wird. Endlich aber faßt das Ding seine eigenen Faktoren mit allen ih-ren Bestimmungen in seinem eigenen Inhalte und dessen Gränze synthetisch zusammen, wobey der eine Faktor, der inhaltige nämlich, seiner Allgemeinheit eingedenk, dem centralen Zusammenfassen peripherisch erweiternd entgegen strebt. Das Faktorentäfelchen heißt also:

Inhalt, Gränze

Positiv, negativ   thätig, leidend

central, peripherisch

und die zwey Faktoren jedes Dinges erscheinen nach und nach in allen diesen Formen.

Anmerkung. Des Rechtsbegriffes Inhalt ist die individuelle Freyheit, seine Gränze die Freyheit der andern, und auf dem Standpunkte des Individuums ist die Verengerung dieser Gränze negativ, die Erweiterung aber positiv, und in dem Schweben dieser Gränze ist das Individuum selbst thätig oder leidend. Dabey faßt es sich central mit allen seinen Rechten in seiner Persönlichkeit zusammen, und wirkt mit seiner Freyheit von hier aus peripherisch. Genau so verhält es sich im Physischen, wo die Faktoren eines starren Körpers sich als expansiver und contractiver Faktor zeigen, die in der Cohäsion central vereinigt in der Elasticität sich peripherisch zeigen.

§. 60.

Aus dem eben gegebenen Faktorenschema erhellt, daß die Begriffe positiv und negativ, dann aktiv und passiv rein relativer Natur seyen, indem sie als in die Mitte fallende Gegensätze den Standpunkt von oben oder von unten zulassen, nach welchem sie sich verschieden zeigen oder schillern. Vom Wesen ausgehend wird man das inhaltige Glied als das positive setzen müssen, von der

Form ausgehend aber das begränzende oder formgebende Glied, und indeß beide Glieder (als in das Leben fallend) aktiv sind, wird man beym Ausgehen vom Wesen nach der Form jenes immer mehr beschränkt, also leidend, die Form dagegen thätig (eingreifend) finden, inbeß bey umgekehrter Ansicht, welche von der Form nach dem Wesen zu geht, die Form von dem freier hervortretenden Wesen immer mehr besiegt wird. So hat, wer aufgenommene Kapitalien verzinsen muß, an den Zinsen eine stete Last zu tragen, die aber der Darleiher als Kapitalgewinnst betrachtet, und wenn der Schuldner durch Abzahlung des Kapitals sich freymacht, so hat er dagegen dem Kapital des Darleihers die Produktivität genommen. Eben so ist es mit Schritten vorwärts und rückwärts, welche beide positiv oder negativ, aktiv (fördernd) oder passiv (zögernd) heissen können, je nach der genommenen Richtung, und das Positive und Negative der Mathematiker ist nichts als die leere Abstraktion von dem lebendig Positiven und Negativen, wobey eben deswegen auch alle Andeutung der Richtung wegfällt, und blos die Verminderung übrig bleibt, die durch das eine Glied in das andere gesezt wird. Daher heißt es denn auch mit Recht Plus oder Minus. Die reine Mathematik abstrahirt auch hier von aller Lebendigkeit des Inhaltes und rechnet nur mit Quantitäten.

§. 61.

Dagegen sind die Faktorenverhältnisse, welche in die Glieder des absoluten Gegensatzes fallen, nämlich Inhalt und Gränze, welche beide dem Wesen, und central und peripherisch, welche beide der Form angehören, durchaus nicht relativ oder schillernd, sondern überall ist fest, was inhaltig oder begränzend, central oder peripherisch sey. So ist im Geiste der inhaltige Faktor das, was man Anschauung nennt und durch Einbildungskraft oder Phantasie kommt, der begränzende Faktor ist aber in Verstand und Vernunft der Begriff, und die Eigenthümlichkeit der Geister neigt entweder zu dem einen oder dem andern hin. Eben so ist auch, wenn ein Ding seine Faktoren entwickelt hat, die Beziehung aufs Wesen als Einfaches überall die centrale, die Beziehung auf die vielfache Form überall peripherisch: So ist central das Gefühl, peripherisch der Wille.

§. 62.

Aller aufgeregte Gegensatz geht seiner Vermittlung entgegen und dadurch in das Produkt über, und dieser Uebergang heißt Prozeß. Aller Prozeß beginnt im noch ungetheilten einfachen Wesen und tendirt zu einer vollständigen Schließung der gefundenen Begränzung oder von dieser wieder zurück zum unbegränzten einfachen Wesen; der Prozeß ist also wie die Faktoren in jeder Darstellung doppelt zu fassen.

§. 63.

Der erste Prozeß ist die Entstehung der ersten Begränzung im Unbegränzten, wie in der Luft eine Wolke entsteht, oder der Abscheidungsprozeß aus dem Grundwesen, durch welchen ein Ding erst gesezt wird. Von diesem Prozesse hängt zunächst das endliche Daseyn der Dinge ab, somit alles, was als weitere Bestimmung dieses Daseyns erscheint, nämlich Quantität, Qualität und Realität, dann auch das, was die Kategorien des einzelnen Daseyns in ihren vier Tafeln enthalten; eben so hängen auch von den ersten Faktoren Inhalt und Gränze alle übrigen Faktorenverhältnisse ab, welche in den endlichen Dingen vorkommen mögen.

§. 64.

Dieser Prozeß des Setzens, welcher in der Gottheit gedacht Schaffen, im menschlichen Geiste denken, in der Natur Zeugen, auf dem Gebiete der Willkühr Machen genannt wird, findet seinen entgegengesezten Prozeß in der Aufhebung der Gränze, welche als Anfang endlichen Daseyns in das Unbegränzte gesezt worden, und der entgegengesezte Prozeß, durch welchen das Begränzte wieder in das Unbegränzte zurückkehrt, heißt allgemein aufheben, und ist von ganz gleichem Umfange mit dem Prozesse des Setzens. Beide verhalten sich aber als positiv und negativ zu einander, und können auch aktiv und passiv werden gegen einander, wodurch zwischen ihnen ein Conflikt und in ihrem Resultate quantitative Beschränkung entsteht, welche als Erweiterung oder Einschränkung des einen oder des andern Prozesses betrachtet werden kann. Diesen Conflikt enthält aber jedes endliche Leben in sich, und es selbst existirt nur als gegenseitige Beschränkung beider Prozesse.

Für die Physiologie kommt aus der Verbindung der Prozesse des Setzens und Aufhebens die Verbindung des äußern und innern Ernährungsprozesses mit dem äußern und innern Ausscheidungsprozesse, und im bürgerlichen Ver-

Verkehrsleben gehört hieher die Produktion und Consumtion.

§. 65.

Gesezt kann also werden Wesen und Form, Gegensaz und Vermittlung der endlichen Dinge, und dasselbe kann auch durch den Aufhebungsprozeß hindurchgehen. Wenn aber Wesen gesezt wird, so wird es nicht an sich gesezt, sondern aus dem allgemeinen Wesen der Dinge herausgenommen und mit besondrer Gränze gesezt, wie eine Wolke in der Luft oder eine Blase im Wasser oder ein Organ im thierischen Schleime; und wenn Wesen aufgehoben wird, so wird es nicht absolut aufgehoben oder vernichtet, sondern blos seiner Gränze entledigt in das allgemeine Wesen zurückaufgelöst, wie die plazende Blase oder die zerrinnende Wolke. Dasselbe findet auch bey Erkenntnissen statt, welche durch ihre Bestimmtheit gesezt, durch das Aufgeben derselben aber aufgelöst werden, und indem das geistige Leben wie das physische von der Auflösung einer Form zum Setzen einer andern fortgeht, so erhält sich das Bewußtseyn in beständig neuer Ausfüllung seiner ursprünglichen Unbestimmtheit, und welche hier nicht selbst produktiv sind, suchen diese Ausfüllung bey andern, d. h. sie suchen Unterhaltung.

§. 66.

Indem so das Leben als Wesen mit seiner Selbstbegränzung als Form spielt, und das Uebergewicht der Aktivität bald auf die eine, bald auf die andere Seite sich hinneigt, entsteht beständig Erweiterung oder Verengerung, Zunahme oder Abnahme, und soweit das Leben hiebey

D

von einem Gliede des (absoluten oder relativen) Gegensatzes zum andern übergeht, so heißt es Veränderung,
in so ferne es aber in demselben Gliede bleibend blos in
seinem Setzen durch Nichtsetzen unterbrochen wird, heißt
es Wiederholung. So verändert sich ein Ton, wenn
er höher oder tiefer, stärker oder schwächer wird, der
Glockenschlag aber wiederholt sich in mehrern durch Pau-
sen unterbrochenen gleichförmigen Schlägen. Zwischen
den Begriffen Veränderung und Wiederholung findet sich
denn auch noch das interessante Verhältniß, daß in der
Wiederholung das Setzen durch ein Nichtsetzen überhaupt
unterbrochen wird, in der Veränderung aber das bestimmte Setzen in ein anders bestimmtes Setzen übergeht, somit blos seine Form wechselt.

§. 67.

Sind die Dinge gesezt, so entwickelt sich in ihnen
analytisch der Gegensatz, sie werden differenzirt, entweder daß sie beide Glieder des Gegensatzes in sich selber enthalten, wie ein Körper, der magnetische Pole angenommen hat, oder daß sie ein Glied des Gegensatzes
an sich tragen, wobey das andere Glied ausser ihnen zu
suchen ist, wie bey zwey Körpern, die im elektrischen Gegensatze ihrer Flächen begriffen sind. Auf dem Gebiete
der Reflexion heißt dieser Prozeß Unterscheidung, und
wird ebenfalls entweder zwischen zweien oder innerhalb Einer Vorstellung gesezt, und ist das erste, was
geschehen kann, nachdem die Vorstellung selber gesezt
worden.

§. 68.

Die entgegengesezte Form dieses Prozesses, das Differenziren, hebt den also gesezten Gegensatz wieder auf und stellt die ursprüngliche Gegensatzlosigkeit wieder her, nicht indem sie den Gegensatz ausgleicht, sondern indem sie ihn fallen läßt. Dieß thut die Reflexion, indem sie von den Unterschieden absehend (abstrahirend) das Gemeinsame auffaßt, und die Thätigkeit der Reflexion, welche in das Differenziren und Indifferenziren getheilt über den Vorstellungen schwebt, heißt Vergleichung. In dieser geistigen Funktion heißt sodann das Identische, welches gegensatzlos gefunden wird, gleich, das im Gegensatze erscheinende ungleich, und wenn die Gleichheit in den Grundbestimmungen gefunden wird, so daß aber noch Ungleichheit in den Nebenbestimmungen statt findet, so heißt die Gleichheit nur Aehnlichkeit.

§. 69.

Dieser Prozeß, sey er in der Reflexion gesezt oder im Wesen der Dinge, enthält nur den analytischen Gegensatz, dessen Glieder ohne Selbstständigkeit sind, und darum erscheint der Prozeß des Differenzirens und Indifferenzirens überall oberflächlich. Sind aber die Glieder des Gegensatzes selbst Dinge und treten sie antithetisch in Wechselwirkung, so entsteht entweder eine Verbindung beider zu einer gemeinschaftlichen Existenz oder eine Trennung dieser in zwey existirende Dinge, deren jedes als selbstständig fortdauert. Wird durch Verbindung aus der getheilten Existenz eine gemeinschaftliche, so müssen die Verbindungsglieder ihre einseitigen Qualitäten in einander so übergehen laſſen, wie dieß bei der Vereinigung chemiſcher Gegenſätze der Fall iſt, daß näm= lich beide Glieder ſich hindern, unter der einſeitigen Form des einzelnen Gliedes nach auſſen wirkſam zu ſeyn, in= dem die entgegengeſezte Einſeitigkeit jedesmal mitwirkend die Wirkung zu einer gemeinſchaftlichen macht. Dadurch ſchlägt alſo der Gegenſatz des Seyns zu einer Gemein= ſchaft des Wirkens aus, ſo daß, wenn eine Kraft ſenk= recht die andere horizontal wirkt, in der diagonalen Wir= kung ſich beide vereinigen.

§. 70.

Darum iſt der antithetiſche Gegenſatz nicht wie der analytiſche blos im Poſitiven und Negativen der Fakto= ren befangen, ſondern in Wechſelwirkung aktiv und paſ= ſiv, wobey Gemeinſchaft entſteht oder getrennt wird, indeß der analytiſche Prozeß blos differenzirt oder indif= ferenzirt. Eigenthümlich iſt aber dem antithetiſchen Pro= zeſſe, daß er den Gegenſatz nur im Wirken ausgleicht, im Seyn aber beſtehen läßt, daher denn auch eben die Gemeinſchaft des Ineinandereingreifens nur in dem Gra= de ſtatt finden kann, als vorher im Seyn der Gegenſatz ſtatt gefunden hat. Setze man die Gemeinſchaft als Con= ſonanz zweier Töne, d. h. gemeinſchaftliche Wirkung bei= der aufs Ohr, ſo werden die Töne das Ohr in dem Grade beleidigen, als ſie der Identität nahe ſind (die Sekunde mit der Prime, die Septime mit der Oktave), und in dem Grade befriedigen, als ſie von der Identi= tät bis zur völligen Umkehrung ihrer innern Verhältniſſe (Oktave iſt die umgekehrte Prime) fortgehen.

Wenn der antithetische Gegensatz oder Prozeß seine Faktoren als aktiv und passiv einander entgegensezt, so ist dieß von beiden Faktoren wechselseitig zu verstehen, indem sie durch Mittheilung ihres Wirkens an einander sich gegenseitig einschränken und freylassen, wobey wechselseitiges Geben (aktiv) und Nehmen (passiv) entsteht. Keine Gemeinschaft ist ohne solche Mittheilung und keine Mittheilung ohne wechselseitiges Geben und Nehmen, und wo das Geben gestaltend erscheint, da heißt es produktiv, das Nehmen dagegen heißt receptiv, wie z. B. das Material receptiv ist für die Form, die ihm von dem Arbeiter gegeben wird. Die beiden Begriffe Gemeinschaft und Mittheilung aber vermitteln den wirksamen Gegensatz quantitativ, indem nämlich den Gliedern der Wechselwirkung zuvörderst die Gränze gemeinschaftlich ist, als in welcher sich beide berühren, in der Mittheilung aber jedes die Gränze überschreitet, um in das Gebiet des anderen Gliedes etwas zu setzen. So wird sogar noch in dem bürgerlichen Geben und Nehmen die Gränze des Eigenthums überschritten, und zwar in dem wohlthätigen Geben zu Gunsten des Empfängers, welcher das Gegebene empfangend einen Mangel an Eigenthum in seiner Sphäre ausgefüllt erhält; in dem unrechtlichen Nehmen wird aber eben diese Gränze zum Nachtheile des Beraubten überschritten, dem dadurch in sein Eigenthum eine Lücke gesezt wird, welche der wohlthätige Geber in seinem Eigenthum freywillig sezte. Soweit nun das Geben und Nehmen beiderseits reicht, und wenn wechselseitig gegeben wird und genommen (geistig oder leiblich) so erhalten die Glieder der gegenseitigen Mittheilung. diesseits und jenseits ihrer gemeinschaftlichen Gränze noch eine gemeinschaftliche Sphäre, die aus zwey Kreisabschnitten ihrer besondern Sphären entsteht, welche Kreisabschnitte dann eine gemeinschaftliche Sehne erhalten. Die gemeinschaftliche Sehne ist hier aus dem Punkte entstanden; in welchem sich beide Kreise als ihrer gemeinschaftlichen Gränze vor der gegenseitigen Mittheilung berührten, und wird um so größer, je mehr beide Kreise durch Mittheilung in einander eingreifen; am Ende kann sie zum Durchmesser werden, und dann sind beide Kreise selbst Eins.

§. 72.

Die vierte oder synthetische Form des Prozesses wird gefunden in der Vereinigung der zweiten und dritten Form im Umfange der ersten, wobey diese an sich einfach thetische Form eben eine synthetische wird, in welcher alles seine Vollendung erhält. Der synthetische Prozeß ist also die Durchführung aller Analyse und Antithese, welche im Umfange eines Dinges möglich war, bis zur Erschöpfung seines Inhaltes in analytischen und antithetischen Gegensätzen (was man auch in Abhandlungen heißt: den Gegenstand erschöpfen), und da die Richtung des Lebens zwischen Wesen und Form doppelt ist, nämlich hin oder her, so ist bey aller Durchführung auch eine Zurückführung möglich.

§. 73.

Das Gesetz dieses Prozesses liegt einerseits darin,

daß die Durchführung zu der Vollständigkeit aller analytischen und antithetischen Gegensätze gelange, andrerseits aber in der treuen Bewahrung der Eigenthümlichkeit, welche in der Thesis gesezt worden, durch alle Analyse und Antithese hindurch bis zur lezten Synthese, gerade wie ein Pflanzensaame durch alle Stengel - und
Blattentwicklung hindurch bis zur Blume die Eigenthümlichkeit seiner Pflanzenart darstellt. Die Zurückführung
hat denn eben auch das Gesetz, von der höchsten Entwicklung auf die einfachste Einheit wieder zurückzukom-
men, aber nur auf die Einheit dieser Entwicklung, gerade wie auch die Pflanze im Reifen, welches ihr Zu-
rückführungsprozeß ist, wieder auf denselben Saamen zurückkommt, aus welchem sie hervorgegangen war.

§. 74.

Da die Faktoren den analytischen, die Prozesse aber
den antithetischen Gegensaz darstellen, so müssen sich die
Schemate der Faktoren und Prozesse Glied für Glied
correspondiren:

Faktoren	Prozesse
Inhalt und Gränze	Sezen und aufheben
Positiv und negativ	Differenziren, indifferenziren
Aktiv und passiv	Verbinden und trennen
Central und peripherisch	Durchführen, zurückführen

nämlich alles Sezen ist ein Begränzen eines Inhaltes,
und im Differenziren oder Hervorrufen der Gegensätze
(Erregen) zeigt sich das Spiel des Positiven und Negativen, welches dann im Conflikt aktiv und passiv in oder
aus Verbindungen tritt; zulezt aber nach dem ganzen

Umfange des Dinges peripherisch entwickelt von diesem zusammengefaßt wieder zu seiner Einheit zurückkehrt. Hierin wird man eine weitere Exposition des allgemeinen Gesetzes erkennen, welches schon oben .§. 7. aufgestellt worden.

§. 75.

Da die Arithmetik eine Abstraktion von der antithetischen, die Geometrie aber von der analytischen Seite der Welt ist, so enthält erstere den bestimmtesten Ausdruck der Prozesse, leztere aber den eben so scharf bestimmten Ausdruck der Faktorenverhältnisse. Daher heißt in der Geometrie der Inhalt Fläche, die Gränze heißt Linie, das Positive heißt senkrecht, das Negative horizontal, welche beide sich schneiden oder in einer Diagonale vereinigen, wobey denn auch, wie bey dem Positiven und Negativen, an sich unentschieden bleibt, welche Linie als senkrecht und welche als horizontal gesezt werde. Die aktive Linie (Bewegungslinie) heißt krumm, die passive (Gränzlinie) gerad, und der Kreis mit seinem Punkte enthält das Peripherische wie das Centrale. Eben so heißt in der Arithmetik der Prozeß des Setzens Zählen, das Differenziren heißt subtrahiren und das Indifferenziren zweier Zahlen in Einer Summe heißt abbiren; der antithetische Prozeß als Verbindungen bildend heißt Multiplikation, trennend heißt er Division, und das Durchführen einer Zahl zur vollständigen Entwicklung ihres Inhaltes heißt Potenziren, das Zurückführen aber auf ihre erste Einheit (Wurzel) heißt Wurzel ausziehen.

Anmerkung. Im Multiplikationsprozesse wird die
Natur des antithetischen Prozesses erst recht anschaulich. Zwey Zahlen z. B. 4 und 5, gehen hier eine
in die Eigenthümlichkeit der andern ein (4 wird 5
mal gesezt, und 5 wird 4 mal gesezt), und verliehren dadurch im Produkte 20 ihre besondere Eigenthümlichkeit so sehr, daß dieses Produkt eben sowohl
für eine (vierfache) Fünf als für eine (fünffache)
Vier gelten kann, also möglichst neutralisirt ist. In
den Potenzen aber wird eine Zahl (Wurzel) nur
durch sich selbst und nach ihrem eigenen Gesetze bestimmt und das Produkt (Potenz) trägt genau den
Charakter der Wurzel.

§. 76.

Nach dem ersten Schema der ersten Tafel ist also
das einzelne Ding im Wesen als Wirkung gesezt, nach
dem zweiten Schema sind analytisch seine Faktorenverhältnisse nachgewiesen, und das dritte Schema enthält die
Prozesse, welche durch Antithese solcher Faktoren entstehen. Uebrig ist also noch, das Einzelne in der Form
der Einzelnheit synthetisch zusammenzufassen, so daß das
Einzelne einzeln gesezt, im Einzelnen Einzelnes entgegengesezt, durch Einzelnes vermittelt und geschlossen werde, wodurch eine Gliederung als Form des Einzelnen entsteht. Dabey muß das noch ungegliederte Einzelne als Erstes oben an stehen, und die Gliederung kann
so weit gehen, als überhaupt die Construktion gehen
mag, welche in jedem Schema zwey Gegensätze verflicht.
Dieses Einzelne, als noch ungegliedert oder auch in sei-

ner Gliederung, ist, nachdem es Faktoren und Prozesse entwickelt hat, deren Produkt, indeß es bey seinem Entstehen aus Ursprung und Ursache bloße Wirkung gewesen.

§. 77.

Die einfachste Form des Produktes ist demnach, daß es eingliedrig sey, das heißt, daß es innerhalb seiner eigenen scharfen Begränzung keine theilweise Begränzung zeige, die einer andern eben so theilweisen Begränzung in demselben Umfange entgegengesetzt wäre, wie z. B. ein Ton, der nicht in kleinere Töne abgetheilt, eine Linie, die nicht gebrochen ist. Jedes eingliedrige Ding enthält aber die Möglichkeit der Gliederung in sich, welche überall Theile mit Gegensätzen unter-einander hervorbringt; diese Theile sind aber bloßes Produkt der Gliederung oder Theilung, und dürfen vor der Gliederung nicht als vorhanden gedacht werden; da ferner die Gliederung oder Theilung selbst ein endlicher Prozeß ist, der noch dazu an dem Produkte als einem ebenfalls Endlichen haftet, so ist die unendliche Theilbarkeit ein leerer Gedanke und die Gliederung oder Theilung erlischt in dem Grade, als sie sich fortsezt, in der Homogeneität des Eingliedrigen. So können bey Brechung der Linien zum Polygon die auf eine gewisse Anzahl gebrachten Seiten wegen ihrer Kleinheit nicht mehr dargestellt werden, mit den lezten noch darstellbaren Seiten hat also die Theilung ein Ende, eben so mit den lezten Zahlen, die noch als Ziffern sich aussprechen lassen.

§. 78.

Dieser Begriff der Gliederung ist den ideellen und

reellen Dingen gemein und hat in den Vorstellungen seine Bedeutung darin, daß im Umfange einer gegebenen Vorstellung z. B. einer Stadt sich noch andere Vorstellungen unterscheiden und selbstständig vorstellen lassen, wie Häuser, Thore, Straßen u. s. w., oder daß in einer Vorstellung wie z. B. einer Linie, sich keine selbstständige Vorstellung mehr unterscheiden lasse, welche Vorstellung dann einfach genannt wird, indeß die vorhin angeführte Vorstellung einer Stadt zusammengesezt heißt. Ueberall aber ist bey dieser Gliederung das Wesentliche die geschlossene Begränzung des Ganzen sowohl als der Theile, und die geschlossene Begränzung der durch Gliederung (Bruch) entstandenen Theile ist im Physischen Ursache, daß die Bruchstücke durchaus nicht mehr zusammenhängen wollen. Die Atomistik hat die Idee solcher unendlichen Gliederung für die Natur, welche beständig in derselben befangen ist, als uranfänglich geschehen vorausgesezt, wobey dann der Wissenschaft nur noch übrig bleiben konnte, die Zusammensetzungen zu erklären. Leibnitz hat in seiner Monadenlehre die physische Weltatomistik in eine geistige umgewandelt.

§. 79.

Die Gliederung geht von dem eingliedrigen Produkte aus und schreitet zum zweygliedrigen fort, nämlich von der Thesis zum analytischen Gegensatze. Dadurch wird die ganze Linie zu einer gebrochenen, und die leztere, welche Winkel genannt wird, ist zwar wohl der Gegensatz zweier Linien, die sich mit verschiedener Richtung in Einem Punkte berühren, allein die Vielheit der Linien ist, wie alle Vielheit nicht ursprünglich, und der Winkel ist aus der Brechung Einer Linie zu construiren; er ist gebrochene Linie, und der Punkt an seiner Spitze ist ihm noch als Rest seiner ersten Einheit geblieben. Nach den Prädikamenten der Urbegriffe ist hier die Identität in ein Verhältniß übergegangen, und die Zweygliedrigkeit ist eben darum allgemeiner Charakter von allem, was nach dem Urschema aus dem ersten Gliede desselben heraustritt.

§. 80.

Alle Verhältnisse sind zweygliedrig, und die Glieder der Verhältnisse sind unter sich im Gegensatze begriffen, der sich je nach dem Gebiete, welchem das Ding angehört, verschiedentlich ausspricht, z. B. räumlich, zeitlich u. s. w. Die Zweygliedrigkeit der Dinge ist sogar in der Sprache zum eigenen Worte geworden, das Paar, und in der paarweisen Erscheinung der Dinge zeigt sich überall nicht der absolute Gegensatz, wie denn z. B. der Kreis mit seinem Punkte kein Paar giebt, sondern der relative, nach welchem die zwey Schenkel eines Dreyecks ein Paar sind. Da denn ferner die Zweygliedrigkeit der Eingliedrigkeit oder Identität noch zunächst steht, so erscheinen die gepaarten Glieder, in so ferne sie sich von der Identität noch nicht getrennt haben, als Hälften, die durch eine Mitte verbunden sind, wie das Rechts und Links im Raume, und selbst nach der Trennung, wie zwey Parallellinien *), sprechen sie ihre ursprüngliche

*) Parallellinien sind Schenkel eines nicht mehr existirenden Winkels, also ohne Convergenz und Divergenz.

Einheit noch als Beziehung auf einander aus. Es sind die Geschlechter anfangs noch ungetrennt in androgynen und hermaphroditischen Wesen, und getrennt suchen sie sich und sind nur in Beziehung auf einander verständlich. Kant findet einmal das Verhältniß des Rechts und Links in seiner Darstellung an den entgegengesezten Windungen der Schneckenhäuser, dann auch an der Menschenhand wunderbar; das Wunderbare, für welches er kein Wort finden konnte, liegt aber darin, daß bey dem Gegensaze alles Gepaarten sich zugleich seine Identität als Beziehung erhalten hat.

§. 81.

Die Zahl des Gepaarten ist zwey, und eben dieß ist auch die Zahl des Gegensazes und des Verhältnisses, also auch der Faktoren und der Prozesse. Demungeachtet aber sind die Begriffe Zwey und Paar nicht identisch, sondern der Begriff Paar gehört bloß in die Gliederung, in welcher die Zwey eine besondere Einzelheit haben, wie z. B. die rechte und linke Seite eines durch eine Mittelrippe getheilten Blättes, oder auch zwey an demselben Stengel gegenüberstehende Blätter, oder zwey Augen im Kopfe u. s. w. Faktoren sind daher kein Paar, weil sie sich nicht in der Geschiedenheit halten, und es muß in dem menschlichen Leibe als Anfang der Gliederung betrachtet werden, daß die paarigte Bildung an ihm von oben bis unten, innen und auſſen, in Rechts und Links durchgeht, wovon sogar noch an dem Rückenmarke eine Spur ist, die in einer krankhaften Spaltung desselben (spina bifida) sichtbar hervortritt. Dabey sind die gepaarten Seiten des Leibes zwar Hälften aber nicht Faktoren desselben, vielmehr haben beide Hälften dieselben Faktoren mit einander gemein.

§. 82.

Gehört der Begriff des Paarigten der Gliederung an, welche Ein Wesen in zwey mit einander verbundenen Einzelheiten (Ein Herz mit zwey Kammern) herauswirft, so ist in der Reinheit dieses Begriffs, welche die Glieder als Hälften sezt, auch die Gleichheit der beiden Glieder nach innerer und äußerer Quantität (intensiv und extensiv), keineswegs aber die qualitative Gleichheit enthalten, indem die Gliederung nur Aussenform der Einzelheit ist, bey welcher also das Wesen selbst sich so oder anders verhalten kann. Wird aber die quantitative Gleichheit der Paarungsglieder gestört, sey es der Intensität oder Extensität nach, so ist diese Störung, wie z. B. bey der verschiedenen Stärke des rechten und linken Arms, immer aus einem der Gliederung selbst fremden Prinzip zu erklären.

§. 83.

In dem Baue der menschlichen Extremitäten steht das Eingliedrige (Oberarm) mit dem Zweygliedrigen oder Gepaarten (Unterarm) noch in der natürlichsten Folge beysammen, von da aber beginnt in den Handknochen eine vielfache Gliederung, die endlich nach einem abermaligen Ansaze zur Eingliedrigkeit (Daumen) in Viergliedrigkeit (Finger) endet. Bey den Pflanzen geht die Gliederung in Stengelblättern, Blumenblättern, Staubfäden, Griffeln bis auf sehr große Zahlen fort, und be kanntlich hat Linné auf die Gliederungszahlen der Staubfäden und Griffel sein System der Pflanzen gegründet. Im Ideellen liegt die Gliederung in der Angabe des Inhaltes einer Vorstellung als einer Vielheit besonderer Vorstellungen, und das sogenannte Elementarisiren nach Pestalozzi ist nichts anders als diese Gliederung der Vorstellungen. Da wird z. B. gefragt: was unterscheidest du am menschlichen Körper? — Geantwortet wird: ich unterscheide Kopf, Hals, Rumpf, Extremitäten u. s. w., wobey das Gesetz der Gliederung selbst, welches wir eben hier aufstellen, keineswegs noch bekannt ist, indeß dieses Elementarisiren sich dafür an die räumliche Continuität hält.

§. 84.

Von dem Eingliedrigen aus geht die Gliederung mit der Zahlreihe fort zum Gegparten und von diesem zum Dreygliedrigen. Hat das Paarigte seinen Begriff in dem Verhältnisse und dem Gegensatze, so muß das Dreygliedrige begriffen werden als Beziehung zweier Verhältnißglieder und Vermittlung eines Gegensatzes, wobey denn, wie es die Gliederung überhaupt fordert, die zwey Verhältnißglieder sowohl als die Vermittlung sich in besonderer Einzelheit darstellen. Anschauung davon giebt das Dreyeck als ein durch eine Seite vermittelter Winkel, und der Syllogismus als Vermittlung zweier Sätze durch einen dritten, eben so auch das Urtheil als Vermittlung von Subjekt und Prädikat durch die Copula. Der unvermittelte Satz ist nur zweygliedrig, wie z. B. blauer Himmel.

Anmerkung. Aus dieser Ansicht des Dreygliedrigen werden erst die Säulen, in der Baukunst verständlich, welche das Obere und das Untere vermitteln, indem sie auf diesem stehen und jenes tragen. Daher sind sie durchaus dreytheilig, nämlich die Säule selbst enthält unten den Fuß, oben den Knauf und in der Mitte den Schaft. Mit diesen drey Theilen ist sie selbst wieder ein Mittleres zwischen dem Gebälke über ihr und dem Säulenstuhl, auf welchem sie steht. Ja die Dreygliedrigkeit geht hier so weit, daß auch diese Theile wieder dreytheilig sind, indem nämlich das Gebälke aus Kranz, Fries und Architrab zusammen gesezt ist, der Säulenstuhl aber aus Oberplatte, Würfel und Sockel, so daß also die vollständig ausgearbeitete Säule dreymal drey Theile hat. Eben so giebt der Tausch Waare um Waare, der Kauf stellt zwischen beide das Geld.

§. 85.

In der Dreygliedrigkeit kommt also zu dem Gegensaze die Vermittlung hinzu, deren Natur ist, daß sie in beide Glieder des Gegensazes eingehe, wie die Diagonale in das Senkrechte und Wagrechte, der Mittelbegriff eines Syllogismus in die beiden andern Begriffe, oder die Flüssigkeit im Galvanismus in die beiden festen Erreger. Im lezten Beyspiele verliehrt die Flüssigkeit ihre Existenz (wird zersezt), indem sie in die Einseitigkeit der entgegengesezten Metalle eingehend jedem von beiden das werden will, was es für sich bedarf. Sie verzehrt sich, um beiden entgegengesezten Forderungen zu genügen. Der

Mit

Mittelbegriff in einem Syllogismus macht es im Grunde eben so; er zerreißt sich und erscheint zweymal, im Obersatze nämlich läßt er sich gefallen, dem größern Begriffe als Subjekt zu dienen, indeß er in dem Untersatze für den kleinern Begriff Prädikat wird.

: Anmerkung. Der Syllogismus heiße: Poeten sind blind, Homer ist ein Poet, also ist Homer blind. Poet ist hier der Mittelbegriff, blind ist der größere, Homer der kleinere Begriff.

§. 86.

Wie bey der Zweygliedrigkeit nicht vom absoluten sondern bloß vom relativen Gegensatze die Rede ist; so kommt auch bey der Dreygliedrigkeit nur die relative Vermittlung (§. 29.) vor, nicht die absolute. Arithmetisch gedacht liegt die absolute Vermittlung in dem Uebergange einer Wurzel in ihre Potenz, die relative aber in dem dazwischen fallenden Plus oder Minus, und eben dieß ist das Eingehen in zwey Glieder eines Gegensatzes, ohne einem ganz anzugehören.

Anmerkung. Relative Vermittlung liegt auch in dem Sinne des Sprichworts: auf zwey Achseln Wasser tragen, dann in dem Blicke des Schielenden.

§. 87.

Vermittlung ist möglich auf doppelte Weise, entweder vom Wesen aus, welches seine entstandenen Gegensatzglieder trägt, oder von der Form aus, welche den Gegensatz verbindet. Dieß giebt für die Dreygliederung einen doppelten Sinn, daß nämlich im ersten Falle das Mittelglied als Vereinzelung der ersten Einheit

E

erscheint, wie im Kleeblatte, wo das mittlere Blättchen
den Stiel fortsezt, indeß die beiden andern Seitenblätt-
chen sind; oder im zweiten Falle, daß das Mittelglied
zum Gegensatze neu hinzukommt, wie zu dem Winkel die
dritte Linie, durch welche er ein Dreyeck wird. Das erste kann analytische, das zweite synthetische Vermittlung
heißen, in beiden Fällen bleibt aber das Wesen der Vermittlung, nämlich das Eingehen in beide Glieder des
Gegensatzes, unverändert, nur daß die erste Form in den
Gegensatz erst eingeht, die zweite aber aus ihm zurückkehrt. Da die Vermittlung arithmetisch in der
Dreyzahl liegt, aus welcher alle ungeraden Zahlen stam-
men, so gilt diese doppelte Ansicht für alles, was nach
einer ungeraden Zahl sich richtet; die Einheit nämlich,
welche zu den Gegensätzen hinzukommend die Zahl ungerade macht, kann die ursprüngliche seyn, welche eingliedrig unter den Gegensätzen noch geblieben ist, oder
eine hinzugekommene, welche die Gegensätze synthetisch
vermittelt.

§. 88.

Hat sich also in der Eingliedrigkeit (gewöhnlich Einfachheit genannt) das Wesen, in der Zweygliedrigkeit der
Gegensatz, in der Dreygliedrigkeit die Vermittlung ausgesprochen, und sind dieß alles Formen der Einzelheit
gewesen, so ist die vierte dieser Formen noch übrig, welche synthesirend als höchste Form über jenen steht, und
das schematische Gesetz der Verwebung zweyer Gegensätze in einander vollkommen erfüllt. Dieß ist die viergliedrige oder quadratische Form, in welcher die Eins-

der ungeraden Zahl ihren analytischen und synthetischen Charakter verliehrend selbst Glied eines Gegensatzes wird, der mit dem ersten Gegensatze, welcher in dem Zweygliedrigen schon gesezt war, sich verwebt. Der Punkt an der Spitze des Dreyecks wird dabey selbst eine Linie, welche der dritten synthetischen als gleich gegenübersteht, wodurch denn auch die Schenkel des Dreyecks ihre Neigung zum Punkte verliehrend parallel werden.

§. 89.

Das Wesen des Viergliedrigen besteht demnach in der Verwebung zweyer Gegensätze in einander bey gleicher Vereinzelung ihrer vier Glieder, welche Verwebung im Vierecke in den zwey Diagonalen liegt, die in demselben gezogen sich durchkreuzen. Sie deuten die Wechselbeziehung an, welche hier zwischen den Gegensatzgliedern allseitig statt findet (zwischen dem Oben Rechts und Unten Links), und sind als Beziehungslinien von Gegensätzen eben auch Vermittlungslinien oder Hypotenusen von Winkeln. Diese Diagonalen sind dem Vierecke eben so wesentlich, wie die vier Seiten desselben, denn in den leztern liegt blos die Gleichheit und Berührung der Gegensatzglieder, in den erstern aber auch ihr inneres Uebergehen in einander.

§. 90.

Das Quadratische ist demnach gleicher Gegensatz von Gegensätzen, GleichheitsVerhältniß von Verhältnissen, Proportion, und es kommt darauf an, ob das Anschliessen der Gegensätze an einander, wodurch sie in der Geometrie das Viereck bilden, oder ihr Durchkreuzen, aus welchem für die objektiven Gestalten das Sternförmige kommt, bey der Entstehung des Viergliedrigen wirksam gewesen, oder in der Beurtheilung desselben berücksichtigt werde. Jedes Viereck kann auch als Proportion gelesen werden, nämlich: das Rechte verhält sich zum Linken wie das Obere zum Untern, und die in dieser Proportion vorkommende Gleichheit der Glieder ist nicht wie bey Zahlen eine Gleichheit des Vorschreitens oder Rückschreitens, sondern eine Gleichheit der ruhigen Extensität, eine absolute Gleichheit, bey welcher jedes Glied dem andern substituirt werden könnte. Was demnach quadratisch ist, das hat in der Entwicklung der in ihm liegenden Gegensätze dem allgemeinen Gesetze der Gegensatzentwicklung Genüge gethan, sowohl der Zahl nach, daß der Gegensätze zwey seyn müssen, als dem Verhältnisse nach, daß alle Glieder einander gleich gegenüberstehen sollen.

§. 91.

Nenne man das Symmetrie, so ist die Viergliedrigkeit ihr Gesetz, und der alte Grieche, welcher sagte: τετράγωνος ἀνὴρ ἄριστος, wußte sehr wohl, was er sagte. Denn zwey in einander verschlungene Gegensätze constituiren alles entwickelte Wesen, und da die Identität, welche vor aller Entwicklung ist, sich in dem Entwickelten als Gleichheit der Glieder formal wiederholt, so müssen auch in allem, was seine zwey Gegensätze bis zur Gebühr entwickelt hat, die Glieder dieser Gegensätze gleich seyn. Darum ist alles fest in sich selbst begründete Ding quadratisch, und weil von den innern Verhältnisen jedes Dinges auch seine Verhältnisse nach aussen afficirt werden, so steht das Symmetrische auch nach aussen fest, indem es bey dem Gleichgewichte seiner Gegensätze seinen Widerstand am meisten ungetheilt erhält.

Anmerkung. In der mineralischen Natur erscheint das Quadratische kubisch, in der Pflanzenwelt sternförmig in Blumen und Stengelblättern, im Stengel selbst zuweilen viereckigt, in der thierischen Natur aber giebt es bey Säugthieren das Parallelogramm des Rumpfes und die Vierzahl der Bewegungsglieder. Wenn nun die leztern im Gange sind, so zeigt sich der rechte Vorderfuß mit dem linken Hinterfuße, und der linke Vorderfuß dem rechten Hinterfuße correspondirend, welches das Kreuz der Diagonalen des Vierecks, das Beziehungskreuz, ist.

§. 92.

Ist in der viergliedrigen Form die vollendete Begründung des Einzelnen enthalten, wobey seine Faktoren sich gegenseitig aufs festeste verweben, so giebt das Schema:

ein‐

zwey‐   drey‐

viergliedrig

die Form der Einzelheit erschöpfend an, wie sie z. B. in Linie, Winkel, Dreyeck, Viereck sich geometrisch darstellt, und die erste Tafel heißt im Ganzen:

Daseyn

Grundwesen

Ursprung   Ursache

Wirkung

Faktoren   Prozeſſe

Inhalt, Gränze   Setzen, aufheben

Poſitiv, negativ; aktiv, Differenziren, indiff. Verbinden,

passiv   trennen

central, peripheriſch   Durchführen, zurückführen

Produkt

ein=

zwey=   drey=

viergliedrig

Dabey haben dieſe vier Schemate wieder unter ſich daſ=
ſelbe Verhältniß, wie die vier Glieder Eines Schema,
und es müſſen alſo (nach §. 34.) die gleichnamigen Glie=
der der vier Schemate ſich wiederum ſchematiſch an ein=
ander anſchlieſſen, was zwar in der Ausführung durch
die Unbehülflichkeit der Wortausbrücke etwas erſchwert
wird, im Denken aber gar keine Schwierigkeit haben
kann für den, der ſich des Prinzips dieſer Conſtruktion
bemächtigt hat.

§. 93.

Abſtrahirt man von dieſer erſten Tafel der Katego=
rien die Form, wie es in §. 36. mit den Urbegriffen ge=
ſchehen iſt, ſo erhält man für dieſe Tafel ihre vier
Prädikamente:

unbeſtimmt

beſtimmbar   beſtimmend

beſtimmt

weil nämlich alles Daſeyn vom Unbeſtimmten ausgeht,
in ſeinen Faktoren und ihren Verhältniſſen beſtimmbar

ift, wobey die Prozeffe das Beftimmende find, wodurch
denn das Daseyn zum beftimmten Produkte wird.

Zweite Tafel.
§. 94.

Für alle vier Kategorientafeln giebt den Inhalt das
Ding, so wie sein Begriff in §. 43. ausgesprochen worden, für die zweite Tafel liegt es mit den Beftimmun-
gen zum Grunde, die es in der erften Tafel erhalten
hatte, nämlich als gegliedertes Produkt. So zum Grunde liegend für analptische Entwicklung heißt es in der
zweiten Tafel das Subftrat, und dieser Begriff bezeichnet in dem Schema der zweiten Tafel die Stelle des
Wesens.

Anmerkung. Für die pflanzliche Entwicklung in ihrer ursprünglichen Form ift ein Erbftäubchen das
Subftrat, denn aus ihm entwickelt sich die Pflanze;
nachher tritt ein durch den Pflanzenprozeß durchge-
gangenes Erbftäubchen, der Saame, an deffen Stelle. Auf dem ideellen Gebiete wird jede Vorstellung
zum Subftrate für ihre weitere Entwicklung in Begriffen, und der Entwicklungsprozeß ift überall an
ein Hervorrufen, Gliedern und Synthefiren der Gegenfätze gebunden.

§. 95.

Die auf dem Subftrate ruhende Entwicklung muß
analytisch durch unmittelbare und antithetisch durch vermittelte Gegenfätze bis zur geschloffenen Entwicklung

durchgeführt werden. Dieß giebt das Schema für die
erste Tafel, nämlich:

Substrat

. Seitenentwicklung   Fortschreitung

Erscheinung

welches in Sätzen ausgesprochen also lautet:

1) jedes Ding enthält in sich eine kleine Welt mög=
licher Entwicklung;

2) diese Entwicklung bildet zuerst Gegensätze, deren
Glieder in unmittelbarem Parallelismus mit einander ste=
hen, Seitenentwicklung;

3) dann setzt eine folgende Entwicklung die voran=
gegangene voraus als ihr Substrat, und dieß giebt fort=
schreitende Entwicklung;

4) alle diese Entwicklung faßt sich in dem Umfange
des Substrates zusammen, und beide Arten der Ent=
wicklung schliessen sich dadurch zu einer erschöpfenden To=
talentwicklung an, welche des Dinges Erscheinung aus=
macht.

§. 96.

Wie nach der ersten Tafel ein Ding sich aus sei=
nem Grundwesen durch den in demselben entstandenen
Gegensatz (Ursprung) abscheidet, so sind die abgeschiede=
nen (entstandenen) Dinge wieder unter einander in ver=
schiedenem Gegensatze theils ihres ganzen Wesens, theils
ihrer einzelnen Faktoren begriffen, indem (§. 46.) in der
Vielheit des Einzelnen sich die Grade der Endlichkeit und
die bestimmten Qualitäten erschöpfen; daher muß das in
jedem einzelnen Dinge gebundene Leben theils durch sei=

ne Bindung in seiner Gränze beharren, theils durch den Gegensatz, den es mit andern Dingen hat, in diese ergänzend eingreifen, also seine Existenz in diese doppelte Thätigkeit theilen.

§. 97.

Die Existenz des Einzelnen in solchem Conflikte mit der Existenz der andern einzelnen Dinge, kommt eben dadurch zur Entwicklung des Dinges in seinem Innern, indem es beständig von aussen sollicitirt wird, wobey denn jedes Ding nach seiner eigenthümlichen Endlichkeit und Qualität auch eine bestimmte Möglichkeit, auf diese Anregung von aussen zu antworten, haben muß. Je mehr es auf die Anregung eingeht, desto mehr Gegensätze entwickeln sich in seinem Umfange, und je mehr sich diese durch Wechselwirkung unter einander gestalten und fixiren, desto mehr wird das einzelne Ding in seinem beschränkten Umfange selbst eine Welt.

§. 98.

Die Möglichkeit dieser Entwicklung liegt in jedem Dinge, ist aber auch bey jedem durch seine besondere Bestimmtheit, als Produkt eingeschränkt und heißt in dieser Einschränkung Anlage. Mit dieser Anlage geht jedes Ding auf die Anregung von aussen auf besondere Art ein, und entwickelt so seine Eigenschaften, theils als besondere Empfänglichkeit für die äussere Einwirkung, theils als besondere Rückwirkung dagegen. Daher werden die Eigenschaften eines Dinges gefunden, wenn man es mit andern in Verhältnisse gegenseitiger Wirksamkeit bringt, und im Allgemeinen richten sich die Eigenschaf-

ten nach den Prozessen, in welche die Dinge hineingezogen werden können. Bey physischen Dingen giebt es daher mechanische, chemische, elektrische, magnetische Eigenschaften u. s. w., bey Vorstellungen liegen die Eigenschaften in den Verhältnissen, welche sie der logischen
oder construirenden Bearbeitung darbieten, daß sie z. B.
sich erweitern, einschränken, selbstständig setzen, potenziren lassen u. s. w.

§. 99.

Wie nun die Eigenschaften aus der ursprünglichen
Bestimmtheit der Anlage kommen, so bringen sie durch
Grad und Zahl ihres Hervortretens wiederum eine Bestimmtheit in das Substrat, welche sein Zustand genannt
wird. Dieser ist ebenfalls aus Empfänglichkeit und Rückwirkung zusammengesezt, und muß wie die Eigenschaften
durch Berührung des Dinges mit anderen Dingen gefunden werden.

§. 100.

Die Synthese der Eigenschaften und Zustände eines
Dings in dem Umfange seiner bestimmten Anlage giebt
nun als neuen Begriff des Dinges Beschaffenheit,
welche in ihrer Vollständigkeit gedacht Vollkommenheit
heißt. Die Anlage soll nämlich so weit in Eigenschaften
und Zuständen hervortreten, daß alle Empfänglichkeit für
äußere Anregung, welche das Ding seinem Begriffe nach
haben kann, in wirklicher Rückwirkung thätig geworden,
zugleich aber soll auch Empfänglichkeit und Rückwirkung
in den Gränzen der ursprünglichen Bestimmtheit des Din-

ges gehalten werden, so daß dieses in seinem Daseyn nicht ganz oder zum Theil aufgehoben werde.

§. 101.

Demnach enthält der Begriff **Substrat** in seinem Umfange das Schema:

Anlage

Eigenschaften · · · Zustände

Beschaffenheit

woburch das Probukt der ersten Tafel weiter bestimmt wird. In dem Umfange dieser Entwicklung herrscht nun wieder, wie in dem gesammten Umfange des Lebens, der Gegensatz, und Produkte, in welchen dieser am einfachsten auftritt, einander gegenübergestellt auf ihrem gemeinschaftlichen Gebiete, heißen die **Urprinzipien** (**Elemente**) dieses Gebietes. Ihrer sind, wie der Faktoren, nothwendig zwey, und sie verhalten sich auch wie Faktoren. Mit ihnen beginnt die Seitenentwicklung der Dinge.

Anmerkung. Auf dem Gebiete der chemischen Stoffe sind die beiden Gasarten, welche Sauerstoff und Wasserstoff heißen, die Urprinzipien, die einfachen Gasarten überhaupt aber die Elemente. Auf dem Gebiete der Sprache heißen die Elemente Buchstaben und die Urprinzipien Bokale und Consonanten und dgl.

§. 102.

Die Urprinzipien stellen auf ihrem Gebiete den einfachsten Gegensatz (z. B. Kehllaut und Brustlaut) dar; ist aber ihr Inhalt selbst noch einer Vielheit empfänglich durch graduelle Verschiedenheiten, welche jedoch den Charakter des ersten Gegensatzes behalten müssen, so werden

die Urprinzipien mit diesem Umfange zu Arten, in welchen das rein Einzelne (das Individuum) als scharf bestimmte grabweise Differenz dasteht. Vokale und Consonanten sind zwey Arten von Buchstaben, und jeder Vokal oder Consonant drückt den Charakter seiner Art in
bestimmtem Grade aus. Da in den Arten blos der Charakter der Urprinzipien durch grabweise Verschiedenheiten
zu einem gewissen Umfange erweitert erscheint; so stehen
immer die Arten sich gegenüber, wie die Urprinzipien
selbst, z. B. Kalien und Säuren, wie Wasserstoff und
Sauerstoff, und die Arten sind der zweite Schritt der
Dinge in ihrer Seitenentwicklung.

§. 103.

Stehen nun Arten miteinander im Gegensatze wie die
Urprinzipien selbst, aus deren Erweiterung sie kommen,
so findet auch dieser Gegensatz seine Vermittlung in der
gemeinschaftlichen Sphäre, welche die entgegengesezten
Arten mit einander ausfüllen, und welche Gattung genannt wird. So sind Vokale und Consonanten gemeinschaftlich Buchstaben, Kalien und Säuren sind Stoffe,
und wie man aus dem Gegensatze der Arten durch Conjunktion oder Gemeinschaft zu der Gattung gelangt, so gelangt man aus dieser wieder durch Disjunktion zu den Arten.

§. 104.

In so ferne aber die Gattung selbst wieder eine Sphäre von bestimmtem Umfange ist, welcher die Arten umfaßt, ist auch sie wieder von einer höhern Sphäre umschlossen, welche Klasse genannt wird, und in welcher
die Gattungen selbst wieder einander entgegengesezt sind,

wie die Arten in der Gattung. So gehören die Buchstaben in die Klasse der Sprachelemente, und die Stoffe in
das Gebiet der physischen Natur, von welcher sie auch die
Elementarformen sind. Diese Klassen sind in der ersten
Tafel schon §. 50. als Grundwesen bezeichnet worden,
und wenn die Seitenentwicklung von Urprinzipien auf
der Elementarstufe ausgehend durch Arten und Gattungen bis zur Durchmessung des ganzen Gebietes gekommen,
auf welchem diese Urprinzipien walten, so sind eben diese dadurch auch erschöpft, weil jedes Gebiet der Dinge
seine eigenen Urprinzipien hat. Demnach hat die Seitenentwicklung der Dinge das Schema:

Urprinzipien

Arten   Gattungen

Klassen

§. 105.

Das Gesetz der Fortschreitung in dieser Seitenentwicklung ist ein Ausgehen von einem einfachen Gegensatze, der in den Urprinzipien liegt, und auf diesem Gebiete der einfachste seyn muß, wobey dann jedem Gliede
des Gegensatzes durch in ihm genommene gradweise Verschiedenheiten ein Umfang gegeben, und endlich beide Um-
fänge zusammengefaßt werden. So war also durch Differenziren und Indifferenziren die Art und die Gattung
gefunden, und sollte die Klasse noch hinzukommen, so
mußte nicht nur auf die Arten gesehen werden, welche
den Gegensatz der Urprinzipien fortpflanzen, sondern auf
alles, worin diese Urprinzipien als Elemente erscheinen
können, was also auch aus ihrer Verbindung und Tren-

ung, Steigerung und Herabsetzung entspringen konnte. Der Schritt der Seitenentwicklung von der Gattung, auf die Klasse führt also über graduelle und spezifische Unterschiede hinweg zu dem Umfange der gesammten Möglichkeit aller Unterschiede, die in den Urprinzipien gesezt werden können, wenn sie die ganze Tafel der Prozeße durchlaufen. Dieser Schritt heißt auf dem Gebiete der Erkenntniß ein Generalisiren, ist aber nichts als ein Indifferenziren, welches bis zur Erschöpfung der in die Urprinzipien gelegten Differenz geht.

§. 106.

Die Seitenentwicklung hat daher ihre Formel:

1) man setze einen einfachen Gegensatz — Urprinzipien;

2) man gebe den Gliedern desselben verschiedene Grade — Arten;

3) man faße die Arten zusammen — Gattung;

4) man nehme dazu alle mögliche Verschiedenheit, die in den Urprinzipien und ihrer Erweiterung zu Arten und Gattungen liegt — Klasse.

Welches nun die noch weiter mögliche Verschiedenheit sey, die nicht aus Art und Gattung kommend auch in der Seitenentwicklung nicht liegen kann, wird erst klar werden, wenn auch die fortschreitende Entwicklung exponirt ist.

Anmerkung. Nach dieser Formel sind überall der Arten nur zwey, weil sie aus dem Gegensatze der Urprinzipien kommen. Wo demnach der Arten mehrere sind, wie z. B. in den Sprachlauten nicht nur Vokale und Consonanten, sondern auch Diphthongen vorkommen, da geschieht es dadurch, daß entweder (wie dieß hier der Fall ist) die Neutralisation der Entgegengesezten selbst wieder einen Umfang gewinnt und dadurch Art wird, oder daß irgend ein Glied aus den Arten, durch gradweise Steigerung Umfang gewinnend, zur Art geworden ist. Denn wo solche gradweise Steigerung in den Gränzen einer bestimm- ten Einzelheit sich herumtreibt, da wird sie Art, was man gewöhnlich Varietät nennt.

§. 107.

Sind die Arten aus graduellen Verschiedenheiten her- vorgegangen, wie z. B. in den Pflanzen die gezahnten und gelappten Blätter, welche blos durch das tiefere Ein- greifen der Spaltung von außen herein differiren, so kann die gradweise Differenz endlich soweit gehen, daß sie die ursprüngliche Bestimmtheit des Dinges erreicht, wodurch denn die in dem Umfange des Dinges genom- menen Differenzen dem Dinge selbst gleich werden, daß also in obigem Beyspiele die Zähne oder Lappen des Blat- tes selbst Blätter werden. Hier hat das fortschreitende Differenziren selbst Dinge aus Dingen entwickelt, d. h. potenzirt, und so eine dem Dinge selbst gleich gewordene Differenz von ihm heißt mit ihm selbst eine Stufe. Das Blatt potenzirt sich also durch fortschreitende Entwicklung zu einem gefiederten Blatte, die einfache Blume zu einer geblümten Blume, den Syngenessten des Linneischen Sy- stems.

§. 108.

Bey dieser fortschreitenden Entwicklung in Stufen

werden also die im Umfange eines Dinges gesezten Differenzen, welche nach zwey Richtungen divergirend Arten genannt werden, dem Dinge selbst gleich, und dieses ist also dadurch in sich selber verdoppelt. Das, was verdoppelt worden, wie in dem Worte der Laut, in der Breite die Länge, heißt Wurzel, die Verdopplung heißt Potenz, und bis eine Wurzel zur Potenz wird, muß sie Differenzen durchlaufen, aus denen nach der Seitenentwicklung Arten entstanden, welche Differenzen aber jezt zwischen Wurzel und Potenz (die einfache Blume und die geblümte Blume) hineinfallend Nebenbestimmungen heissen. Von diesen gilt nun nach dem Begriffe der Potenzirung die Regel: was man zu der Wurzel hinzuthun kann, ohne sie selbst zu verdoppeln (was man zu der einfachen Blume hinzuthun kann, ohne jeden ihrer Theile selbst zur Blume zu machen), das ist Nebenbestimmung. Dieß läßt sich auch umgekehrt ausdrücken: was man von der Potenz wegnehmen kann, ohne sie auf die bloße Wurzel zu bringen, das ist Nebenbestimmung. Als solche Nebenbestimmungen erscheinen nun eben bey den Pflanzenblättern die Zähne und Lappen, durch welche das einfache Blatt in das gefiederte Blatt (geblätterte Blatt) übergeht, und zugleich geben die einfachen, gezahnten, gelappten und gefiederten Blätter Arten von Blättern, indeß einfaches und gefiedertes Blatt eine Stufe oder Potenz bilden.

§. 109.

Was demnach bey einer Potenz Wurzel heißt, ist ihr Wesen, und die Potenz selbst als Resultat eines besonsondern Prozesses, in welchen die Wurzel hineingezogen worden, ist Form, und in jeder Potenz ist diese Form dieselbe, welche in der Wurzel schon da gewesen, wie z. B. das geblätterte Blatt, die geblümte Blume, das behaarte Haar (Faher) u. dgl. In der Potenz wird diese Form aber nicht einfach gesezt, wie in der Wurzel; sondern in der Potenz wird die Form in die Form gesezt, in der Wurzel aber in das Wesen. Daher kann das Wesen der Potenzen auch allgemein ausgedrückt werden als geformte Form im Gegensatze mit einfacher Form, und daraus ist begreiflich, daß in den Zahlen die Eins als bloße Wesenzahl keine Potenz haben kann, dagegen mit der Zwey, welche Zahl des Gegensatzes, also der einfachsten Form ist, auch die Möglichkeit des Potenzirens beginnt.

§. 110.

Wenn die geformte Form das Wesen der Potenz ausmacht, so ist jede Potenz zuvörderst durch die Form ihrer Wurzel bestimmt, d. h. die Potenzen der Vier sind ebenfalls Vierheiten, die Potenzen der Fünf sind Fünfheiten, die Blattpotenzen sind Blätter u. s. w., so daß alle Potenzen mit ihrer Wurzel gleichnamig sind. Daher bezeichnet der Mathematiker seine Potenzen blos durch die Wurzel und schreibt darüber als Exponenten die Grade des Potenzirungsprozesses.

§. 111.

Der Potenzirungsprozeß hat die größte Aehnlichkeit mit dem in §. 75. bestimmten Multiplikationsprozesse der Zahlen, welcher nach dem Schema des Prozesses über-

F

haupt die dritte Form desselben ist. Wenn aber im Multiplikationsprozesse Ungleiches sich mit Ungleichem zu gemischtem Produkte verbindet, so ist es dagegen in dem Potenzirungsprozesse die Wurzel, die mit sich selbst als Inhaltszahl (Multiplikandus) und Formzahl (Multiplikator) in Gegensatz tretend durch Selbstbestimmung das Produkt giebt. Wo daher irgend ein Wesen durch seine eigne Form noch besonders bestimmt wird, Laut durch Laut, Linie durch Linie, Vorstellung durch Vorstellung u. s. w., da ist, wenn die Glieder dieser Wechselbestimmung sich gleich sind, Potenzirung vorhanden. Dabey wird aber nicht nur die äussere Gleichheit der Wechselbestimmungsglieder, mit welcher allenfalls der Mathematiker sich begnügen möchte, verlangt, sondern (weil alle Vielheit aus dem Einen hervorgeht) daß das zweite Glied dieser Wechselbestimmung, nämlich die Formzahl (Multiplikator), eine Folge des über das erste Glied (Wurzel oder Multiplikandus) hinausschreitenden Lebens sey, durch welches eben das Blatt nicht bey seiner einfachen Bildung stehen bleibt, sondern seine Rippen selbst wieder zu Blättern erhebt. So potenzirt sich die Empfindung zum Gefühle, wenn sie selbst wieder empfunden wird, so der Gedanke, der auf sich selber sich richtet, zur Reflexion u. s. w. Dabey ist aber immer der Gegensatz wirksam, indem es allerdings etwas anderes ist, eine von aussen erhaltene Empfindung im Gemüthe wiederum zu empfinden, oder einen unwillkührlich entstandenen Gedanken reflektirend noch einmal zu denken. Vergißt man diesen Unterschied, welcher ein innerer Ge-

senset. E, so scheint der Potenzirungsprozeß in bloßen Wiederholungen der Wurzel sein Wesen zu haben, wie z. B. eine Proportion, die ein Verhältniß von Verhältnissen ist, blos vier Glieder statt zweier zu haben scheint, und der Syllogismus, ein Urtheil von Urtheilen, blos neun Glieder zählt, also dreymal soviel als das einfache Urtheil.

§. 112.

Genau genommen enthält demnach jede Potenz:

a) das Wesen als Wurzel,

b) dieses Wesen, als bestimmbar — **Multiplikandus,**

c) dasselbe als bestimmend — **Multiplikator,**

d) das aus dieser Selbstbestimmung hervorgegangene bestimmte Produkt — die **Potenz,**

und es wird daraus klar, daß unser schematisches Construiren, welches eben auf diese Weise verfährt, in der That ein Potenziren sey. Nimmt man für unsere Construktion den arithmetischen Ausdruck

$$1$$
$$2 \qquad 3$$
$$0$$

so erscheint durch die Multiplikation der Mittelglieder die Zahl 6 als Potenz an der Stelle der Null, und die 4, welche durch das Fortzählen an die Stelle der Null tritt, erscheint blos als Potenz des Gegensatzes oder der Zwey. Nun sind 2 und 3 die Urprinzipien der Zahlen, gerade und ungerade Zahlen. also die aus ihnen entstehenden Arten, und die Zahl 6 als das Produkt aus den Urprinzipien selbst, deren innerer Gegensatz in der Arithmetik ein äufferer von Plus und Minus geworden, erscheint als arithmetischer Ausdruck der reinsten Neutralität (Waffer), in welcher die Urprinzipien die erste Indifferenz des Wesens aufs vollkommenste wieder hergestellt haben. Sagt also die Vier, daß in jedem Schema Zwey Gegensätze in einander verschlungen seyen, so sagt die Sechs, daß in jedem Schema die Urprinzipien sich selber durchgreifend die höchste Neutralität in dem vierten Gliede darstellen, und die Null sagt, daß nach dem Uebergange des Wesens in die Theilung nur seine totale Wiederherstellung als viertes Glied möglich sey.

§. 113.

Da die Stufenbildung in den fortschreitenden Lebensprozeß fällt, welcher in dem Schema der Prozesse Durchführung heißt, und da diese Fortschreitung eben durch Schemate hinburchgeht, so sind allerdings Schemate, die in Einer Entwicklung auf einander folgen, selbst Stufen, wie z. B. die Tafeln der Kategorien und Schemate jeder besonderen Tafel. Darum sind auch überall nur die vier in §. 44. bezeichneten Stufen möglich, und wenn die Mathematik ins Unendliche fort Potenz auf Potenz thürmt, so ist dieß nur durch die Leerheit der Abstraktion möglich, in welcher sie sich hält, und eben darum auch bedeutungslos.

§. 114.

Wie eine Wurzel Potenz wird, indem sie ihre Form in ihrer Form wiederholt, so kommt umgekehrt eine Potenz auf ihre Wurzel zurück, wenn aus ihrer wiederholten Form die einfache gefunden wird, wobey aber beide Formen identisch seyn müssen. So hat z. B. eine Kategorientafel ihre Wurzel im einfachen Schema, welches eben dieselben Verhältnisse hat, wie die vier Schemate einer Tafel, so hat die Figur als Ganzes aus Linienbegränzung ihre Wurzel in dem Gegensatze zweier Linien, die sich begränzen, dem Winkel, und dieser hat seine Wurzel in der für sich selbst begränzten Linie; das Wort als Gesammtlaut hat seine Wurzel im einfachen Laute, der Satz als Gesammtwort seine Wurzel im einfachen Worte, die Rede als Gesammtheit von Sätzen hat ihre Wurzel im einfachen Satze, der Staat als Gesammtmensch hat seine Wurzel im einzelnen Menschen u. s. w.

§. 115.

Wie das Substrat in seiner Entwicklung durch Seitenentwicklung und Stufenbildung als die zwey Mittelglieder des Schema hindurchgeht, so sind auch in jedem entwickelten Ganzen Arten und Stufen beysammen, wie schon in der Arithmetik zwischen die geometrischen Verhältnisse der Stufen arithmetische hineinfallen, welche Arten bezeichnen, z. B. zwischen die 4 und die 8 fallen die Zahlen 5, 6, 7 hinein, als Andeutungen gradueller Unterschiede, welche über die Vier hinausgehen, ohne jedoch die Acht erreichen zu können. So sind auch im thierischen Organismus Arten und Stufen beysammen, die Arten heißen nämlich hier Organe und stehen mit spezifischem Gegensatze (z. B. Arterie und Vene) neben einander; die Stufen heißen hier Systeme und stehen mit innerer Selbstverdopplung des Wesens übereinander. z. B. das vegeta-

tive und das fenfible Syftem. Eben fo ftehen im politi-
fchen Organiswus die Stufen als Stände, deren jeder
fich in verfchiedene Arten des Wirkens zerlegt, übereinander, und man drückt das Maaß diefer Ueberordnung mit
einem eignen Begriffe aus, welcher Rang heißt.

§. 116.

Die Seitenentwicklung gieng von dem Gegenfaze der
Urprinzipien aus, und auch die Stufenentwicklung legt
einen erften Gegenfaz und keineswegs die Einheit in ab-
foluter Bedeutung zum Grunde, wie fchon daraus ab-
zunehmen ift, daß in der Arithmetik das Potenziren erft
mit der Zwey anfängt. Da nämlich alle Potenz eine Wiederholung der Form in fich felbft, eine Selbftmultiplika-
tion der Form, ift; fo kann das formlofe Wefen, die
Eins in der abfoluten Bedeutung, nicht potenzirt werden.
Das Potenziren ift daher auch im Wefen der Dinge nur
möglich mit dem, was in den Gegenfaz eingegangen,
und der erfte Gegenfaz (Ideales und Reales) ift eben
auch der Anfang alles Potenzirens. Daher haben die
Dinge eine zweyfache Wurzel und das allgemeine Gefez
der Stufenbildung ift das in der Mathematik aufbewahr-
te Binomium, welches aus den Potenzen der beiden
Theile der Wurzel und aus der Wechfeldurchdringung
beider Theile bey ihrer fortfchreitenden Potenzirung be-
fteht. Das Fortfchreiten diefer Wechfeldurchdringung auf
den fteigenden Potenzen der Wurzel wird in Binomium
durch die Coefficienten ausgedrückt.

Anmerkung. Es feyen die Zahlen 2 und 3 die Theile der Wurzel, deren Summe alfo 5, die Potenz

aber 25 iſt. Nun kann dieſe leztere blos erreicht werden durch

1) Erhebung der 2 auf ihr Quadrat $= 4$

2) Erhebung der 3 auf ihr Quadrat $= 9$

3) Aufnahme der 2 in die 3 $= 6$

4) Aufnahme der 3 in die 2 $= \underline{6}$

welches giebt 25

Eben ſo beſteht die Welt aus den Potenzen des Idealen und denen des Realen und den Wechſeldurchdringungen beider Elemente mit einander, welche mit den Stufen ebenfalls zunehmen. Für dieſe leztere Zunahme liegt das Geſetz in den Coefficienten des Binomiums.

§. 117.

Sey die Wurzel einfach oder zweytheilig, ſo hat die Stufenbildung überall das zweyfache Geſetz, daß jede ſchon geſezte Stufe jeder folgenden zur Grundlage dient und als Inhalt in ſie aufgenommen wird, dann daß der Inhalt jeder vorigen Stufe in jeder folgenden eine neue Form annimmt. Dabey wird denn die erſte Stufe oder die Wurzel in alle folgende Stufen mit aufgenommen, und die lezte Form für ihren Inhalt erſt in der lezten (vierten) Stufe erreicht, und weil jede folgende Stufe die vorangegangene vorausſezt, ſo kann auch im fortſchreitenden Stufengange keine Stufe überſprungen werden, der Stufengang alſo hat Continuität. Das allgemeine Schema deſſelben iſt aber:

Begründung

Entwicklung   Selbſtverdopplung

Vollendung.

§. 118.

Iſt das Ding der erſten Tafel als Subſtrat für die zweite durch Seitenentwicklung und fortſchreitende Entwicklung (Arten und Stufen) hindurch gegangen, ſo endet es damit, die Beſtimmtheit der Art und der Stufe auch auf das überzutragen, woraus beide erſt hervorgiengen, d. h. auf den Inhalt des erſten Schema der zweiten Tafel. Dadurch wird die Anlage zur Grundlage, d. h. die vorher allgemeinere Möglichkeit der Entwicklung erhält eine Beſtimmtheit, aus welcher Art und Stufe des Dinges erkannt werden kann. Im pflanzlichen Gebiete heißt eine ſolche Grundlage Saame, nachdem urſprünglich alle Pflanzen blos aus der Entwicklungsanlage des Mineraliſchen hervorgegangen, und im Geiſtigen heißt eine ſolche Grundlage ein Thema, indeß an ſich jede Vorſtellung eine Anlage zur Entwicklung enthält; bey einem Hauſe heißt dieſe Grundlage ein Fundament, indeß an ſich jeder Boden die Möglichkeit von Superſtruktionen enthält. Offenbar iſt nun die Anlage dadurch, daß ſie Grundlage geworden, zur Erſcheinung gekommen, alſo in die vierte Kategorie der zweiten Tafel eingetreten.

§. 119.

Grundlage iſt demnach die Syntheſe der Seiten- und Stufenentwicklung in der Anlage, und wenn die aus der leztern hervorgehenden Eigenſchaften gleichfalls den Umfang der Art und der Stufe erſchöpfen, ſo entſteht ein neuer Begriff für die Entwicklung des Dings, welcher Natur heißt. Ein Ding hat ſeine Natur ent-

wickelt, wenn aus seiner Grundlage alle Eigenschaften
hervorgetreten sind, in welchen diese Art und Stufe der
Dinge ihre Empfänglichkeit für äussere Einwirkung und
ihre Rückwirkung dagegen zu zeigen im Stande ist, und
daher sagt man eben auch richtig, daß jedes Ding nach
seiner Natur zu behandeln sey, und ihr gemäß wirke.

§. 120.

Bis aber ein Ding dazu gelangt, seine Natur ganz
darlegen zu können, muß es verschiedene Grade der Entwicklung durchlaufen, in deren jedem es theils durch Re-
ceptivität, theils durch Aktivität ein anderes ist. Diese
Reihenfolge der Zustände synthesirt sich ebenfalls zu einem Ganzen und heißt die Geschichte des Dinges,
und wenn ein Ding durch seine Natur verschiedene Seiten hat, so enthält seine Geschichte verschiedene Zeiten.

§. 121.

Die lezte Synthese, in welcher ein Ding nach der
zweiten Tafel seine Entwicklung vollenden kann, ist die
Vereinigung seiner Natur und Geschichte in einer gemeinschaftlichen Erscheinung, in welcher die Natur sich
nach Art und Stufe bestimmt ausspreche, und die Geschichte ihre Abtheilungen, welche Perioden genannt werden, zu Ende gebracht habe. Da diese Perioden nur
Entwicklungsgrade enthalten, die fortschreitende Entwicklung aber, welche Stufen bildet, sie alle durchläuft, so
können jene Perioden nur den Charakter der Stufen erhalten, also nach dem Schema des §. 117. gestellt seyn.
Folglich tritt die lezte und höchste Entwicklungssynthese
für ein Ding ein, wenn es seine Entwicklung schließt.

§. 122.

Lezte Synthese ist also hier die Erscheinung, welche die geschlossene Entwicklung eines Dinges darstellt und bey der Pflanze Blüthe genannt wird. In allgemeinem wissenschaftlichem Ausdrucke kann sie zur Totalentwicklung genannt werden, weil sie das gemeinschaftliche Resultat von dem ist, was aus der Grundlage des Dinges als seine Natur und Geschichte hervorgegangen, so daß also das vierte und synthetische Schema der zweiten Tafel

Grundlage

Natur   Geschichte

Totalentwicklung

die Erscheinungsformen der Dinge vollständig ausspricht. Für den Begriff der Totalentwicklung fehlt übrigens in den Sprachen ein Wort, welches wie das Wort Blüthe, die Erscheinungsseite dieses Begriffes bezeichnete. Die zweite Tafel heißt also:

Substrat

Anlage

Eigenschaften   Zustände

Beschaffenheit

Seitenentwicklung   Fortschreitung

Urprinzipien   Begründung

Arten Gattungen   Entwicklung Selbstverdoppelung

Gebiete   Vollendung

Erscheinung

Grundlage

Natur   Geschichte

Totalentwicklung

Die Beziehung der gleichnamigen Glieder dieser und
jSchemate auf einander ist hier wiederum klar, indem die
Anlage auseinandergehend in Urprinzipien die fortschrei=
tende Entwicklung als erste Stufe begründet, welche Be=
gründung als Produkt dargestellt Grundlage heißt; fer=
ner die Eigenschaften mit ihrem Gegensatze Arten bestim=
men, in deren Entwicklung das Ding seine zweite Stu=
fe beginnt, welche erschöpft seine Natur heißt; ferner die
Zustände Arten in Arten hinüberführend und dadurch
das Ding in der Gattung verdoppelnd zum Total seiner
Geschichte ausschlagen; und endlich des Dinges durch
Eigenschaften und einfache Zustände bestimmte Beschaf=
fenheit in der Seitenentwicklung durchgeführt ein ganzes
Gebiet der Dinge ausfüllt, welche Ausfüllung aber erst
in der vierten Stufe ihre Vollendung erreicht, und zur
vollständigen Erscheinung des Wesens ausschlägt. Dem=
nach ist auch in dieser zweiten Kategorientafel wieder
der Kreislauf der Construktion bündig geschlossen, und
es fehlt nur noch, die Abstraktion vorzunehmen, aus
welcher ihre Prädikamente hervorgehen.

§. 123.

Wird das Substrat gegen die Erscheinung gehalten,
so erhellt, daß ersteres die Möglichkeit aller in dem lez=
tern bereits hervorgetretenen Gegensätze enthalte, dann
daß das Hervortreten dieser Gegensätze in Arten und
Gattungen die Form des unvermittelten Gegensatzes hal=
te, indeß die Stufenentwicklung multiplicirend die in dem
Substrate entstandenen Gegensätze vermittelt. Darum sa=
gen wir, daß in dem Substrate die Möglichkeit, in

der Erscheinung aber die Wirklichkeit sey, und das gepaarte Erscheinen der Gegensätze nennen wir Raum, das vermittelnde Zeit, und gewinnen damit folgendes Schema der Prädikamente:

möglich

räumlich   zeitlich

wirklich

als das allgemeine Gesetz der Erscheinung. Das Mögliche ist demnach Keim der Erscheinung und wird als Anlage und Grundlage näher bestimmt, das Wirkliche ist die Erscheinung selbst, wie sie in gepaarten Gegensätzen sich festhält oder in durch die Einheit unterbrochenen Gegensätzen fortschreitet.

§. 124.

Die Möglichkeit an sich ist unendlich, die Möglichkeit aber in den endlichen Dingen ist beschränkt durch den ganzen Inhalt der ersten und zweiten Kategorientafel, so daß die Bestimmungen dieser beiden Tafeln vorausgehen müssen, um die Möglichkeit eines Dings zu bestimmen, und man also nach dem Schlusse der zweiten Tafel zusammenfassend sagen kann, möglich ist, was in der Natur und Geschichte eines Dings liegt. Wo nun diese Möglichkeit in gepaarten Gegensätzen in die Wirklichkeit eintritt, da schließen diese unter einander sich an und bilden eine Gruppe für die Erscheinung, wie anschließende Linien eine Figur bilden, und diese Gruppirungsform der Gegensätze heißt Raum.

§. 125.

Dem Raume liegt also zum Grunde das an sich un-

bestimmte Substrat der Dinge, welches nach der ersten
Tafel Daseyn, Faktoren, Prozesse und Gliederung hat,
nach der zweiten Tafel aber in Reihen und Stufen sich
zur Erscheinung entwickelt, die selbe äußere Form wird.
In diesem Substrate erscheinen die gepaarten Gegensätze
des Raumes gleichfalls als äußere, und die Unbestimmtheit des Substrates ist die Einheit derselben; der Raum
kann daher nur noch drey Glieder enthalten, von denen
das dritte als dem Substrate gegenüberstehend ein ver-
schiedenes und synthetisches seyn muß.

§. 126.

Diese drey Glieder des Raumes heißen Dimensionen und sind sämmtlich nur Gegensätze. Der erste Gegensatz, der aber der unbestimmten Einheit des Substrates gegenüber zweites Glied ist, ist denn analytischer Natur, die erste Trennung des Dinges in sich selbst darstellend, und heißt Länge; der zweite stellt antithetisch Länge mit Länge in Gegensatz und gewinnt dadurch die
Breite, und der dritte faßt synthetisch als Länge und
Breite zusammen und heißt Dicke. Diese dritte Dimension weilt ganz in der Unbestimmtheit des Substrates, die
in diesem möglichen Längen und Breiten vereinigend, indeß eine mögliche Länge als wirklich bestimmt Richtung
und eine mögliche Breite als wirklich gedacht Fläche
genannt wird.

§. 127.

Diese Dimensionen als Gegensätze ausgesprochen heißen: oben und unten, links und rechts, vorn und hin-
ten, welchen Benennungen aber überall die wissenschaft-

liche Allgemeinheit abgeht, indem sie von bestimmten Beziehungen der Dinge theils unter sich theils auf den Menschen hergenommen sind, und wobey noch dazu die dritte
Dimension mit Verlust ihres synthetischen Charakters den
beiden andern gleichgestellt ist. Die drey Dimensionen
des Raumes in dieser Art aufgefaßt erscheinen an den
sechs Seiten des Würfels, deren immer zwey bis die
Einer Dimension ausmachen, und lassen sich am einfachsten darstellen durch ein Kreutz, von welchem vier Arme
in Eine Fläche fallen, deren Durchschnittspunkt sodann
von einer dritten Linie im Gegensatze mit dieser Fläche
durchbohrt wird. Minder einfache Darstellung als dieses
aus bloßen Linien gebildete Kreutz geben Ebenen, deren
zwey in der Richtung entgegengesezter Meridiane sich
schneiden; und gemeinschaftlich von einer Aequatorsebene
geschnitten werden. Hier erhält aber immer die dritte
Dimension ihren synthetischen Charakter noch nicht vollständig, indem sie zwar eine gegebene Länge und Breite
im Durchschnittspunkte selbst schneidend für beide synthetisch wird, aber nur in diesem Punkte.

§. 128.

Indeß aber dieser Darstellung der drey Dimensionen
die Vollkommenheit der Synthesis fehlt, ist schon durch
die Darstellung der beiden ersten Dimensionen etwas entstanden, was vorher nicht da war, nämlich der Punkt
ihres Durchschnittes, in welchem ihr Gegensatz gegen
einander erlischt, welcher also das ursprünglich gegensatzlose Wesen des Substrates für die in ihm entstandenen
Gegensätze ausdrückt. Sind die räumlichen Gegensätze

einmal gesezt, so erscheint auch diese Einheit in ihnen; an sich aber ist der Punkt nirgend, kann aber überall erscheinen, wo sich Gegensätze in Einheit begegnen, wie z. B. in der Spitze eines Winkels. Der Punkt gehört also sammt den Linien nur der Darstellung des Räumlichen an, nicht aber dem Wesen, welches aus erster Unbestimmtheit, zweyen Gegensätzen und einer Synthese besteht, wie alles andere Wesen ebenfalls. In Rücksicht auf mögliche Darstellung der Raumverhältnisse ist also der Punkt ein blosser Gedanke, der aber in wirklicher Darstellung derselben die Einheit der Gegensätze repräsentirt. Als Repräsentant des unbestimmten Wesens in der räumlichen Darstellung hat er denn auch den Charakter, daß er selbst ohne Richtung die Möglichkeit aller Richtungen ist, und in so ferne den Begriff der Anlage enthält.

§. 129.

Den Punkt also begriffen kann man die dritte Dimension zur vollkommnen Synthese erheben, wenn man ihr alle aus Einem Durchschnittspunkte möglichen Längen und Breiten zu vereinigen giebt, so daß sie nun nicht mehr in einer Linie oder Ebene sich darstellen läßt, sondern nach allen Richtungen durchdringend Länge und Breite continuirlich vereinigt, also das Wesen des Durchschnittspunktes nach allen Richtungen durchführt. Daraus entsteht der Begriff von Volum, in welches alle aus Einem Punkte möglichen Raumgegensätze eingeschränkt sind, so daß sie in ihm eine Gruppe bilden (§. 124.), die durch innere Verwebung sich festhaltend nun auch gemeinschaftliche Gränze erhalten hat.

§. 130.

Das Volum ist also der vollständige Begriff des Raumes selbst, wie er in der vollkommnen Synthese zweier paarigten Gegensätze, aus dem Unbestimmten hervorgegangen und dieses begränzend, besteht, und was man gemeinhin des Raumes Unendlichkeit nennt, ist nichts als die von der Phantasie entworfene unendliche Möglichkeit der Volumbildung. Diese wiederholt sich in jedem Volum selbst wieder in der Art, daß in demselben eine ihm so unendliche Möglichkeit von Längen und Breiten, überhaupt von Richtungen, synthesirt ist, welche die Phantasie ebenfalls als gesetzt oder setzbar entwerfen kann, wie sie denn überhaupt, als Einbildungskraft am Wirklichen hängend, oder als Phantasie in das Gebiet des Möglichen ausschweifend, unter dem Namen der Anschauung im Geiste das nachbildet, was im Wesen der Dinge Erscheinung genannt wird.

§. 131.

Die in der geistigen Anschauung gebildeten Räume haben völlig dieselben Dimensionen, wie die Räume der objektiven Erscheinung; es sind also hier ebenfalls in der zweiten Dimension zwey paarigte Gegensätze in einander verwebt, und in der dritten ist diese Verwebung noch im Gegensatze mit sich selbst wiederholt. Die drey Dimensionen des Raumes haben daher überall den Charakter von Stufen oder Potenzen, deren erste, die Länge, in Zahlen als Zwey, die zweite, die Breite, als Vier, und die dritte als Acht erscheint, welche Acht auch in Zahlen der Würfel genannt wird. Sie verwebt die Fläche
nach

nach entgegengesetzter Richtung (in der Zahl Zwey) mit sich selbst.

Zu diesen reinen Verhältnissen der paarigten Erscheinung oder des Raumes in sich kommen aber noch andre, welche theils aus der Vergleichung desselben mit seinem Gegensatze, der Zeit, theils daraus entspringen, daß die räumliche Anschauung in einem Leben stattfindet, welches in dem in der dritten Kategorientafel zu construirenden Subjekt-Objektivitäts-Verhältnisse befangen ist. Für dieses subjektobjektive Leben wird nämlich Bewegung nöthig, um der Raumverhältnisse inne zu werden, und diese Bewegung zieht die Zeit mit ins Spiel, so daß Räume nach Bewegungszeiten gemessen werden. Aber die Bestimmungen, welche daraus dem Raume entstehen, sind eben nicht mehr die reinen.

Tritt also die im Substrate enthaltene Möglichkeit heraus in den paarigten Gegensatz, so wird sie in diesem gebunden zur räumlichen Wirklichkeit oder Erscheinung. Sind aber, wie im Raume, Gegensätze gesetzt, so offenbart sich des Lebens Freyheit dadurch, daß es aufhebend zwischen dieselben hineintritt, und diese Form, in welcher Gegensätze gesetzt und aufgehoben, aufgehoben und gesetzt werden, heißt Zeit. Die Erscheinung ist in beiden Formen, Raum und Zeit, auf gleiche Weise befangen, und wenn jener der unvermittelte Gegensatz ist, so ist diese die Vermittlung. Begreiflich ist aber, daß der Gegensatz und seine Vermittlung erst

G

in der zweiten Tafel als Raum und Zeit vorkommen
konnten, da sie unter den Urbegriffen als allgemeine Formen des Wesens aufgestellt waren, und in der ersten Kategorientafel unter der Form von Faktoren und Prozessen erst die Erscheinung begründeten.

§. 134.

Der Raum verbindet Setzen mit Setzen, also Bestimmtheit mit Bestimmtheit, die Zeit aber verbindet Setzen mit Nichtsetzen, also Bestimmtheit mit Unbestimmtheit; daher heißt jener continuirlich, diese aber unterbrochen, jener die Form des Seyns und Bestehens, diese
die Form des Werdens und Vergehens. Im Raume ist
Beharren, in der Zeit Wechsel, und weil der leztere
aufhebt, was sich beharrlich im Raume firirt hatte, so
werden in der Zeit die Gegensätze nie paarig, sondern
zwischen ein Glied des Gegensatzes und zwischen das andere tritt das Nichtsetzen ein, wodurch immer nur Ein
Glied unpaarig erscheint, daher entwickelt sich die Zeit
beständig eingliedrig und bildet in ihrer Entwicklung eine
Reihe, indeß der Raum paarigte Gegensätze in Volu-
men gruppirt. Daher ist für den Raum der Wechsel
von Setzen und Nichtsetzen aufgehoben, welches die
Sprache durch das Wörtchen zugleich ausdrückt, für
die Zeit aber besteht dieser Wechsel, den die Sprache als
ein Nacheinander bezeichnet.

Anmerkung. Dieses Nacheinander (Succession) bestimmt sich näher durch die in §. 66. entwickelten Begriffe von Wiederholung und Veränderung.

§. 135.

Demnach hat die Zeit nur Eine Dimension, indeß der Raum drey hat, aber dennoch ist die Zeit dreygliedrig, weil bey ihr zwischen jede zwey bestimmte Glieder das Unbestimmte hineintritt, indeß der Raum zweygliedrig Bestimmtes zu Bestimmtem gesellt, und, weil die dritte Dimension die beiden ersten synthesirend vereinigt, durch diese Synthese im Punkte viergliedrig wird. Sollen daher beide symbolisirt werden, so geschieht dieß für die Zeit durch die Linie, für den Raum durch die Fläche, und unter den Zahlen gehört diesem die Zwey oder zweymal Zwey, der Zeit aber die Drey oder dreymal Drey an. Daraus hat sich unser Zahlensystem entwickelt, welches von der Raumzahl Vier noch bis auf die Zeitzahl Neun fortzählt, und dann erst die Zahlenstufe durch die Null schließt; aber dieses schon sehr alte Zahlensystem hat vergessen, daß die Vier nicht blos Raumzahl ist, sondern noch mehr allgemeine Zahl zweyer in einander verwebter Gegensätze, also Zahl des Weltschematismus, und daß die Null auf die Zahlen Zwey und Drey folgen muß, in welchen Raum und Zeit schon bezeichnet sind. Daher soll denn ein natürliches Zahlensystem auf vier oder viermal vier zählen, wie unsere Schemate.

§. 136.

Da Raum und Zeit nichts sind als der unvermittelte und vermittelte Gegensatz, wie er nach Begründung der Dinge (erste Tafel) in ihrer durch Entwicklung (zweite Tafel) gewonnenen Erscheinungsform hervortritt, so sind Raum und Zeit auch in der Erscheinungswelt unzertrennlich verbunden, und diese selbst ist ein Raum- und Zeit-Spiel. Bey diesem Verhältnisse zu einander zeigen beide sich relativ wirksam, so daß die Zeit ihr Uebergewicht von Unbestimmtheit des Lebens in die bestimmten Raumverhältnisse einschiebt, wodurch diese in Bewegung gerathen, und umgekehrt der Raum seine fixe Bestimmtheit in die Zeit überträgt, wodurch die fliessende zur Ruhe gelangt. Dabey messen sie sich zugleich quantitativ, wobey die Zeit als Dauer, der Raum mit seiner Volumbildung als Umfang bestimmt wird.

§. 137.

Das auf der dritten Kategorientafel vorkommende Verhältniß der Selbstverdopplung des Lebens in den Formen von Subjekt und Objekt bringt in die Begriffe von Raum und Zeit noch eine neue schon §. 132. angedeutete Bestimmung, welche hier der dritten Tafel vorgreifend noch hinzukommen soll, damit diese beiden Begriffe in ihrer ganzen Bestimmtheit erscheinen. Nämlich das individuelle Subjekt erkennt die Quantität räumlicher Firirtheit (den Umfang) nur durch die Bewegung, in welche es sich selbst versezt, und durch welche es nothwendig unter den Einfluß der Zeit tritt. Der räumliche Umfang kann daher von dem bewegten (tastenden) Subjekte nach dem Zeitaufwande der Bewegung innerhalb seiner eigenen Gränzen gemessen werden, und erhält dadurch den Begriff der Ausdehnung, wobey es ganz einerley ist, ob das Subjekt selbst in (tastender) Bewegung die Entfernung der Raumgränzen nach und

nach meſſe, oder ob ein allgemein taſtendes Leben, wie
das Licht, mit dem Subjekte in lebendiger Verbindung
dieſe Funktion für das Subjekt mit einemmal übernehme.
Das Subjekt muß im leztern Falle mit ſeinem Blicke die
Raumgränzen doch nach und nach ausmeſſen.

§. 138.

Eben ſo erhält die Zeit in ihrer Dreygliedrigkeit,
deren einzelne Glieder Momente genannt werden, eine
neue Beſtimmung durch das Leben des individuellen Subjekts, welches in der Zeit ſelber befangen ihre Momente
nach ſich unterſcheidet, und in den einen ſich ſetzend ihn
Gegenwart, die beiden dieſen begränzenden Momente
aber Vergangenheit und Zukunft nennt, wodurch
für die Zeit drey Beſtimmungen entſpringen, welche den
drey Dimenſionen des Raums ähneln. Sie ſind aber
für die Zeit keineswegs das, was jene für den Raum,
nämlich Conſtruktionsglieder; ſie ſind bloſſe Beziehungen
der an ſich dreygliedrigen Zeitreihe auf das ſich in dieſelbe hineinſetzende Subjekt, welches den Moment ſeines
Hineinſetzens Gegenwart nennt. Dabey heißt denn der
die Gegenwart begründende Moment Vergangenheit, und
der von ihr begründete Zukunft. Eben ſo nennt das Individuum nach ſich ſelbſt die erſte Dimenſion des Raums
ſenkrecht, die zweite horizontal.

§. 139.

Die Zeit kann daher bey der ihr als dem vermittelnden Gegenſatze eigenthümlichen Dreygliedrigkeit das
allgemeine Geſetz der viergliedrigen Conſtruktion nur dadurch erfüllen, daß ſie mit den Dingen ſelber verwebt

zu Zeiten ausschlägt, wodurch sie die in §. 120. ent=
wickelte Idee der Geschichte realisirt, deren Perioden sich
wie die Stufen in §. 117. verhalten. Diese Idee der
Zeitalter oder Weltalter geht viergliedrig durch alle Din=
ge hindurch, und die Zeit wandelt sonach alles Wesen
in Form um, es durch zwey Mittelglieder hindurchfüh=
rend, indeß sie in ihrer einfachsten Erscheinung drey=
gliedrig blos Entgegengesetztes in Entgegengesetztes um=
wandelt, dagegen der Raum in seiner einfachsten Er=
scheinung zweygliedrig Entgegengesetztes in seinem Gegen=
satze festhält.

§. 140.

Das in §. 136. bezeichnete aus der innigen Verbin=
dung von Raum und Zeit hervorgegangene Spiel des
Lebens heißt nun Wirklichkeit und ist bestimmt, die
in jedem Dinge liegende Möglichkeit von Gegensätzen
und Vermittlungen zu erschöpfen. Dieses vierte Prädi=
kament hat als viertes wieder den synthetischen Charak=
ter, der also hier zunächst in der Zurückbeziehung (Re=
ciprocität) auf die Möglichkeit besteht, welches den Satz
giebt: nur das Mögliche kann wirklich werden, aber al=
les Mögliche muß wirklich werden. Dieser Satz wird
aber eingeschränkt auf die im Schooße des Möglichen
entstandenen Gegensätze und deren gelungene Vermitt=
lung, indem die Vielheit und Wechselwirkung der Dinge
Gegensätze unterdrücken und Vermittlungen stören kann.
Daher steht die Wirklichkeit zu der Möglichkeit bey den
endlichen Dingen nicht in einem absoluten Verhältnisse,
wie Wesen und Form überhaupt, sondern: alle Frucht

(Wirklichkeit) steht im Verhältnisse ihres Saamens (Möglichkeit) und des in denselben eingreifenden Entwicklungsprozesses (Gegensätze und Vermittlungen).

***

Dritte Tafel.

§. 141.

Die Kategorientafeln sind Stufen oder Potenzen, und
so hat die dritte Tafel als dritte den Charakter des vermittelten Gegensatzes. Ausserdem sezt sie als dritte Stufe
die zweite voraus, enthält also ein Leben, welches bey
der zweiten Stufe nicht stehen geblieben, sondern für welches die zweite Stufe nur Inhalt geworden ist, der in
der dritten Stufe in eine neue Form aufgenommen worden.

§. 142.

In der Arithmetik entsteht die dritte Stufe durch
Multiplikation der zweiten Stufe mit der Wurzel. Wurzel ist nun hier das einfache Ding, welches nichts enthält als Daseyn mit Faktoren und Prozessen der Einzelnheit; Quadrat ist hier dieses Ding durch Aufschließung,
Seitenentwicklung und fortschreitende Entwicklung zur Erscheinung gebracht, und die Multiplikation dieses Qua-
drates mit der Wurzel geschieht dadurch, daß letztere als
noch unentwickeltes Leben mit schon entwickeltem vereinigt
ein Wechselleben mit diesem beginnt, in welchem beide ihre gemeinschaftliche Sphäre durch gegenseitige Mittheilung
(§. 71.) ihres Wirkens ausfüllen.

§. 143.

Das Wesen dieser dritten Stufe besteht demnach in

der Verbindung eines Lebens, welches nach der ersten
Tafel bloß das einzelne Daseyn erreicht hat, mit einem
andern, welches schon die zweite Tafel an sich erfahren
hat, zu einer gänzlichen Gemeinschaft des Lebens, die
dritte Stufe ist also, die Multiplikation der beiden ersten
in einander, welche erfolgen muß, wo diese in Einem
Leben enthalten neben einander bestehen. Das Resultat der zweiten Stufe in diese dritte aufgenommen heißt
nun hier Objekt, und das damit verbundene noch unentwickelte Produkt der ersten Stufe heißt Subjekt.

§. 144.

Da Subjekt und Objekt von zweierley Stufe sind,
so ist auch dadurch ihr Verhältniß bestimmt, indem nämlich bey der höhern Entwicklung, welche das Produkt der
zweiten Stufe hat, das Produkt der ersten Stufe, als das
minder bestimmte das bestimmbare werden muß. Daher
beginnt die dritte Stufe mit dem Satze: daß das Subjekt von dem Objekte bestimmt werde. Dieß kann
aber nur so weit gehen, als das Minus von Bestimmtheit im Subjekte reicht, und ist dieses ausgeglichen, so
kann das Leben des Subjektes ebenfalls bestimmend dem
Leben des Objektes entgegentreten, so daß es nun heißt:
das Objekt ist bestimmbar durch das Subjekt.
In so ferne nun das Uebergewicht der Aktion zwischen
beyden wechselt, sind beyde durch einander bestimmbar.

Anmerkung. Das Subjekt - Objektivitätsverhältniß
findet überall statt, wo eine niedere Stufe des Lebens mit einer höheren in lebendige Berührung kommt,

z. B. zwischen der freien Thätigkeit des (noch elementarischen) Lichtes und der gebundenen der bereits
gestalteten Körper, welche ihm Objekt sind; bey allem Bewegten, welchem das Ruhende zum Objekt
(Hinderniß) wird; bey beiden Geschlechtern, wovon
das eine in objektiver Vollendung dasteht, indeß das
andere (das männliche) an subjektiver Entwicklung
arbeitet, bey dem Leser und seinem Buche, bey der
Litteratur, die sich zugleich recensirt u. s. w.

§. 145.

Da das Subjekt - Objektivitätsverhältniß ein Stu-
fenverhältniß ist, so ist es auch der Steigerung fähig,
die im Begriffe der Stufen schon liegt, und was eben
noch subjektiv gewesen, kann für ein neues sich darüber
erhebendes Leben objektiv werden, wie z. B. der Richter-
spruch erster Instanz, der selbst subjektiv die Rechtssache
zum Objekte hatte, dem Richter zweiter Instanz objektiv werden muß, worauf dann der Richter dritter Instanz wiederum den Spruch der zweiten Instanz zum Objekte hat. Diese Steigerung kann nun in leeren Zahlen bis in's Unendliche fortgehend gedacht werden, ist
aber in der Wirklichkeit auf das allgemeine Gesetz der
Tetradik beschränkt, nach welchem also nur drey Instanzen der Gerichte seyn können, indem das Erste (Wurzel) die Rechtssache selbst ist, welche durch diese Instanzen durchgeführt worden.

Anmerkung. In der ersten Instanz wird die Rechtssache erst in die Subjektivitätsform der richterlichen Erkenntniß aufgenommen; in der zweiten Instanz wird

des ersten Richters Spruch zum Objekte gemacht, und in der dritten das formale Produkt der beiden vorigen Stufen mit dem realen Wesen der Wurzel (Rechtssache) verglichen.

§. 146.

Da das Ding der ersten und zweiten Tafel in der dritten als Objekt vorkommt, welchem das Subjekt hinzukommt, so ist das Objekt nach seinem Wesen und Inhalte für die dritte Tafel schon zum voraus bestimmt; die Rechtssache hat ihre objektive Bestimmtheit, noch ehe sie vor den Richter gebracht wird, das Buch ist geschrieben, noch ehe es recensirt wird. Eben so ist das Subjekt, welches in der dritten Tafel zu dem Objekte hinzukommt, schon als Ding nach der ersten Tafel bestimmt; in dem Richter ist schon ein Begreifen, noch ehe er zum Begreifen dieser Rechtssache gekommen ist, und in dem Recensenten ein Urtheil, noch ehe dieses Buch in dasselbe aufgenommen worden. Daher werden Objekt und Subjekt in der dritten Kategorientafel beide als für sich bestimmt durch die erste und zweite Tafel vorausgesezt, und die dritte Tafel kann blos enthalten, was sie durch Wechselbeziehung auf einander geworden.

§. 147.

Die Aufgabe der dritten Tafel ist also die Construktion des Wechselverhältnisses von Subjekt und Objekt, und ausgegangen wird dabey von dem Objekte als dem am meisten bestimmten, von welchem das Subjekt neue Bestimmungen seines Daseyns erhält. Weil nun das Subjekt als blos auf der ersten Stufe des einzelnen Da-

seyns begriffen nach dem Gesetze der ersten Tafel in sich
weniger gebunden ist, als das bereits durch die zweite
Tafel hindurchgegangene Leben des Objekts, so erscheint
das Subjekt in seiner Verbindung mit dem Objekte zu
einer gemeinschaftlichen Existenz durch dieses beschränkt,
und das Daseyn des Objektes verräth sich dem Subjekte
durch Widerstand.

§. 148.

Das subjektive Leben diesem Widerstande widerste-
hend kommt dadurch zu einer Thätigkeit, welche für dasselbe äusserlich ist, und mit Recht Aeusserung heißt,
und das Wechselleben zwischen Subjekt und Objekt ist
eben ein Wechsel von Widerstand und Aeusserung, Aeusserung und Widerstand. So weit in diesem Wechsel das
subjektive Leben den Charakter der Aktivität behauptet,
heißt es ein Streben, das aber an dem Objekte seine
Begränzung findend von diesem zurückgedrängt wird,
und dadurch in sich selbst zu einer Duplicität ausschlägt,
welche die Möglichkeit der strebenden und der zurückge-
drängten Richtung vereinigt. Diese Duplicität, in welcher das Subjekt von sich ausgeht und in sich zurückkehrt,
heißt in der Sprache Selbstheit, und das Subjekt ist
also hier nach der einen Richtung, der strebenden nämlich, es, nach der andern Richtung aber, welche sich auf
diese zurückbezieht, selbst, beides aber in der voraus-
gesezten Ungetheiltheit beider Richtungen, also in seines
Wesens Einheit, welcher die Gesammtheit der Aeusserungen gegenübersteht.

§. 149.

Diesen Momenten der Subjektivität entsprechen vier Momente der Objektivität, die vom Widerstande ausgehend mit dessen Ueberwindung durch das Subjekt enden, wobey das Objekt seine ursprüngliche objektive Form verliehrend eine von dem Subjekte gegebene annehmen muß, und dadurch den Charakter ursprünglicher Bestimmtheit mit dem Charakter äusserer Bestimmbarkeit vertauscht, wodurch es dem Subjekte gegenüber zur S a ch e wird. So weit es nun hiebey noch seine Selbstständigkeit behauptend gegen das Subjekt thätig ist, heißt es w i r k - s a m, der Thätigkeit des Leztern weichend, b i l d s a m.

§. 150.

Subjekt und Objekt einander nach diesen Momenten gegenüberstehend multipliciren sich in einander durch W e ch - s e l w i r k u n g, welche von dem Subjekte ausgehend s u b - j e k t o b j e k t i v, vom Objekte aber ausgehend o b j e k t - s u b j e k t i v heißen mag. In beiden Fällen dieser Wechselwirkung, welche hier für das Schema die Mittelglieder giebt, geht Wirkung von dem einen Gliede aus, lag also als Möglichkeit in diesem, und in das andre über, wird also in diesem wirklich als Veränderung seiner Form, und es läßt sich noch das Herausgehen aus dem einen Gliede von dem Uebergehen in das andre unterscheiden.

A n m e r k u n g. Nach diesen allgemeinen Momenten der Wechselwirkung hat z. B. eine Handlung ihren Grund in dem handelnden Subjekte, geht aus diesem hervor in Aeusserungen, welche die Absicht des Handelnden verrathen, geht in die Wirklichkeit über durch Bearbeitung der Wirklichkeit für die Absichten des Handelnden, und ist als That vollends übergegangen, wenn die Wirklichkeit eine den Absichten des Handelnden gemäße Form erhalten hat. Eben so hat die Explosion eines feuerspeienden Berges ihren Grund in den Prozessen seines Innern, geht aus ihm hervor in den ausgeworfenen Massen, geht in seine Umgebungen über, wo diese Massen niederfallen, und ist übergegangen, wo ihr Niederfallen Zerstörung angerichtet hat.

§. 151.

Dieses allgemeine Gesetz der Wechselwirkung modificirt sich nun nach dem Gegensatze von Subjekt und Objekt, welche beide gegenseitig ihre Form in einander übertragen; so, daß die von dem Subjekte ausgehende Wirkung, die in dem Objekte vorgefundene selbstständige Form aufhebt, das Objekt also umwandelt, indeß die von dem Objekte ausgehende Wirkung in das der Form empfängliche Wesen des Subjekts übergeht und mit diesem Eins wird. Subjektive Wirkung endet also im Umwandeln des Objekts, objektive dagegen verliert sich im Wesen des Subjekts.

§. 152.

Objektive Wirkung beginnt dabey mit einem Verhältnisse, welche dem Subjekte und dem Objekte die Gränze gemeinschaftlich macht, und Berührung genannt wird, indeß die subjektive Wirkung zur Umwandlung des Objektes eilend die Gränze auf Seite des leztern sogleich durchbricht, um sich des Objekts zu bemächtigen. Die objektive Wirkung in ihrer Gränze bleibend erfährt in dieser Gränze die Gegenwirkung des Subjekts, welches dadurch zur Thätigkeit erregt erscheint, und nach der Art der Berührung die Gegenwirkung bildend sich die objektive Wirkung aneignet und in sein Wesen aufnimmt. Die subjektive Wirkung dagegen geht vom Akte der Bemächtigung, der blos in die Gränze der Selbstständigkeit des Objekts eingebrochen, zu weiterer Zerstörung seiner Form, die Umwandlung derselben vorbereitend, über, und diese Umwandlung kann vollständig eintreten, wenn das Subjekt nicht nur die selbstständige Form des Objekts zerstört, sondern auch das Objekt bearbeitend seine eigne Form in dasselbe übergetragen hat.

§. 153.

Weil also im Verhältnisse der Wechselwirkung Subjekt und Objekt sich, wie Wesen und Form zu einander verhalten, und die Wechselwirkung selbst ein gegenseitiges Uebertragen der Form ist, leztere daher im einen Falle, wo das Subjekt auf das Objekt wirkt, in des leztern Form aufgenommen, die eigene Form desselben also zerstört und umgewandelt werden muß, dagegen im andern Falle, wo das Objekt auf das Subjekt wirkt, die Form des Objekts in des Subjekts Wesen aufgenommen mit diesem Eins werden muß; so ergeben sich für Subjektobjektives und Objektsubjektives die zwei parallelen und umgekehrten Schemate:

Objektsubjektiv	Subjektobjektiv
Berühren	Bemächtigen
Erregen Aneignen	Vorbereiten Bearbeiten
Einswerden	Umwandeln

und soll das in §. 150. ausgesprochene allgemeine Gesetz der Wechselwirkung ebenfalls sein Schema erhalten, so muß man die noch im subjektiven oder objektiven Keime liegende Wirkung Impuls nennen, und man hat:

Impuls

Heraustretend   Uebergehend

Uebergegangen

es gehe nun die Wirkung vom Subjekte oder vom Objekte aus. Die beiden obigen Schemate sind davon blos die verschiedene Anwendung.

§. 154.

Da in diesem Subjektobjektivitätsverhältnisse das Objekt seine bestimmte Form in das unbestimmte Wesen des Subjektes überträgt, so entsteht hier die Form des Objekts ohne sein objektives Wesen, also eine im Subjekte nachgebildete Form: und diese heißt Erkenntniß; da ferner in eben diesem Subjektobjektivitätsverhältnisse das Subjekt auf das Objekt wirkend des leztern Form durchbricht, um eine in dem Subjekte entstandene an deren Stelle zu setzen, so wird dem Objekte eine ihm fremde Form durch dieses Wirken des Subjektes aufgedrungen, und dieses Wirken heißt darum ein Machen. Erkenntniß ist daher das eine, Machen ist das andre Resultat dieser Wechselwirkung von Subjekt und Objekt, und die Momente, welche beide zu durchlaufen haben, sind in den Schematen des vorigen §. vorgezeichnet.

Anmerkung. Erkenntniß ist nichts als die in dem Wesen des Subjekts nachgebildete Form des Objekts, geht also von der Berührung beider aus, welche für das Subjekt Eindruck heißt. Durch diesen Eindruck wird die subjektive Thätigkeit aufgeregt, seine Form sich anzueignen, die, es dann als Bild des Gegenstandes (Vorstellung) gänzlich in sehr subjektives Wesen aufnimmt. Nach denselben Momenten berührt die Speise die Lippen, regt die Organe des Mundes zum Kauen auf, worauf dann ein aneignendes Verdauen folgt, durch welches die Speise in Saft und Blut verwandelt mit dem thierischen Organismus selbst Eins wird. Eben so liegt in dem subjektobjektiven Wirken, welches wir Machen genannt haben, alles technische Verfahren mit den Momenten des Bemächtigens, Vorbereitens, Bearbeitens und Umwandelns, wie z. B. bey dem Getreide das Einerndten, Dreschen, Mahlen und Backen. Hat nun dieses Machen blos den Zweck, dem Subjekte die von ihm ausgegangene Form im Objekte anschaulich zu machen, so heißt es ein Darstellen, dagegen es ein Verfertigen heißt, wenn das Objekt mit der ihm aufgedrungenen Form für Zwecke des Subjekts bestimmt ist. Ein Thun heißt dieses Machen, so weit dabey nur auf die Thätigkeit des wirkenden Subjektes und nicht auf die dem Objekte daraus entspringende Form gesehen wird.

§. 155.

Demnach enthält die dritte Tafel folgende Schemata:

Subjekt

Selbstheit

Strebung   Zurückdrängung

Aeusserlichkeit

Sub-

Subjektobjekt	Objektsubjekt
Bemächtigen	Berühren
Vorbereiten Bearbeiten	Erregen Aneignen
Umwandeln	Einwerben

Objekt

Widerstand

Wirksamkeit   Bildsamkeit

Selbstständigkeit

und es tritt bey dieser Tafel nicht nur das an den beiden ersten Tafeln schon demonstrirte Verhältniß der gleichnamigen Glieder hervor, nach welchem die ersten, zweiten, dritten und vierten Glieder der vier Schemate ebenfalls wieder ihren Begriff schematisch construiren; sondern es haben hier, wo die ganze Tafel Construktion eines Wechselverhältnisses in einander verflochtenen Leibung ist, die gegenüberstehenden Glieder theils nach der senkrechten (absoluter Gegensatz), theils nach der horizontalen Richtung (relativer Gegensatz) noch das eigene Verhältniß, daß in ihrem Gegensatze sich das Ganze spiegelt. Man stelle z. B. gegenüber:

Selbstheit	Widerstand
Streben	Bildsamkeit
Zurückdrängen	Wirksamkeit
Aeußerung	Selbstständigkeit

so findet die Selbstheit am Objekte ihren Widerstand, ihr Streben ist auf seine Bildsamkeit gerichtet, und wird durch seine Wirksamkeit zurückgedrängt, indeß das Objekt doch mit seiner Selbstständigkeit sich gegen alle Einwirkungen des Subjektes behauptet. Wie sich die Glieder der zwey mittleren Schemate entsprechen, hat schon der §. 153. gezeigt.

§. 156.

In der tetradischen Zusammenstellung der gleichnamigen Glieder erscheint nun der aus dieser Nebeneinanderstellung einfach resultirende Gegensatz des Subjektiven und Objektiven verdoppelt, nämlich in absoluter und in relativer Form. So heißt es nach den vier ersten Gliedern: die Selbstheit bemächtigt und wird vom Widerstande berührt. Hier sind Selbstheit und Widerstand absolute, bemächtigen und berühren aber relative Glieder. Nach den vier zweiten Gliedern heißt es: das subjektive Streben wirkt vorbereitend, die Wirksamkeit des Objekts aber erregend, und hier sind Streben und Wirksamkeit die absoluten Glieder. Nach den vier dritten Gliedern heißt es: das in sich zurückgedrängte Subjekt wird von dem Objekte bearbeitet, und dieses eignet bildsam die Wirkungen des Subjektes sich an. Nach den vier letzten Gliedern heißt es: die Aeußerungen subjektiven Lebens wandeln das Objekt um, und fließen in seinem Wesen mit ihm selbst zusammen. Da sind nun immer die aus dem ersten und vierten Schema genommenen Glieder absolute, dagegen die aus dem zweiten und dritten Schema relativ sind.

§. 157.

Sollen nun aus dieser dritten Kategorientafel wieder die Prädikamente gefunden werden, so braucht man bloß die darin enthaltenen Gegensätze auf den einfachsten Ausdruck zu bringen. In Rücksicht also, daß bey der Mechfelwirkung zwischen Subjekt und Objekt, jenes die Form von diesem in sein Wesen aufnimmt, indeß das Subjekt seine formale Wirksamkeit auf das Objekt nur in der Umwandlung von dessen Form äussert, kann der Gegensatz von Subjekt und Objekt einfach, als: Innen und Aussen bezeichnet werden, und das subjektobjektive Wirken wird also von Innen, das objektsubjektive Wirken aber von Aussen kommen.

Innen

Von Innen,   Von Aussen.

Aussen

sind also die Prädikamente dieser dritten Kategorientafel. Innen bezeichnet hier das Wesen, Aussen die Form, und selbst die räumliche Bedeutung dieser beiden Ausdrücke ist von dieser primitiven Bedeutung derselben entlehnt.

Anmerkung. In dieser strengen und erschöpfenden Construktion des Subjektobjektivitäts-Verhältnisses, welches den Inhalt dieser dritten Kategorientafel ausmacht, ist das wirklich geleistet worden, was von Reinhold in seiner Theorie des Vorstellungsvermögens, von Fichte in seiner Wissenschaftslehre und von Hegel in seiner Phänomenologie des Geistes blos versucht worden war, nämlich eine Construktion des Bewußtseyns, welche seit Kant eine dringende Aufgabe der Philosophie geworden war, da dieser nicht undeutlich zu verstehen gegeben hatte, daß auch das scheinbar Objektive nur im Subjektiven zu suchen, folglich aus einem Wechselspiele des letztern mit sich selbst zu erklären sey. Diese Tendenz der Kantischen Philosophie hatte sogleich Beck in seinem einzig möglichen Standpunkte der kritischen Philosophie, Riga 1796. 8. richtig aufgefaßt. Wie aber dieser Standpunkt der Philosophie selbst zu würdigen sey, geht aus unserem gegenwärtigen Werke sattsam hervor, und was an der so eben gegebenen Construktion des Subjektobjektivitäts - Verhältnisses noch vermißt werden möchte für eine vollständige Construktion des Bewußtseyns, wird in der vierten Tafel noch ergänzt werden, indem das Bewußtseyn nicht nur Eine, sondern zwey Stufen enthält, was die oben genannten Versuche gleichfalls ausser Acht gelassen haben.

Vierte Tafel.

§. 186.

In der vierten Tafel als vierter Stufe mit dem synthetischen Charakter wird das Resultat der dritten Tafel, also das subjektobjektive Wechselleben einer zur Entfaltung (zweite Tafel) ihrer Einzelheit (erste Tafel) gelangten Natur, auf diese ihre Einzelheit zurückbezogen und hinwiederum aus ihr bis zur Schließung aller Gegensätze abgeleitet, d. h. in arithmetischer Abstraktion: der Cubus wird mit der Wurzel multiplicirt. Wurzel war nun hier das Wesen des Einzelnen, Quadrat war dieses Wesen zugleich als Form erscheinend, Cubus war das einfache Wesen (Subjekt) mit dem erscheinenden Wesen (Objekt) zu inniger Wechselwirkung in Ein Leben zusammen verbunden, und vierte Potenz wird also seyn die Zusammenfassung solcher Selbstverdopplung des Lebens in einem geschlossenen Lebenskreise, der in sich das Leben des All nachbildet, das Leben in seiner endlichen Totalitätsform.

§. 159.

In dieser vierten Stufe werden sich demnach die drey ersten wiederholen müssen, aber unter dem gemeinschaftlichen Charakter der geschlossenen Form, wobey denn zu diesen gegebenen drey Gliedern noch die geschlossene Form (Totalität) in ihrer Reinheit gedacht als das vierte hinzukommt. Daher enthält diese vierte Tafel die Construktion der Ganzheit, wie die erste die Construktion der Einzelheit enthielt.

§. 160.

Die erste Kategorie der vierten Tafel ist demnach die Einzelheit als Ganzes — die Individualität, die zweite die Entwicklung als Ganzes — Entwicklungssystem, die dritte die Subjektobjektivität als Ganzes — Individualleben, und die vierte die Form der Ganzheit selbst, wie sie als organische Form des allgemeinen Lebens Individualitäten, Entwicklungen, Einzelleben zu einem höhern Ganzen zusammenfaßt, aus welchem höhern Ganzen eben das Einzelne der ersten Tafel sich losreissend nach der zweiten und dritten Tafel sich entwickelt und verdoppelt hat. Daher kehrt die vierte Tafel zu dem Allleben wieder zurück, von welchem die erste ausgegangen ist, und in dieser vierten Tafel erhält das Ding nicht nur seine vollendete Bestimmtheit in sich, sondern auch seine Beziehungen zum All, wodurch es erst ganz verständlich wird.

§. 161.

Da von der Endlichwerdung die ganze Fülle der Dinge ausgeht, welche nach §. 16. eine Selbstbegränzung des allgemeinen Lebens ist, so sind alle Dinge in diesem allgemeinen Leben enthalten und zugleich ist es in allen enthalten, und die Fülle der Dinge verhält sich zu jenem allgemeinen Leben als Form zu dem Wesen, in welches sonach die aufgelösten Formen wieder zurückkehren. Wo daher in den Entwicklungsprozeß hineingezogen das endliche Ding die Schranken seiner Endlichkeit öffnet, da nimmt es neues Leben des Ganzen in seinen Inhalt auf, und wo das Ding in sich selber verdoppelt subjektobjektiv wird, da ist es die Form des Ganzen, die es in seiner subjektiven Natur nachbildet, und wo das Ding zur Vollendung seiner Doppelnatur käme, da würde sich die Form des Ganzen in ihrer synthetischen Einheit mit Differenzirung und Indifferenzirung abbilden.

§. 162.

Sonach lassen sich die Verhältnisse des Endlichen zum allgemeinen Leben nach den vier Kategorientafeln so ausdrücken:

1) Jedes einzelne Ding enthält einen Theil des allgemeinen Lebens in die Form seiner Einzelheit eingeschlossen;

2) jeder Entwicklungsprozeß einzelner Dinge zieht

allgemeines Leben in seinen Kreis und läßt es durch seine besondre Form durchgehen;

3) jedes subjektobjektive Leben bildet in seinem Innern des allgemeinen Lebens Form nach;

4) jedes in sich verdoppelte und zur Ganzheit durchorganisirte Leben kommt in sich zur Nachbildung dieser Form mit ihrer Differenzirung und Indifferenzirung, d. h. mit einem vollständigen formalen Lebensprozesse, durch welchen der inhaltige Entwicklungsprozeß nach Nro. 2. sich verdoppelt findet.

§. 163.

Die Einzelheit unter der Form der Totalität wiederholt heißt Individualität, und diese erste Kategorie der vierten Tafel verlangt vor allem die vollständige Begränzung des Dings, wodurch es abgesondert vom allgemeinen Leben in Raum und Zeit ein Besonderes sey. Dabey hat es ein eigenthümliches Faktorenverhältniß, wodurch es sich innerlich unterscheidet, und seine Prozesse verrathen eine von solchem Faktorenverhältnisse abhängende ebenfalls eigenthümliche Thätigkeit, so daß das Ding diese zwey Seiten gemeinschaftlich innerhalb seiner besonderen Gränze zusammenhaltend und als Form auf sein eigenes Wesen zurückbeziehend dadurch ein in sich geschlossenes wird. Das Schema:

abgesondert

eigenartig   eigenthätig

abgeschlossen

zeigt demnach den Inhalt der ersten Kategorie. Die Eigenthümlichkeit des Individuellen ist also von der bloßen

Abgerissenheit des Fragments nicht nur äusserlich, sondern auch innerlich verschieden, indem das Fragment bey seiner eigenen Begränzung, mit der es sich andern Frag= menten entgegensezt, doch keine besondern Faktorenver= hältnisse und Prozesse erhält, und darum auch keine ei= genthümliche Beschaffenheit hat, in welcher es Qualitäten und Wirkungsarten auf eigenthümliche Weise vereinigend sich nach aussen vollkommen abschließen könnte. Das In= dividuelle dagegen entwickelt in die Formen der zweiten Tafel eingehend aus seiner besondern Anlage auch be= sondere Eigenschaften und Zustände, mit welchen es, wenn es zur Verdopplung seiner selbst nach der dritten Tafel gelangt, auch eine eigenthümliche Subjektobjektivi= tät darstellt. Individualität ist also Einzelheit mit Ganz= heit so multiplicirt, daß beide einander vollständig durch= dringen und eben so gesagt werden kann, das Ganze sey zum Einzelnen als das Einzelne sey zum Ganzen ge= worden.

§. 164.

Die zweite Kategorie der vierten Tafel verlangt die Construktion des Entwicklungsprozesses in seiner Totali= tätsform. Für ihn ist das Ding der ersten Tafel Sub= strat, und dieses Substrat wird von ihm durch Seiten= und Stufen=Entwicklung nach den Kategorien der zwei= ten Tafel zur vollständigen Erscheinung geführt. Dabey enthält das Ding allgemeines Leben in seine Endlichkeit eingeschlossen und ist, mit seiner Begränztheit im allge= meinen Leben, dem vielfachen und unbegränzten, wieder enthalten; wo aber der Entwicklungsprozeß das Ding in

seine Geschichte hineinzieht, da öffnen sich diese Grän=
zen, das allgemeine Leben bringt ein, und das Sub=
strat, welches den Entwicklungsprozeß trägt, wird ent=
weder von dem allgemeinen Leben in seine eigene Unbe=
stimmtheit hineingezogen und damit in seinem individuel=
len Daseyn aufgehoben, oder es behauptet sich gegen das
allgemeine Leben, dieses in sich aufnehmend und der ei=
genen Individualitätsform unterwerfend.

§. 165.

Dadurch wird also der erste Akt des Entwicklungs=
prozesses das Aufschliessen des individuellen Dinges
zur Aufnahme des allgemeinen Lebens in sich, und der
letzte Akt muß, in so ferne der Entwicklungsprozeß fort=
dauern soll, das Aufgenommene wieder ausschliess=
sen, nachdem es die Form des Dinges angenommen und
dadurch dem Entwicklungsprozesse selbst fremde geworden
ist, so daß also das in dem Entwicklungsprozeß begriff=
fene Ding anstatt, wie vorher, eine bleibende Begränzt=
heit zu haben, nun seine Gränzen öffnet und wieder
schließt, und in diesem Wechsel von Oeffnen und Schlies=
sen der Gränze das allgemeine Leben in das individuel=
le aufgenommen und durch dasselbe hindurchgehend die=
sem eine stete Erneuerung seines Daseyns gewährt, in
sich selbst aber eine stete Umwandlung erleidet.

Anmerkung. Das Individuelle erscheint physisch als
das Feste und Gestaltete, das Allgemeine aber er=
scheint in dem noch unbestimmten Zustande der Flüs=
sigkeit, und wenn das Individuelle sich zur Aufnah=
me des Letztern herabbildet, so wird es Gefäß. Das

her erscheint aller Entwicklungsprozeß (Pflanzenleben) physisch als Gefäßsystem für Wasser oder Luft.

§. 166.

Demnach ist das Schema für den Entwicklungsprozeße

Aufschließen

Stoffaufnahme   Stoffverwandlung

Ausscheidung

und die beiden mittlern Momente werden gewöhnlich unter dem Namen der Ernährung zusammengefaßt. Das
bey Stoffaufnahme vorangehende Aufschließen besteht aber
in dem Hervorrufen eines Gegensatzes zwischen dem Dinge und dem allgemeinen Leben, wodurch jenes in einen
Prozeß mit diesem hineingezogen wird, und die in der
bißhern Tafel entwickelten Momente der Wechselwirkung
zwischen Subjektivem und Objektivem haben hier ebenfalls
ihre Stelle, indem ja das Aufschließen eine Berührung
voraussezt und die Stoffaufnahme eine Bemächtigung,
worauf dann die drey übrigen Momente der beiden mittlern Kategorien der dritten Tafel ebenfalls folgen, und
der Entwicklungsprozeß sich als ein solcher darstelle, in
welchem Subjektobjektives und Objektsubjektives mit einander verschlungen erscheinen. Der ganze Entwicklungsprozeß ist aber ein Durchgang des Allgemeinen durch das
Individuelle mit steter Selbsterneuerung des Leztern, und
das Ding durchläuft dabey die in der zweiten Tafel vor-
gezeichnete Seitenentwicklung und Stufenentwicklung bis
zur vollendeten Erscheinung seines Innern im Aeussern,
welche eigentlich und metaphorisch Blüthe genannt wird.

Anmerkung. Des Entwicklungsprozesses reinstes Bild

im Phyſiſchen giebt die Flamme. Hier wird der
Körper, der verbrannt werden ſoll, durch Hitze auf
geſchloſſen, daß er ſeine Cohäſion (Individualität)
bricht, und das ihm ſelbſt entgegengeſezte Allgemeine
der Atmoſphäre (den Sauerſtoff) in ſich aufnimmt,
ihn verwandelt (zu einer Säure), und das eigne
ſchon geſäuerte, keiner weitern Verwandlung fähige,
Weſen wieder (als Rauch und Ruß) ausſtößt oder
(als Aſche) zurückläßt. Hier hat aber wegen der
zerſtörenden Wirkung des Sauerſtoffs der ihn auf
nehmende Körper ſich nicht zu ſeiner Aufnahme als
Gefäß geſtalten können, welches erſt bey der Pflanze
geſchieht, wo der Sauerſtoff nicht aufgenommen,
ſondern entbunden wird. Da geſtaltet ſich denn die
Aufnahme des Flüſſigen in das Feſte zum Waſſer
und Luft-Gefäße, und was der Verbrennungsproz
zeß nur als Aſche abſetzen konnte, giebt hier aſchen
haltiges Holz, den eigentlichen Pflanzenkörper, der
in ſeiner Geſtalt dendritiſch die ſtets neue Erzeugung
von Desorydationslinien darſtellt, und überall nichts
als ein Gefäßbündel iſt.

§. 167.

Dieſer ſo organiſirte Entwicklungsprozeß, bey wel
chem das Individuelle bloß Durchgangspunkt wird für
das allgemeine Leben iſt auch im Ideellen ganz derſelbe
und aus ſeiner Anwendung entſtehen die ſogenannten
Abhandlungen. Man ſetze irgend eine Erkenntniß
z. B. den Rechtsbegriff, ſo iſt er durch ſeine Definität
als Quotient einer Geſammtperſönlichkeit isolirt, durch

die Persönlichkeit der Einzelnen ein selbstständiger (individueller) Begriff. Dieser wird aufgeschlossen, wenn man ihn als Form (Gefäß) allgemeinen Lebens betrachtet, also das Allgemeine des Lebens der Personen in ihn aufnimmt, welches nun durch ihn verwandelt die rechtliche Eigenschaft erhält, und so wie es nach und nach in dieser Eigenschaft begriffen worden, nach seinem nicht rechtlichen Inhalte weggelegt (ausgeschieden) wird, um neu aufzunehmendem Materiale Platz zu machen. Ist dieser Entwicklungsprozeß des Rechtsbegriffes zu Ende, so liegt das Resultat (Holz) desselben als Abhandlung ebenfalls in denkritischer Form da, nämlich mit Eintheilungen, die aus einem ersten Gegensatze hervor- und in neue Gegensätze übergiengen, und überall die Richtung, welche die Abhandlung genommen, bezeichneten. Will das Resultat dieses geistigen Vegetationsprozesses sich zusammenfassen, wie die Pflanze in der Blume, so sammelt es alle diese verschiedenen Richtungen in einer Recapitulation um den Rechtsbegriff als Mittelpunkt her, und damit ist das Verfahren selbst geschlossen, und soll der auf solche Weise zur Vegetation gebrachte Rechtsbegriff nicht wurzellos in der Luft schweben, so ist ihm durch eine Deduktion zu helfen, welche seine Wurzeln in die Nothwendigkeit des Menschengeschlechts, sich aus seinen Theilen (den Individuen) als Ganzes zu reconstruiren, hinabtreibt. Soll daher eine Abhandlung ganz vollständig seyn, so muß sie mit einer Deduktion (Wurzelprozeß) ihres Gegenstandes anfangen, im Sammeln und Bearbeiten allgemeinen Stoffes nach dieser besondern

Form, fortschreiten, dabey richtige Eintheilungen machen und mit einer recapitulirenden Uebersicht schließen. Der Gegenstand ist hiebey jedesmal gegeben, nämlich unter den vorhandenen Vorstellungen ....

§. 108.

So ist der Entwicklungsproceß der zweiten Tafel in der vierten zu einem Entwicklungssysteme geworden, welches sich in der Form der Ganzheit durchführt, und von dem Dinge (oder der Vorstellung) ausgeht, welches in der ersten Tafel gesetzt für die Zielungen Subjekt (oder Thema) geworden war. In der dritten Kategorie der vierten Tafel findet, wie die dritte Tafel ihre Vollendung zur Ganzheit, es wird also hier gesetzt eine Individualität, welche den Entwicklungsproceß der zweiten Tafel, der so eben als zweite Kategorie der vierten Tafel zum Entwicklungssysteme geworden war, in sich trägt und als Objekt mit einem Leben verbindet, welches subjektiv über ihm steht. Solche Subjektobjektivität heißt Individualleben und ist ein zusammengezogenes Bild von dem Leben des Ganzen.

§. 109.

Für die Begründung eines Individuallebens muß also Objektives mit Subjektivem sich vereinigen, und diese Vereinigung als Erzeugung ist sein erstes Moment, indeß das Entwicklungssystem von der Auffassung ausgeht. Da der Gegensatz des Subjektiven und Objektiven sich auf die Urprincipien zurückläuft (§. 102. Note), so ist auch zwischen diesen schon Zeugung möglich, und erscheint überall wieder, wo in höhern Stufen

nachgebildet, wie nach S. 167. das Entwicklungs-
... So entstehen hier nicht etwa Abhandlungen über,
sondern Construktionen von etwas, nämlich von einer
neu erfundenen (erzeugten) Erkenntniß. Diese ist aber
... besonders, wenn sie nur überhaupt wissenschaftlich
gefunden, das heißt, im Systeme der Dinge nach ihrer
Stelle bezeichnet ist. Dann wird mit ihrem Inhalte construirend verfahren, wodurch sie in ihrer eigenen Form
die Form der Welt reproducirt, und nach oben dieser Form ihren eignen Inhalt producirend zur Idee
wird, in welcher für den Erkennenden das Wesen des
Dinges gegeben ist. Die Art, wie eine Idee ihren Inhalt
produciret, ist ganz dieser (scheinbaren) Construktion,
durch welche sie selbst aus höherem Inhalt erzeugt worden, und in jeder Idee ist deutlich die Weltform (Welt-
geseze) durch sich selbst multiplicirt, also potenzirt worden,
indeß der Begriff, wie das Multiplicationsproduct, bei
gleichem Inhalt (Subfekt) durch ungleiche Form (prädi-
kal) bestimmt. Zugleich ist in jeder Idee eine subjektive
ideale Selbstverdopplung ihres Wesens, wie z. B. in
der Idee des Staats als Gesammtmenschheit, wo das
Ganze wie der Theil dieselbe Menschheit ist, oder in der
Idee des Staates als sich selbst beherrschende Menschheit, wo dieselbe Menschheit als herrschende und als beherrschte erscheint. Ganz dasselbe ist der Fall in dem geblätterten (gefiederten) Blatte oder in der geblähten (zu-
sammengesezten) Blume.

§. 174.

Die vierte Kategorie der vierten Tafel muß die Form
der

der Totalität als Form bezeichnen, nachdem die erste Ka=
tegorie das Einzelwesen, die zweite den Entwicklungspro=
zeß, die dritte das in sich selbst verdoppelte Leben in die=
ser Form aufgezeigt hat. Das vierte Schema in der Ta=
fel der Urbegriffe, welches die Form selbst construirt,
wird also hier eintreten und auf die Totalitätsform an=
gewandt werden müssen.

§. 175.

Die Totalitätsform also thetisch genommen sezt al=
les, was unter ihr gesezt wird, so daß es im Ganzen
sey und das Ganze in ihr, wobey denn das im Ganzen
gesezte durch das Ganze gesezt worden, und hinwiederum
auch das Ganze keinen anderen Inhalt habe, als diesen,
folglich das Ganze durch seinen Inhalt gesezt sey, wie
dieser durch jenes. Da nun das Setzen überall theils
im Wesen ist, theils in der Form, so nimmt das Ganze
und sein Inhalt gegenseitig auch Wesen und Form von
einander.

§. 176.

Das auf solche Weise im Ganzen gesezte, wodurch
hinwiederum das Ganze selbst gesezt wird, so daß In=
halt und Ganzes, Wesen und Form, sich gegenseitig be=
dingen, heißt Glied, und in jedem wahren Gliede er=
scheint das Ganze theils im Wesen, theils in der Form
wieder.

Anmerkung. Es ist hier natürlich ganz gleichgültig,
ob von einem physischen, geistigen, ästhetischen, mo=
ralischen oder politischen Ganzen die Rede sey;
überall muß das Einzelne in dem Ganzen enthalte=

J

ne, es sey Mitglied des Staates, der Kirche, Glied
eines physischen Leibes oder Kapitel eines systemati-
schen Buchs, die Bestimmungen haben, die so eben
für den Begriff des Gliedes abgeleitet worden. Alle
Glieder des Leibes enthalten Adern, Knochen, Nerven u. f. w. wie das Ganze.

§. 177.

In jedem Gliede ist demnach das Ganze thetisch gesezt, und soll nun auch analytisch gesezt werden, welches
geschieht, wenn die Glieder ihre Differenzen bis zur Allheit entwickeln. Dabey treten die Glieder in den unvermittelten Gegensatz ihrer verschiedenen Faktorenverhältnisse, so daß die Darstellung des Wesens und der Form
des Ganzen unter ihre Einseitigkeiten vertheilt wird, und
nur das noch eigentlich Glied ist, was solcher Einseitigkeit nicht unterliegt, indem es die Gleichförmigkeit der
Faktorenverhältnisse festhält.

§. 178.

Die Faktoren der Glieder auf solche Weise zur Einseitigkeit ausgebildet heissen Organe und geben in ihrer
vollständigen Zahl die Seitenentwicklung des lebendigen
Ganzen und das analytische Wesen der Totalitätsform.
Die Organe gehen überall aus von den Faktoren der
Glieder, und jeder Faktor entwickelt sich in einer Reihe
solcher Einseitigkeiten, welche das Leben des Ganzen unter einseitigem Charakter darstellend einer andern solchen
Reihe entgegengesezt ist. In diesen Reihen liegen des
lebendigen Ganzen wirksame Gegensätze, Systeme genannt, und diese sind der Totalitätsform antithetische

Darstellung, welche zugleich Stufenentwicklung seyn muß, weil in den Faktoren des Gliedes schon die Potenzirung zusammengedrängt ist.

Anmerkung. Man setze die Glieder des thierischen Leibes mit ihrem Inhalte von Gefäßen, Muskeln, Knochen und Nerven, so giebt die Differenzirung dieser Faktoren des Gliedes die verschiedenen Organe z. B. Drüsen, Lungen, Lebern, Augen, Ohren u. s. w. Faßt man nun die von Einem Faktor ausgegangenen einseitig gebildeten Organe zusammen, so hat man Systeme, Gefäßsystem, Muskelsystem, Nervensystem u. s. w. Von diesen Systemen ist nun das Gefäßsystem Resultat des Entwicklungsprozesses, das Nervensystem Resultat der Subjektobjektivirung u. s. w. Diese Systeme verhalten sich also wie Stufen zu einander.

§. 179.

Ist auf diese Art in Gliedern, Organen und Systemen die Totalitätsform thetisch, analytisch und antithetisch gesezt, so fehlt nur noch ihr synthetisches Setzen, durch welches das ganze Ding selbst wieder wird wie ein Glied, dessen Faktoren aber zu Gliedern, Organen und Systemen entwickelt sind. Dieß geschieht durch die Wechselbeziehung aller Organe und Systeme unter einander, welche zum Gleichgewichte gelangend dieses als eine synthetische Einheit, Gesammteinheit genannt, unter sich darstellen.

§. 180.

Demnach heißt die vierte Kategorie der vierten Tafel

Totalitätsform oder organische (systematische) Form, und hat unter sich das Schema:

Glieder

Organe   Systeme

Gesammteinheit

und mit dieser Kategorie ist der Organismus der Kategorien selber geschlossen. Nun sind in jedem organischen Ganzen die vereinzelten Glieder desselben **neben einander** (was im Staate den Rechtsbegriff giebt), die Organe aber wirken gemeinschaftlich **mit einander**, und die Systeme als Stufen auf einander bestehend sind eines **durch das andere** gesezt, indem das niedere System sein höheres begründet, von diesem aber belebende Einflüsse erfährt, die aus dem Centralleben kommen, und in der Gesammteinheit zusammengefaßt sind alle Glieder, Organe und Systeme des Ganzen **in einander**. Daher lassen sich die Requisite der Totalitätsform auch formal ausdrücken durch folgendes Schema:

nebeneinander

miteinander   durcheinander

ineinander

wonach alle organische Form theils gesezt wird, theils zu beurtheilen ist.

§. 181.

Die vierte Kategorientafel ist also folgende:

Individualität

Abgesondert

Eigenartig   Eigenthätig

Abgeschlossen

Entwicklungssystem   Individualleben

Aufschliessen   Erzeugung

Aufnahme Verwandlung   Reproduktion Produktion

Ausscheidung   Centralleben

Totalitätsform

Neben

Mit   Durch

Ineinander

und es ist in dieser Tafel wieder das Anschliessen der gleichnamigen Glieder an einander nicht schwer zu finden. Nämlich:

1) das Einzelne vom Ganzen gesondert wird im Entwicklungsprozesse aufgeschlossen; und mit anderem Einzelnem im Verhältnisse der Urprinzipien vereinigt wird es erzeugt als Glied des Ganzen;

2) eigener Art in sich selbst erweitert es seinen Umfang durch Aufnahme von aussen, und wenn es zur Selbstverdopplung gelangt ist, reproducirt es in seinem Innern die Welt, indeß es seine eigenen Differenzen als Organe entwickelt;

3) eigenthätig muß es das Aufgenommene verwandeln, und zur Selbstverdopplung gelangt producirt es die Weltform in seinen Systemen;

4) abgeschlossen in sich scheidet das Entwicklungssystem aufgenommenes wieder aus, und zur Selbstverdopplung gelangt wird es ein Individualleben, in dessen Mittelpunkte sich die Gesammteinheit des Ganzen differenzirend und indifferenzirend wiederholt.

§. 182.

Die Prädikamente dieser Tafel entspringen ebenfalls aus dem Totalitätsbegriffe, der in der ersten Kategorie das Einzelne als, in sich abgeschlossen und Selbstganzes ohne Beziehungen auf das Ganze und außer Verhältnissen darstellt, was unsere Sprache durch den Ausdruck an sich bezeichnet. Diese Beziehungslosigkeit des Geseßten heißt in der Grammatik Nominativ, und kehrt sogar in den Zeitwörtern als Indikativ wieder, und das Ding geht dabey aus seiner Identität mit sich selbst nicht heraus.

§. 183.

Aus dieser muß es aber herausgehen, sobald es in den Entwicklungsprozeß eingeht, der in der zweiten Kategorie der vierten Tafel zum Entwicklungssysteme geworden, denn da wird das Ding vom Entwicklungsprozesse einseitig abhängig, und schon in dem Gegensaße überhaupt liegt die Abhängigkeit seiner Glieder, so daß, wie das Faktorentäfelchen mit seiner Erläuterung zeigt, die Abhängigkeit bald auf das eine, bald auf das andere Glied fällt. In der Grammatik wird dieses Verhältniß durch den Genitiv ausgedrückt, der sich im Conjunktiv der Zeitwörter wiederholt.

§. 184.

Diese Abhängigkeit wird aber gegenseitig als Wechselbestimmung in dem Subjektobjektivitätsverhältnisse des Individuallebens nach der dritten Kategorie, wo ein gegenseitiges Geben und Nehmen, Bestimmen und Bestimmtwerden zwischen dem subjektiven und objektiven

gen, welches **Produktionssystem** heißt und, aus dem
Subjekte und seinem Innern auf das allgemeine Objekt,
die Außenwelt, übergeht. Auch das geistige Produkt ist
von der Art, daß es in anderen Geistern dieselbe Produktivität, vorerst nachbildend, dann originell, anregt.
Im Physischen genommen heißt dieses Produktionssystem
Bewegungssystem, weil hier nur auf seinen Uebergang in
die äußere Erscheinung gesehen wird, an sich ist es das
Organ von aller Art Darstellung.

§. 172.

Wo ein Individualleben diese drey Momente enthält,
da ist auch schon der vierte gegeben, nämlich als Synthese der Reproduktion objektiven und Produktion subjektiven Lebens in lebendiger Durchdringung, welche Centralleben genannt wird, und das allgemeine Objekt,
die Außenwelt mit ihrer Form in das Subjekt aufgenommen enthält, indeß es zugleich dem Subjekte die form-
bende Rückwirkung auf das Objekt gewährt, und stets
sich in diese beiden Richtungen theilend, aus beiden auch
sich stets wieder sammelnd in steter Wiedererzeugung seiner selbst setzt, so daß das Centralleben der Erzeugung
wahrhaft gegenübersteht.

Anmerkung. Hier ist also, wollends geleistet, was
nach §. 157. Note in der dritten Tafel zur Construction des Bewußtseyns noch fehlte, welches die eine
Seite des Centrallebens ausmacht, indeß der Wille
die andere ist.

§. 173.

Wird dieses Individualleben eben so in der Erkennt-

an sich

abhängig   gegenseitig

nothwenbig

und es ergiebt sich daraus der klare Begriff der Noth=
wendigkeit als einer allseitigen Abhängigkeit und Bestimmt=
heit des Einzelnen im Ganzen. Diesem Begriffe der
Nothwendigkeit kann nun entgegenstehen die Beziehungs=
losigkeit des Einzelnen, daß nämlich seine Beziehungen
nicht aufgefaßt oder nicht erkannt werden, was in den
Veränderungen der sinnlichen Dinge Zufall genannt
wird; oder auch die Freyheit, welche nur dadurch
möglich ist, daß das Einzelne innerlich selber ein Gan=
zes ist, wie der äusserlich in das große Ganze verwickel=
te Mensch.

§. 187.

Die Prädikamente der vier Tafeln bilden jezt selbst
wieder eine Tafel, nämlich:

I.

Unbestimmt

Bestimmbar   Bestimmend

Bestimmt

II.   III.

Möglich   Innen

Räumlich   Zeitlich   Von innen   Von aussen

Wirklich   Aussen

IV.

An sich

Abhängig   Gegenseitig

Nothwendig

der Totalität als Form bezeichnen, nachdem die erste Kategorie das Einzelwesen, die zweite den Entwicklungsprozeß, die dritte das in sich selbst verdoppelte Leben in dieser Form aufgezeigt hat. Das vierte Schema in der Tafel der Urbegriffe, welches die Form selbst construirt,
wird also hier eintreten und auf die Totalitätsform an-
gewandt werden müssen.

§. 175.

Die Totalitätsform also thetisch genommen sezt alles, was unter ihr gesezt wird, so daß es im Ganzen
sey und das Ganze in ihr, wobey denn das im Ganzen
gesezte durch das Ganze gesezt worden, und hinwiederum
auch das Ganze keinen anderen Inhalt habe, als diesen,
folglich das Ganze durch seinen Inhalt gesezt sey, wie
dieser durch jenes. Da nun das Setzen überall theils
im Wesen ist, theils in der Form, so nimmt das Ganze
und sein Inhalt gegenseitig auch Wesen und Form von
einander.

§. 176.

Das auf solche Weise im Ganzen gesezte, wodurch
hinwiederum das Ganze selbst gesezt wird, so daß Inhalt und Ganzes, Wesen und Form, sich gegenseitig be-
dingen, heißt Glied, und in jedem wahren Gliede erscheint das Ganze theils im Wesen, theils in der Form
wieder.

Anmerkung. Es ist hier natürlich ganz gleichgültig,
ob von einem physischen, geistigen, ästhetischen, moralischen oder politischen Ganzen die Rede sey;
überall muß das Einzelne in dem Ganzen enthalte-

J

der Charakter der Urprinzipien wieder hervortritt, welches Hervortreten Sensalität genannt wird. Wenn im
Geiste die Urprinzipien sich zur Zeugung vereinigen, so
heißt die Erzeugung Erfindung, und für sie ist nicht wie
für die geistige Aufschließung (Reflexion) ein Thema gegeben, sondern es entsteht erst.

§. 170.

Alles Individualleben enthält ein Entwicklungssystem
in sich, und hat durch dieses ein materielles Verhältniß
(oder Aufnahme) zum äußeren Leben; nun aber trägt in
dem Verhältnisse der Subjektobjektivität (dritte Tafel) das
Objekt seine Form in die Empfänglichkeit des Subjekts
über, und für ein in sich geschlossenes Individualleben
wird das allgemeine Leben selber Objekt; es muß also
hier die subjektive Seite des Individuallebens zu einem
Reproduktionssysteme der Außenwelt ihrer Form
nach ausschlagen, indeß das zum Grunde liegende Entwicklungssystem die Welt materiell in sich aufnimmt. Im
physischen Gebiete genommen heißt dieses Reproduktions-
system ein Sinnensystem, an sich aber heißt es Erkenntniß, und auch was geistig durch Erfindung erzeugt worden, muß in sich die Form der Welt wiedergeben.

§. 171.

In dem Verhältnisse der Subjektobjektivität (dritte
Tafel) trägt hinwiederum das Subjekt die in ihm selbst
aus der objektiven Einwirkung entstandene Form auf das
Objekt über, in dessen ursprüngliche Form einbrechend;
dieß muß in einem Individualleben zu einem Systeme
der Formübertragung auf der subjektiven Seite ausschla-

Darstellung, welche zugleich Stufenentwicklung seyn muß, weil in den Faktoren des Gliedes schon die Potenzirung zusammengedrängt ist.

Anmerkung. Man setze die Glieder des thierischen Leibes mit ihrem Inhalte von Gefäßen, Muskeln, Knochen und Nerven, so giebt die Differenzirung dieser Faktoren des Gliedes die verschiedenen Organe z. B. Drüsen, Lungen, Lebern, Augen, Ohren u. s. w. Faßt man nun die von Einem Faktor ausgegangenen einseitig gebildeten Organe zusammen, so hat man Systeme, Gefäßsystem, Muskelsystem, Nervensystem u. s. w. Von diesen Systemen ist nun das Gefäßsystem Resultat des Entwicklungsprozesses, das Nervensystem Resultat der Subjektobjektivirung u. s. w. Diese Systeme verhalten sich also wie Stufen zu einander.

§. 179.

Ist auf diese Art in Gliedern, Organen und Systemen die Totalitätsform thetisch, analytisch und antithetisch gesezt, so fehlt nur noch ihr synthetisches Setzen, durch welches das ganze Ding selbst wieder wird wie ein Glied, dessen Faktoren aber zu Gliedern, Organen und Systemen entwickelt sind. Dieß geschieht durch die Wechselbeziehung aller Organe und Systeme unter einander, welche zum Gleichgewichte gelangen dieses als eine synthetische Einheit, Gesammteinheit genannt, unter sich darstellen.

§. 180.

Demnach heißt die vierte Kategorie der vierten Tafel

J 2

mit nachgebildet, wie nach §. 167: das Enthaltengehörigen; so entstehen hier nicht etwa Abhandlungen über, sondern Construktionen von etwas, nämlich von einer neu erfundenen (erzeugten) Erkenntniß. Diese ist aber eine besondere, wenn sie nur überhaupt wissenschaftlich gefunden, das heißt, im Systeme der Dinge nach ihrer Stelle bezeichnet ist. Dann wird mit ihrem Inhalte construirend verfahren, wodurch sie in ihrer eigenen Form die Form der Welt reproducirt, und nach eben dieser Form ihren eignen Inhalt producirend zur Idee wird, in welcher für uns Erkennenden das Wesen des Dinges gegeben ist. Die Art, wie eine Idee ihren Inhalt producirt, ist ganz dieselbe (scheinbare?) Construktion, durch welche sie selbst aus höherem Inhalt erzeugt worden; und in jeder Idee ist demnach die Weltform (Weltgesetz) in sich selbst multiplicirt, also potenzirt worden; indeß der Begriff, wie das Multiplikationsprodukt, den gleichen Inhalt (Subjekt) durch ungleiche Form (Prädikat) bestimmt. Zugleich ist in jeder Idee eine subjektobjektive Selbstverdopplung ihres Wesens, wie z. B. in der Idee des Staats als Gesammtmenschheit, wo das Ganze wie der Theil dieselbe Menschheit ist, oder in der Idee des Staates als sich selbst beherrschende Menschheit, wo dieselbe Menschheit als herrschende und als beherrschte erscheint. Ganz dasselbe ist der Fall in dem geblätterten (gefiederten) Blatte oder in der geblümten (zusammengesetzten) Blume.

§. 174.

Die vierte Kategorie der vierten Tafel muß die Form der

Entwicklungssystem   Individualleben
   Aufschliessen   Erzeugung
Aufnahme   Verwandlung   Reproduktion   Produktion
   Ausscheidung   Centralleben

Totalitätsform
Neben
Mit   Durch
Ineinander

und es ist in dieser Tafel wieder das Anschliessen der gleichnamigen Glieder an einander nicht schwer zu finden. Nämlich:

1) das Einzelne vom Ganzen gesondert wird im Entwicklungsprozesse aufgeschlossen; und mit anderem Einzelnem im Verhältnisse der Urprinzipien vereinigt wird es erzeugt als Glied des Ganzen;

2) eigener Art in sich selbst erweitert es seinen Umfang durch Aufnahme von aussen, und wenn es zur Selbstverdopplung gelangt ist, reproducirt es in seinem Innern die Welt, indeß es seine eigenen Differenzen als Organe entwickelt;

3) eigenthätig muß es das Aufgenommene verwandeln, und zur Selbstverdopplung gelangt producirt es die Weltform in seinen Systemen;

4) abgeschlossen in sich scheidet das Entwicklungssystem aufgenommenes wieder aus, und zur Selbstverdopplung gelangt wird es ein Individualleben, in dessen Mittelpunkte sich die Gesammteinheit des Ganzen differenzirend und indifferenzirend wiederholt.

ne, es sey Mitglied des Staates, der Kirche, Glied
eines physischen Leibes oder Kapitel eines systemati-
schen Buchs, die Bestimmungen haben, die so eben
für den Begriff des Gliedes abgeleitet worden. Alle
Glieder des Leibes enthalten Adern, Knochen, Nerven u. f. w. wie das Ganze.

§. 177.

In jedem Gliede ist demnach das Ganze thetisch gesezt, und soll nun auch analytisch gesezt werden, welches
geschieht, wenn die Glieder ihre Differenzen bis zur Allheit entwickeln. Dabey treten die Glieder in den unvermittelten Gegensaz ihrer verschiedenen Faktorenverhältnisse, so daß die Darstellung des Wesens und der Form
des Ganzen unter ihre Einseitigkeiten vertheilt wird, und
nur das noch eigentlich Glied ist, was solcher Einseitigkeit nicht unterliegt, indem es die Gleichförmigkeit der
Faktorenverhältnisse festhält.

§. 178.

Die Faktoren der Glieder auf solche Weise zur Einseitigkeit ausgebildet heissen Organe und geben in ihrer
vollständigen Zahl die Seitenentwicklung des lebendigen
Ganzen und das analytische Wesen der Totalitätsform.
Die Organe gehen überall aus von den Faktoren der
Glieder, und jeder Faktor entwickelt sich in einer Reihe
solcher Einseitigkeiten, welche das Leben des Ganzen unter einseitigem Charakter darstellend einer andern solchen
Reihe entgegengesezt ist. In diesen Reihen liegen des
lebendigen Ganzen wirksame Gegensätze, Systeme genannt, und diese sind der Totalitätsform antithetische

Darstellung, welche zugleich Stufenentwicklung seyn muß, weil in den Faktoren des Gliedes schon die Potenzirung zusammengedrängt ist.

Anmerkung. Man setze die Glieder des thierischen Leibes mit ihrem Inhalte von Gefäßen, Muskeln, Knochen und Nerven, so giebt die Differenzirung dieser Faktoren des Gliedes die verschiedenen Organe z. B. Drüsen, Lungen, Lebern, Augen, Ohren u. s. w. Faßt man nun die von Einem Faktor ausgegangenen einseitig gebildeten Organe zusammen, so hat man Systeme, Gefäßsystem, Muskelsystem, Nervensystem u. s. w. Von diesen Systemen ist nun das Gefäßsystem Resultat des Entwicklungsprozesses, das Nervensystem Resultat der Subjektobjektivirung u. s. w. Diese Systeme verhalten sich also wie Stufen zu einander.

§. 179.

Ist auf diese Art in Gliedern, Organen und Systemen die Totalitätsform thetisch, analytisch und antithetisch gesezt, so fehlt nur noch ihr synthetisches Setzen, durch welches das ganze Ding selbst wieder wird wie ein Glied, dessen Faktoren aber zu Gliedern, Organen und Systemen entwickelt sind. Dieß geschieht durch die Wechselbeziehung aller Organe und Systeme unter einander, welche zum Gleichgewichte gelangend dieses als eine synthetische Einheit, Gesammteinheit genannt, unter sich darstellen.

§. 180.

Demnach heißt die vierte Kategorie der vierten Tafel

J 2

Totalitätsform oder organische (systematische) Form, und hat unter sich das Schema:

Glieder

Organe   Systeme

Gesammteinheit

und mit dieser Kategorie ist der Organismus der Kategorien selber geschlossen. Nun sind in jedem organischen Ganzen die vereinzelten Glieder desselben neben einander (was im Staate den Rechtsbegriff giebt), die Organe aber wirken gemeinschaftlich mit einander, und die Systeme als Stufen auf einander bestehend sind eines durch das andere gesezt, indem das niedere System sein höheres begründet, von diesem aber belebende Einflüsse erfährt, die aus dem Centralleben kommen, und in der Gesammteinheit zusammengefaßt sind alle Glieder, Organe und Systeme des Ganzen in einander. Daher lassen sich die Requisite der Totalitätsform auch formal ausdrücken durch folgendes Schema:

nebeneinander

miteinander   durcheinander

ineinander

wonach alle organische Form theils gesezt wird, theils zu beurtheilen ist.

§. 181.

Die vierte Kategorientafel ist also folgende:

Individualität

Abgesondert

Eigenartig   Eigenthätig

Abgeschlossen

Entwicklungssystem	Individualleben
Aufschliessen	Erzeugung
Aufnahme Verwandlung	Reproduktion Produktion
Ausscheidung	Centralleben

Totalitätsform

Neben

Mit   Durch

Ineinander

und es ist in dieser Tafel wieder das Anschliessen der gleichnamigen Glieder an einander nicht schwer zu finden. Nämlich:

1) das Einzelne vom Ganzen gesondert wird im Entwicklungsprozesse aufgeschlossen; und mit anderem Einzelnem im Verhältnisse der Urprinzipien vereinigt wird es erzeugt als Glied des Ganzen;

2) eigener Art in sich selbst erweitert es seinen Umfang durch Aufnahme von aussen, und wenn es zur Selbstverdopplung gelangt ist, reproducirt es in seinem Innern die Welt, indeß es seine eigenen Differenzen als Organe entwickelt;

3) eigenthätig muß es das Aufgenommene verwandeln, und zur Selbstverdopplung gelangt producirt es die Weltform in seinen Systemen;

4) abgeschlossen in sich scheidet das Entwicklungssystem aufgenommenes wieder aus, und zur Selbstverdopplung gelangt wird es ein Individualleben, in dessen Mittelpunkte sich die Gesammteinheit des Ganzen differenzirend und indifferenzirend wiederholt.

an ſich

abhängig   gegenſeitig

nothwendig

und es ergiebt ſich daraus der klare Begriff der Noth=
wendigkeit als einer allſeitigen Abhängigkeit und Beſtimmt=
heit des Einzelnen im Ganzen. Dieſem Begriffe der
Nothwendigkeit kann nun entgegenſtehen die Beziehungs=
loſigkeit des Einzelnen, daß nämlich ſeine Beziehungen
nicht aufgefaßt oder nicht erkannt werden, was in den
Veränderungen der ſinnlichen Dinge Zufall genannt
wird; oder auch die Freyheit, welche nur dadurch
möglich iſt, daß das Einzelne innerlich ſelber ein Gan=
zes iſt, wie der äuſſerlich in das große Ganze verwickel=
te Menſch.

§. 187.

Die Prädikamente der vier Tafeln bilden jezt ſelbſt
wieder eine Tafel, nämlich:

I.

Unbeſtimmt

Beſtimmbar   Beſtimmend

Beſtimmt

II.   III.

Möglich   Innen

Räumlich   Zeitlich   Von innen   Von auſſen

Wirklich   Auſſen

IV.

An ſich

Abhängig   Gegenſeitig

Nothwendig

worin eine erschöpfende Construktion der formalen Verhältnisse der Dinge enthalten ist, welche nach den gleichnamigen Gliedern sich wieder verweben läßt. Aus dieser Verwebung entstehen folgende Sätze:

1) das noch unbestimmte Wesen enthält die innere
Möglichkeit und das An sich der Dinge.

2) Das in Gränzen gebundene Wesen wird bestimmbar und räumlich und mit seinem Innern (von innen)
abhängig.

3) Das Bestimmende ist das zeitlich lebendige, welches von aussen einwirkt, und mit jenem Innern zu wech-
selseitiger Wirkung sich vereinigt.

4) Das einzelne Bestimmte ist das Wirkliche und
Objektive (Aussen) und durch die Abhängigkeit von seinem Ganzen nothwendig.

Dabey stehen noch alle ersten Glieder unter dem Begriffe der Identität, alle zweiten unter dem des Verhältnisses, alle dritten unter dem der Beziehung
und alle vierten unter dem der Reciprocität, nach
den Prädikamenten des Urschema §. 37.

II.
Erkenntnißsystem.

§. 188.

Das in den Dingen lebendige Weltgesetz, welches so eben in der Tafel der Urbegriffe und den vier daraus abgeleiteten Tafeln der Kategorien dargestellt worden, entwickelt sich auch in der Erkenntniß, in welcher nach der dritten Kategorientafel und der dritten Kategorie der vierten Tafel das subjektive Leben in Berührung mit dem objektiven die in diesem enthaltene Weltform in sich nachbildend aufnimmt. Dieses zuerst noch unbestimmte, durch Aufnahme der Weltform aus dem Objekte aber bestimmt werdende subjektive Leben, — die tabula rasa der Alten —, schreitet in dieser ihm von auffen entstehenden Bestimmtheit fort, bis es durch die Fülle aufgenommener Form genöthigt wird, sich ihrer durch Uebertragung nach auffen (auf das Objekt) wieder zu entledigen.

§. 189.

Das anfangs unbestimmte Wesen des Subjekts erhält in seiner Berührung mit dem Objekte nach der dritten Tafel eine Aeufferlichkeit, welche dem Widerstande des Objektes entsprechend auf deffen Wirksamkeit und Bildsamkeit eingeht, was in der Leiblichkeit durch die Sin-

anstaltet hat, wovon ihm indeß bey der einen Hälfte,
dem freien Denken, noch das Bewußtseyn geblieben. Die
Identität beider Hälften des Spiels sezt nun Fichte als
Ich, und spricht dadurch den subjektiven Idealismus von
Kant und allen den Philosophen, die hierüber nicht zur
höchsten Consequenz und Bestimmtheit gekommen, in
strengster Form aus; allein man muß einsehen, daß,
wenn das Objektive im Subjektiven auch nur als Erkenntniß vorkommen kann, doch diese Erkenntniß selbst
wieder ein Seyendes, also ein Objektives ist, folglich der
in beiden Gliedern gleich wahre Gegensatz von Subjekt
und Objekt nicht in Einem Gliede desselben aufgelöst
werden kann, sondern nur in der Idee des Lebens, welches in diesen beiden Formen zu seiner Selbstverdoppelung
gelangt. Einige, denen in dem subjektiven Idealismus
des Erkennens noch zu viel Form lag, haben sich vollends zu dem Gefühle geflüchtet, dieses für den Zeugen
und die Quelle aller Realität haltend, und gaben nur
das als wahr zu, was sie zu fühlen meinten. Solch
subjektiver Idealismus der Vorstellung oder des Gefühls
hat nun auch noch den Fehler, daß ihm bey seiner eigentlichen engen Heimath, dem Individualleben, alles
Großartige eines Idealismus abgeht, der seinen Standpunkt in der göttlichen Intelligenz nimmt, und dadurch
wahrhaft universell wird, indeß jener subjektive Idealismus für das Universelle, das sich der Menschennatur sogar instinktartig aufdringt, nur ein unmächtiges Postuli-
ren, Glauben, Ahnden und Sehnen behält.

gegen ihre Form und Bestimmtheit ein reiner Abdruck von der Bestimmtheit und Verschiedenheit des Objekts ist, und im Subjekte durch sein besonderes darauf gerichtetes Streben zur Vorstellung wird, indeß das Zurückgedrängtwerden überhaupt als den Zustand des Subjektes in seinem Innern bestimmend zum Gefühle wird. Ist die Empfindung so gewaltsam, daß sie dem Subjekte keine dieselbe begränzende Reaktion gestattet, so wird das Subjekt, statt zum Gefühle zu gelangen, aus dem Bewußtseyn geworfen.

§. 192.

Vorstellung ist demnach die erste Stufe der Nachbildung objektiver Weltform im Subjekte, d. h. der Erkenntniß, und sie ist nur möglich durch den in das Leben gekommenen Gegensatz von Subjekt und Objekt, welcher des Lebens dritte Stufe bezeichnet. Daduch wird die in der Geschichte der Philosophie berüchtigte Frage: ob den Vorstellungen etwas außer ihnen entspreche? völlig sinnlos, und diese Frage war auch nur dadurch möglich, daß die Philosophirenden, statt ihren Standpunkt in der Idee des Lebens überhaupt zu nehmen, ihn in der erkennenden Subjektivität nahmen, in welcher denn allerdings auch das selbstständigste Objektive nur als Erkenntnißbild vorkommen kann. Daduch mußte die Welt denn zu einer Phantasmagorie werden, welche das erkennende Subjekt in sich selber aufzuführen genöthigt ist, und wobey es, wie die Fichtesche Wissenschaftslehre richtig ausgesprochen hat, in der einen anschauenden Hälfte des Spieles vergißt, daß es das ganze Spiel selber ver-

auseinandergeht, deren jede sodann einen eigenen Akt des Vorstellens verlangt; theils auch in ihrem Verhältnisse zu anderen Vorstellungen, mit welchen sie different oder identisch gefunden wird. Wird sie mit einer andern Vorstellung identisch gefunden, so war der Produktionsakt bey der zweiten Vorstellung nur eine Wiederholung des Produktionsaktes der ersten; wird aber die zweite Vorstellung als different von der ersten gefunden, so muß der Produktionsakt der zweiten nicht in allen Theilvorstellungen mit dem Produktionsakte der ersten übereinstimmen, und es entsteht nun eine doppelte Aufgabe für das vorstellende Ich, nämlich: das übereinstimmende und nicht übereinstimmende in beiden Vorstellungsakten vorzustellen. Die erste Aufgabe, welche das Uebereinstimmende vorstellen soll, indifferenzirt, und durch solches Verfahren wird eben auch von den Theilvorstellungen auf die Vorstellung des Ganzen übergegangen; die zweite differenzirende Aufgabe muß das Nichtidentische, es sey nun zwischen Theilvorstellungen oder selbstständigen Vorstellungen zur eigenen Vorstellung machen. Haben die Vorstellungen, wie die Ziffern, bloße Quantität ohne Qualität, so nennt man die Differenz Rest und das Verfahren heißt Subtraktion; in Vorstellungen aber, welche zugleich Qualität haben, heißt die Differenzvorstellung ein Kennzeichen. Wird aber die Differenzvorstellung verlassen, so erscheint bey Zahlen die Identität in dem Zusammentreffen zweier Zahlen zu einer gemeinschaftlichen Quantität, welche Summe genannt wird; bey qualitativen Vorstellungen dagegen giebt das

K.

beide Faktoren Thätigkeiten des Ich sind, so sind sie auch von der Sprache als Geisteskräfte anerkannt, und mit den Namen Einbildungskraft und Verstand bezeichnet und unterschieden worden. Die Vorstellung läßt beyde nicht von einander.

§. 197.

Vorstellung wird gesezt durch die Thätigkeit des Ich, welche zunächst durch die Berührung des Objektes aufgeregt worden; ist aber durch vielfache Aufregung das Ich aus seiner ursprünglichen Leerheit herausgebracht, so kann es auch sich selbst von innen heraus zur Produktion von Vorstellungen aufregen. In jedem Falle aber besteht eine Vorstellung nur durch ihre Produktion, und wenn die Thätigkeit des Ich sich in eine andere Produktion wirft, so ist diese Vorstellung aufgehoben. Gedächtniß also in dem vulgären Sinne, daß es Vorstellungen als bleibende Eindrücke aufbewahre, ist ohne Sinn, weil das Ich fort und fort nur Thätigkeit ist; daß aber das Ich seine Vorstellungsproduktion durch natürliche oder künstlich errungene Herrschaft über dieselbe in hohem Grade in seine Gewalt bekommen, und dadurch ehemals producirte Vorstellungen frey wieder zu produciren eine Leichtigkeit haben könne, das hat Sinn und ist auch der wahre Begriff des Gedächtnisses.

§. 198.

Eine Vorstellung ist einzeln, in so ferne der Akt ihrer Produktion ein einzelner ist. Solche einzelne Vorstellung kann aber differenzirt werden theils in ihrem eigenen Umfange, wenn sie analytisch in Theilvorstellungen aus-

auseinandergeht, deren jede sodann einen eigenen Akt des Vorstellens verlangt; theils auch in ihrem Verhält= niſſe zu anderen Vorstellungen, mit welchen sie different oder identisch gefunden wird. Wird sie mit einer andern Vorstellung identisch gefunden, so war der Produktions= akt bey der zweyten Vorstellung nur eine Wiederholung des Produktionsaktes der erſten; wird aber die zweyte Vorstellung als different von der erſten gefunden, so muß der Produktionsakt der zweyten nicht in allen Theil= vorstellungen mit dem Produktionsakte der erſten über= einstimmen, und es entsteht nun eine doppelte Aufgabe für das vorstellende Ich, nämlich: das übereinstimmende und nicht übereinstimmende in beiden Vorstellungsakten vorzustellen. Die erſte Aufgabe, welche das Uebereine= stimmende vorstellen soll, indifferenzirt, und durch solches Verfahren wird eben auch von den Theilvorstel= lungen auf die Vorstellung des Ganzen übergegangen; die zweyte differenzirende Aufgabe muß das Nichtidenti= sche, es sey nun zwischen Theilvorstellungen oder selbſt= ständigen Vorstellungen zur eigenen Vorstellung machen. Haben die Vorstellungen, wie die Ziffern, bloße Quan= tität ohne Qualität, so nennt man die Differenz Reſt und das Verfahren heißt Subtraktion; in Vorstellungen aber, welche zugleich Qualität haben, heißt die Differenz= vorstellung ein Kennzeichen. Wird aber die Diffe= renzvorstellung verlassen, so erscheint bey Zählen die Iden= tität in dem Zusammenſtießen zweier Zahlen zu einer ge= meinschaftlichen Quantität, welche Summe genannt wird; bey qualitativen Vorstellungen dagegen giebt das

K

indifferenzirende Verfahren eine partielle Identität mehrerer Vorstellungen zu erkennen, welche das Allgemeine derselben genannt wird. Die hier in Betracht kommenden Theilvorstellungen heißen sodann gemeinsame Merkmale im Gegensatze mit den Kennzeichen.

§. 199.

Daß eine Vorstellung als Gesammtakt des Vorstellens mehrere Theilvorstellungen in sich enthalten kann, wie z. B. die Vorstellung der Menschengestalt, zeigt schon die dritte Form des Prozesses in den Vorstellungen, das Trennen und Verbinden derselben. Beides ist ein Begränzen, welches sich nach den gemeinsamen Merkmalen richtet, und dann mehrere Vorstellungen in gemeinsamem Umfange verbindet, oder nach den besonderen Kennzeichen, wo sodann die Vorstellungen vom gemeinsamen Gebiete durch engere Begränzung sich ausscheiden, wie wenn aus dem Gebiete der Thiere die Fische herausgehoben und den Landthieren entgegengesetzt werden, weil bey jenen das Leben im Wasser für ein Kennzeichen gilt. Jede also getrennte Vorstellung giebt nun, wie das von einem Steine abgeschlagene Stück, ein eigenes weiter theilbares Ganzes, und soll das Getrennte wieder verbunden werden, so muß man die Scheidewand brechen, wie es bey physischen Massen durch das Zusammenschmelzen geschieht. Hier besteht aber die Scheidewand in dem Kennzeichen, welches man fahren lassen muß, um die getrennten Vorstellungen wieder in ihnen gemeinsamen Merkmalen zusammenfließen zu sehen.

§. 200.

Eine Vorstellung gleicht demnach einer Pflanze, die ihren einfachen Keim in Blättern differenzirt und in der fortgesezten Stengelbildung (gemeinsame Gefäßbildung) wieder indifferenzirt, bis sodann die Blätter in selbstständiger Abgränzung zu Blumen ausschlagen, welche durch Stengel (gemeinsame Gefäßbildung) dem Ganzen wieder verbunden werden. Daher gelangt eine Vorstellung zur völligen Durchführung ihres Wesens in der gänzlichen Entfaltung ihrer Blumenblätter, das heißt, wenn die Theilvorstellungen oder Merkmale derselben mit bestimmter Klarheit erkannt sind, und jedes Merkmal als eigene weiter theilbare Vorstellung gesehen wird; die Zurückführung darf sodann nur auf die erste einfache Vorstellung wieder zurückgehen, von welcher diese Entfaltung ausgegangen war. Diese erste einfache Vorstellung pflegt man Totaleindruck zu nennen, und man muß nach allen mit der Vorstellung vorgenommenen Prozessen wieder auf denselben zurückkommen, will man sich der Vorstellung vollkommen bemächtigen, und die Blume findet ihn wieder im eigenen Schooße als Frucht, in deren Reifen sie sich selbst auf ihr Erstes zurückführt.

§. 201.

Durch die Einheit des Vorstellungsaktes ist jede Vorstellung der Gliederung nach einfach, und die mehrfache Gliederung der Vorstellungen findet nur dann statt, wenn sie als Vorstellungen von Verhältnißgliedern nothwendig durch andere Glieder ergänzt werden müssen. Solche Verhältnisse sind nun für das Vorstellungsleben des Ich der Raum und die Zeit, in welchen bekanntlich die beiden Formen des Gegensatzes sinnlich verhüllt liegen; und so haben die Raumvorstellungen ihre Zweygliedrigkeit (hier und dort), die Zeitvorstellungen aber sind dreygliedrig (vorher, jezt, nachher), und das Viergliedrige findet sich, wenn beide Gliederungsarten in der eingliedrigen Vorstellung als ihrem Wesen gesezt werden, und diesem die Form gegenübergestellt wird, welche die einfache Vorstellung bey ihrem Durchgange durch Raum und Zeit erhalten hat. Diese Viergliedrigkeit einer durchgeführten Vorstellung wird ausgedrückt durch die Fragen: Was? wo? wann? wie? welche den allgemeinen Kanon jeder vollständigen Vorstellung ausmachen, und in dem bekannten Kanon des Mittelalters: quis? quid? ubi? quibus auxiliis? cur? quomodo? quando? mit einigen fremdartigen Zusätzen untermischt erscheinen, weil die damalige Zeit in ihrem Suchen nach einem allgemeinen Kanon das Gebiet der Vorstellung und des Begriffs nicht geschieden zu halten vermochte, und nur nach ungefährer Abstraktion, nicht nach Methode verfuhr. Dieser Kanon sollte eben Methode gewähren.

§. 202.

Die erste Stufe der Erkenntniß, die Vorstellung, hat also auf diese Weise ihre Construktion nach der ersten Kategorientafel gefunden, nach welcher alle erste Stufe construirt werden muß. Die zweite Stufe der Erkenntniß, in der lebendigen Multiplikation der Wurzel mit sich selbst bestehend, wird die Wurzel als Substrat setzen und nach der zweiten Kategorientafel entwickeln müssen.

Dadurch wird die Anlage der Vorstellung durch fortschreitende und Seitenentwicklung zur Totalentwicklung
gebracht, und mag in dieser höheren Stufe Wahrnehmung heißen.

§. 203.

Die Anlage der Vorstellung besteht in der Möglichkeit, fest gehalten von dem vorstellenden Ich Gegenstand einer neuen Vorstellung zu werden, welche nicht in
unmittelbarer Berührung mit dem Objekte dieses nur
durch das Medium der ersten Vorstellung hindurch erkennt. Dadurch ist für diese zweite Vorstellung eine größere Unabhängigkeit von dem Objekte gesezt, vermöge
welcher das Ich aus der ersten Vorstellung jezt die Form
herauszuheben und mit dem, was das Objekt dem Ich
als Inhalt aufgedrungen hat, zu vergleichen vermag.
Dadurch erscheint die Vorstellung als Wesen, die Wahrnehmung als Form, welches auch überall das Verhältniß der ersten und zweiten Stufe ist.

Anmerkung. Die Instanzen der Justiz sind auch
Stufen, und so hat die erste Instanz den Rechtsfall
oder das Objekt selbst in unmittelbarer Berührung
zu beurtheilen, die zweite Instanz aber betrachtet den
Rechtsfall durch das Medium der eingesandten Pro-
zeßakten und beurtheilt, wie die erste Instanz seine
Form aufgefaßt habe.

§. 204.

In der Anlage liegt die ganze Möglichkeit künftiger
Formentfaltung, von welcher das Hervortreten der Eigenschaften den Anfang ausmacht. Für die Vorstel-

läng müffen diefe erfcheinen, wenn die Wahrnehmung
auf das Berhältniß der Vorftellung zum Subjekte, zum
Objekte, und zu anderen Vorftellungen achtet, und fo
wird nach jener Anficht eine Vorftellung objektiv, das
heißt, dem Ich durch das berührende Objekt aufgedrungen, oder fubjektiv, das heißt, ein von innen entftande-
nes Produkt der vorftellenden Geiftesthätigkeit feyn. Subjektive aber fowohl als objektive Vorftellungen erhalten
ein befonderes Verhältniß zu dem Gefühle des Subjekts,
welches durch fie angemeffen oder unangemeffen afficirt
wird, und fie in fein Leben aufzunehmen oder davon
auszufchließen arbeitet, wodurch fie als angenehm oder
unangenehm characterifirt werden. Subjektiv, objektiv,
angenehm und unangenehm, find demnach die erften Ei-
genfchaften der Vorftellung.

§. 205.

Die Vorftellungen unter fich werden, wie alles Endliche und Einzelne, ihre Verhältniffe zu einander nach
dem quantitativen und qualitativen Gegenfatze beftimmen,
daß alfo eine Vorftellung von größerem Umfange feyn
kann als die andere, fo wie fie auch nach dem Inhalte
einander fo entgegengefezt feyn können, daß fie als po-
fitiv und negativ einander ausfchließen oder einfchränken,
wie Tag und Nacht, füß und fauer. Diefe fcharfe Begränzung einer Vorftellung nach ihrem quantitativen und
qualitativen Verhältniffe zu anderen Vorftellungen, fezt
aber eine genaue Unterfcheidung ihrer fubjektiven oder
objektiven Natur voraus, fo daß die volle Befchaf-
fenheit oder Vollkommenheit einer Vorftellung mit dem

gänzlichen Hervortreten ihrer Eigenschaften auch von den Zuständen abhängt, in welchen sich die Vorstellung im vorstellenden Subjekte befindet. Diese Zustände können von subjektiven oder objektiven Bedingungen abhängen, weil die Einwirkung des Objektes unvollständig, die Vorstellungsthätigkeit des Subjektes aber unreif seyn kann; allemal aber wird von diesen Bedingungen bestimmt werden, wie weit die Vorstellung ihrer Idee, ein klares Bild der Dinge zu seyn, entspreche oder nicht.

§. 206.

Der erste und unvollkommenste Zustand der Vorstellung, welcher durch die Wahrnehmung erkannt werden mag, ist demnach ihr Schwanken zwischen subjektiver und objektiver Erzeugung, z. B. wenn es ungewiß ist, ob das Ohr wirklich einen Schall vernommen habe, oder nur innerlich der dynamische Sinn afficirt worden sey. Die Vorstellung mag in diesem Zustande eine scheinbare heißen, wobey ihr noch immer die Möglichkeit bleibt, durch fortgesezte Wahrnehmung sich als rein subjektiv oder als objektiv gültig zu bewähren. Geschieht dieß, so ist die Vorstellung gewiß, und bringt sie es nun noch dahin, daß sie von anderen Vorstellungen mit Bestimmtheit unterschieden wird, so heißt sie deutlich. Werden die in ihr enthaltenen Theilvorstellungen eben so deutlich erkannt, so heißt sie klar, und weil die Vorstellung in diesem Zustande ein genaues Bild des Objekts wird, und hier auch alle ihre Eigenschaften zur Erkenntniß gelangen, so ist dieser Zustand der höchste für die Vorstellung, in welchem sie durch Erschöpfung ihrer Anlage ihre Vollkommenheit hat.

§. 207.

So durchläuft die Vorstellung zur Wahrnehmung gesteigert das erste Schema der zweiten Kategorientafel. Ihre Seitenentwicklung erhält die Vorstellung nach der im §. 106. gegebenen Formel nach zum Grunde gelegten Urprinzipien aus dem Umfange, den diese durch Gradation ihres Gegensatzes zu erhalten vermögen, und die Urprinzipien, welche in jedem Gebiete der Dinge die reinsten Darsteller des Gegensatzes von Wesen und Form sind, müssen für das Gebiet der Vorstellung Sachvorstellung und Formvorstellung genannt werden. Die Sachvorstellungen, als die inhaltigen, liegen in dem, was in allen Vorstellungen dem Gefühle der Affektion von einem Objekte angehört, und woraus die Reflexion auf die selbstständige Realität des lezteren schließt, sey es Affektion der äussern Empfindung oder des innern Gefühls; dann auch in dem, was als Raum und Zeit die Dinge sowohl als ihre sinnliche Anschauung bestimmt, und in einander greifend die Erscheinung des Gefühlten bezeichnet. Sachvorstellung ist also alle Vorstellung des Gefühlten und seines Raum- und Zeit-Lebens, und für die Formvorstellung bleiben von diesem Inhalte die Verhältnisse übrig, welche als quantitativ, qualitativ, räumlich, zeitlich u. s. w. gleichfalls mancherley sind. So ist z. B. die Vorstellung von meinem Bruder, als dem raumzeitlichen Individuum, eine Sachvorstellung, die Vorstellung von Bruder aber, als einem Verwandtschaftsver-

hältniß, eine Formvorstellung. Da in den Prädikamenten der Urbegriffe der Begriff Verhältniß die zweite Stelle
einnimmt, die vorangehende Identitätsform aber von ge-
wisser Seite auch ein Verhältniß ist, wie die Eins eine
Zahl, so mögen die Formvorstellungen, Verhältnißvor-
stellungen heißen.

§. 208.

Für Sachvorstellung und Verhältnißvorstellung ist
so eben auch ein Umfang nachgewiesen worden, in welchem jene mit verschiedenem (grabweisen) Uebergewichte
ihres inhaltigen, diese aber mit verschiedenem Uederge-
wichte ihres formalen Prinzips herrscht, daß also die
beiden Urprinzipien der Vorstellung dadurch zu Arten
ausschlagen. Denn offenbar hat die Sachvorstellung,
welche auf der äussern Empfindung oder dem innern Gefühle beruht, eine höhere Sachlichkeit, als die sich bloß
auf Raum- und Zeit-Anschauung gründet, und in der
leztern sind die Vorstellungen wieder mehr oder weniger
dem blos formalen nahe; eben so ist die Verhältnißvorstellung der Verwandtschaftsgrade weniger formal (abstrakt) als die Vorstellung der Zahl.

§. 209.

Diese Arten gehören der Vorstellung an, in so ferne sie Wahrnehmung geworden, denn die bloße Vorstellung bleibt bey dem Sachlichen stehen, und Verhältnißvorstellung bildet sich bey uns erst, nachdem das Sach-
liche in denselben und wieder in andern Verhältnissen
wahrgenommen worden. Daher sind die Arten der Vorstellung von der Wahrnehmung als Gattung umfaßt,

und Vorstellung und Wahrnehmung gehören mit aller
Steigerung, deren beide noch fähig seyn mögen, in die
allgemeine Klasse der Nachbildung des Objektiven im
Subjektiven, welche Erkenntniß genannt wird.

§. 210.

Die Potenzirung der Vorstellung durch fortschreitende Entwicklung hat in der Wahrnehmung schon die zweite Stufe erreicht, indem die Wurzel der Wahrnehmung
die Vorstellung ist, und vorgestellte Vorstellung Wahrnehmung heißt. In der dritten Potenz wird also die
Wahrnehmung mit ihrer Wurzel multiplicirt Gegenstand
eines Vorstellens werden, welches an sich unbestimmt die
Bestimmtheit der Wahrnehmung in sich überträgt, wie
nach der dritten Kategorientafel das Subjekt die Bestimmtheit des Objekts in sich aufnehmend selber Bestimmtheit erhält.

§. 211.

In der Wahrnehmung ist aber die Vorstellung enthalten und diese hat (§. 198.) Merkmale in sich getragen, und die Wahrnehmung fügt diesen noch den Gegensatz der Sach- und Form-Vorstellungen bey. Die
dritte Potenz wird diesen Gegensatz aufnehmen, um zu
versuchen, wie weit er vorstellbar sey, welches über der
Wahrnehmung stehende Vorstellen sodann Denken genannt wird. Aus dem Geschäfte dieses Potenzirens der
Wahrnehmung ist klar, daß es hier nicht auf ein Bestimmen der Wahrnehmung nach dem Gegenstande der
Vorstellung, sondern einzig auf die Denkbarkeit derselben

ankomme, indem nicht das objektive Objekt, sondern die
vorgestellte Vorstellung Gegenstand der Thätigkeit des
Ich auf dieser dritten Potenz ist, wobey es sich also
blos um Vereinigung oder Trennung von Merkmalen han-
delt. Solch eine Vereinigung oder Trennung von Merkmalen in dem Gegensatze der Sach- und Formvorstellungen heißt nun ein Urtheil, die Sachvorstellung heißt
Subjekt, die Formvorstellung heißt Prädikat, und die
Vorstellung des Verhältnisses beider Vorstellungen, also
das Eigenthümliche dieser dritten Potenz, liegt in der
Copula, welche daher verbindend (bejahend) oder trennend (verneinend) seyn kann. In diesem Denken durch
Urtheile wird das Objekt, das schon durch Vorstellung
und Wahrnehmung hindurchgegangen war, begriffen,
und so mag diese dritte Stufe der Vorstellung Begriff
heissen.

§. 212.

Als Sachvorstellung oder Subjekt erscheint die Vorstellung, welche Wurzel gewesen, und zur Formvorstellung oder zum Prädikate wird alles, was die Wahrnehmung in ihr gefunden, und das Urtheil, welches die
Wurzel mit dem Quadrate, die Vorstellung mit der
Wahrnehmung, zu vergleichen hat, kann sich keine andere Aufgabe setzen, als die Wurzel durch herausgehob-
ne Wahrnehmungsprädikate zu erschöpfen. Totalität der
Prädikate angeschaut in Einem Subjekte ist also das Ziel
des Begriffs, und je mehr er dieses erreicht, desto mehr
erscheint ihm jene Einheit als Wesen, diese Totalität
aber als Form, was durch alle Begriffe also durchgeht.

Durch das Finden von Wesen und Form als dem Allgemeinen in aller Erkenntniß hat der Begriff eine neue Stufe erreicht, welche er zur Vollendung bringt, wenn ihm bey dieser neuen Reflexion auch nach der Uebergang des Wesens in die Form und umgekehrt klar wird, was sich aus der Vergleichung der Prädikate ergiebt. Diese sind nämlich unter einander im Gegensatze, welcher aber durch die Einheit des Wesens vermittelt wird, und so wird der Gegensatz des Wesens und der Form selbst erkannt als vermittelt durch die im Wesen entstandenen Gegensätze und deren Vermittlung. Dieser Erkenntniß dienen die Urtheile selbst zum Gegenstande oder Material, aus welchem sie die Vermittlung des Wesens mit der Form als höchste Form heraushebt, was Idee genannt wird. Jede Vorstellung kann durch Wahrnehmung und Begriff hindurch bis zur Idee gesteigert werden, wenn durch die Vielheit der Urtheile hindurch der Uebergang ihres Wesens in die Form angeschaut wird, und diese Anschauung als möglich für alle Vorstellungen giebt ihnen gänzlich allgemeinen Charakter, indeß sie vorher blos im Einzelnen aufgefaßt waren, und innerhalb der Gränze von Wesen und Form überhaupt erhalten sie eine allgemeine Begränztheit, bey welcher die Erschöpfung aller gegebenen Merkmale entbehrlich wird. In der Idee erhält daher die Vorstellung mit der Vielheit ihrer Merkmale den Charakter der Unendlichkeit, welcher eine gegebene Endlichkeit durch hinzugedachte Möglichkeit supplirt, so daß in dem Umfange

einer Vorstellung die Merkmale: a, b, c, d . . . . .
und x für die Totalität ihrer Merkmale gelten.

§. 214.

In dieser vierten Potenz der Vorstellung hat sich
also über das Vorstellen auf der dritten Potenz, welches
Urtheilen heißt, ein neues Vorstellen erhoben, welches
durch Urtheile und Wahrnehmungen hindurch bis auf
die Vorstellung als Wurzel hinabsieht und zurückbeziehend
seine Allgemeinheit auf den Umfang ihrer Einzelheit einschränkt. Heißt nun das unentwickelte Auffassen des Einzelnen Anschauung, so mag diese Rückkehr zu derselben nach durchgeführtem Wahrnehmen und Denken ein
Schauen genannt werden, dem, wenn es sich von der
Anschauung abwendet, blos das allgemeine Gesetz des
Dinge zum Inhalte bleibt, das aber zugleich, wenn es
der Anschauung sich zuwenden will, an jeder Vorstellung
eine Individualisirung des Weltgesetzes hat, und hinwiederum jeder einzelnen Vorstellung Weltbedeutung ertheilt.

§. 215.

Ist die Vorstellung nach Seitenentwicklung und fort-
schreitender Entwicklung — Art und Stufe — bestimmt,
so kann auch ihre Anlage nicht mehr die unbestimmte
bleiben, wie sie nach dem ersten Schema der zweiten Tafel gesetzt war. Jene unbestimmte Möglichkeit der Entwicklung muß jezt eingeschränkt werden auf das, was in
dieser Art und auf dieser Stufe möglich ist, und so
wird die Anlage jezt Grundlage, was nach den verschiedenen Gebieten der Dinge und Vorstellungen von
der Sprache als Plan, Entwurf, Grundriß, Fundament

u. s. w. bezeichnet wird. Nach den Arten wird die Grundlage überall zweyfach bestimmt, nämlich sachartig (inhaltig) oder formartig, was aber wieder in weitere Unterabtheilungen auseinandergehen kann, jedoch immer innerhalb des Umfanges der Klasse und Gattung gehalten werden muß, weil jede Klasse ihre eigenen Urprinzipien voraussetzt; nach den Stufen muß die Grundlage vierfach ausfallen, weil jede der drey Selbstmultiplikationen der Wurzel ihr eignes Gebiet hat, wie die einfache Wurzel auch, und weil diese Gebiete alle mit eigenthümlichem Character erscheinen.

§. 216.

Wie die Anlage einer Vorstellung durch Art und Stufe bestimmt zur Grundlage wird, so werden auch ihre Eigenschaften durch die Seiten- und Stufenentwicklung näher bestimmt, und zwar verlangt die Seitenentwicklung in allen Arten und Gattungen die Eigenschaften der Urprinzipien wieder zu sehen, und die Stufenentwicklung auf allen Stufen die Eigenschaften der Wurzel. Bey der Seitenentwicklung erscheinen die Eigenschaften der Urprinzipien nach graduellen Unterschieden in den Arten und Gattungen zahlreicher; bey der Stufenentwicklung erscheinen die Eigenschaften der Wurzel mit ihren Potenzen gesteigert. In diesem Reichthume vielfacher mehr oder minder gesteigerter Eigenschaften hat nun eine Vorstellung Gelegenheit, ihre ganze materiale und formale Natur zu entwickeln, und wenn sie die Zustände ihrer Production vollständig durchlaufend auch noch die sämmtlichen Stufen der Erkenntniß besteigt, so vollendet sie auch ih-

re Geschichte, durch Natur und Geschichte aber zusammengenommen erhält sie eine Totalentwicklung,
welche die vollständige Entwicklung ihrer Anlage ist.
Solche Vollkommenheit wird einer Vorstellung zu Theil,
wenn sie nach ihrer gänzlichen Durchführung von ihrer
sachlichen (inhaltigen) Seite Ideal, von ihrer formalen
Seite aber Idee geworden ist, und in dieser zweifachen
Anschauung die Intelligenz vollkommen befriedigt.

§. 217.

Von §. 202. bis jetzt ist die Vorstellung mit sich selbst
multiplicirt als Wahrnehmung nach der zweiten Kategorientafel construirt worden, nach welcher überhaupt die
Entwicklung des Einzelnen construirt werden muß. In
dieser zweiten Tafel liegt also, in so ferne sie das Gesetz der Stufenentwicklung enthält, auch schon die dritte
und vierte Tafel, als welche nur höhere Selbstmultipli-
cationen der Wurzel durchführen können. Sämmtliche Kategorientafeln enthalten aber das Gesetz des allgemeinen
Lebens, das in der dritten Tafel sich als subjektives und
objektives Leben verdoppelt; daher sind nur die zwey ersten Tafeln, welche das Gesetz des noch ungetheilten Lebens enthalten, von buchstäblicher Anwendung auf alle
Construktion, und die dritte Tafel muß, wenn der Gegenstand der Construktion selbst einseitig in das subjektive oder objektive Leben gehört, nur formal genommen
werden nach ihren Prädikamenten, weil in jedem einseitig subjektiven oder objektiven Leben der volle Gegensatz
von Subjekt und Objekt mit seiner lebendigen Wechselwirkung nicht stattfinden kann.

§. 218.

Das Resultat der nach der zweiten Tafel durchconstruirten Vorstellung war die Wahrnehmung des Unterschiedes sachlicher und formaler Vorstellungen im Umfange einer vorher als einfach aufgefaßten Vorstellung, daß also auch hier die zweite Stufe den analytischen, die erste den thetischen Charakter behauptete. Die dritte jetzt zu construirende Stufe, welche §. 211. als Urtheil bezeichnet worden, muß also unter dem antithetischen Charakter erscheinen, und als dritte Stufe dem analytischen Gegensatze der zweiten ein neues Glied beyfügen, welches eben mit diesem Gegensatze selbst im Gegensatze, also die Einheit ist. Beyspielsweise lauten die drey Stufen der Vorstellung so:

Erste Stufe: Vorstellung.   Himmel.

Zweite Stufe: Wahrnehmung.   Blauer Himmel.

Dritte Stufe: Urtheil.   Der Himmel ist blau,

wobey denn die dritte Stufe das neu hinzugekommene Glied, die neue Multiplikation mit der Wurzel, als Copula zwischen den Gegensatz der zweiten Stufe in die Mitte nimmt.

§. 219.

Demnach ist die Vorstellung eingliedrig, die Wahrnehmung zweygliedrig, das Urtheil dreygliedrig, und die Vorstellung giebt für die Urtheile das Subjekt, die Wahrnehmung aber die Prädikate, deren Finden durch das analytische Verfahren der Wahrnehmung bedingt ist. Das Urtheil sezt aber dieses Finden voraus, und seine Aufgabe ist die gemeinschaftliche Vorstellbarkeit des Subjekts

mit

mit dem Prädikate, welche eben durch die Copula ausgedrückt wird, und Denkbarkeit heißt; indeß in der
Vorstellung selbst vor ihrer Analyse durch Wahrnehmung
alle Prädikate gegenständlich (objektiv) enthalten waren,
und in der Wahrnehmung neben und in einander erschienen. Für die Wahrnehmung ist daher das Verhältniß
ihrer Glieder gleichgültig, indem eben sowohl die blaue
Farbe am Himmel bemerkt werden, als der Himmel blau
wahrgenommen werden kann.

§. 220.

Da das Urtheil die Form des vermittelten Gegensatzes hat, so sind hier die Glieder getrennt, und jedes
wird zuvörderst für sich gedacht, und wenn dann beide
zum Behufe möglicher Verbindung verglichen werden, so
findet sich ein durch ihre Trennung entstandener quantitativer Unterschied zwischen beiden, daß nämlich das Prädikat für sich gedacht unter dem formalen Charakter der
Allgemeinheit erscheint, indeß das aus lauter Prädikaten
zusammengeflossene Subjekt, welches alle seine Prädikate
in bestimmten Verhältnissen und Graden in sich vereinigt
hatte, eben dadurch den Charakter des Besondern erhält.
Aus diesen Verhältnissen und Graden herausgerissen und
isolirt gedacht muß nothwendig das Prädikat dem Subjekte gegenüber eine unbestimmte Allgemeinheit erhalten,
unter welche das Subjekt, wie man sich ausdrückt, sub-
sumirt wird; und da hier das Subjekt unter einem seiner möglichen Prädikate besonders vorgestellt wird, so
sagt man auch, das an sich bloß bestimmbare Subjekt
sey durch die Subsumtion unter eines seiner möglichen

ꝗ

Prädikate bestimmt worden, welches in jedem Urtheile durch einen besondern Akt des mittelbaren Vorstellens (Denkens) geschieht.

§. 221.

Dem Urtheile gehört also nicht das ursprüngliche Verhältniß, welches zwischen Subjekt und Prädikat in der Vorstellung bestanden hatte, sondern das sekundäre Verhältniß, welches beide annehmen, wenn sie unter vorausgesezter Wahrnehmung durch die Copula im Denken verbunden oder getrennt werden sollen. Hier ist denn das Subjekt eine bestimmbare, das Prädikat eine bestimmende Vorstellung, und der Akt, welcher beide verbindet oder trennt, ist ein einfacher Denkakt, welchen die Logik in seiner Gesetzmäßigkeit darstellt. Daß die Subjekte der logischen Urtheile an sich aus einem Zusammenflusse von Gegensätzen nach bestimmten Verhältnissen und Graden bestehen, und die Prädikate einzelne Glieder solcher Gegensätze seyen, die aus jenem Zusammenflusse herausgehoben worden, daß also ein Subjekt Prädikat werden könne, wenn es als Glied eines Gegensatzes gedacht wird, und ein Prädikat Subjekt werden könne, wenn man es als Zusammenfluß von Gegensätzen betrachtet, geht die Logik eigentlich nichts an. Für sie sind Subjekt und Prädikat einfache Vorstellungen in jedem einzelnen Urtheile, und die Logik zählt höchstens unter den für sie möglichen Formen die Verwechslung der Stelle beider in einem Urtheile auf.

Anmerkung. In dem Urtheile: der Hund ist ein Thier, enthält das Subjekt einen Zusammenfluß ent-

gegengesetzter Bestimmungen von Größe und Kleinheit, Farbe und Farblosigkeit, Gestalt und Gestalt-
losigkeit, Leben und Nichtleben, Pflanzlichkeit und
Thierheit u. s. w.; und das Prädikat ist nur Eine
dieser Bestimmungen, nämlich die Thierheit im Gegensatze mit der Pflanzlichkeit. Wird nun die Thierheit zum Subjekte gemacht in dem Urtheile; dieses
Thier ist ein Hund, so wird das Thier als Individuum wiederum ein völlig bestimmter Zusammenfluß
der oben angegebenen Gegensätze, und das Prädikat Hund ein allgemeiner Thiercharakter, der mit
andern Thiercharakteren, z. B. dem des Katzenge-
schlechts, im Gegensatze steht. So lassen sich alle
Subjekte in Prädikate verwandeln und umgekehrt;
für die Logik kommt es aber blos auf die Vereinbarkeit von Hund und Thier in Einem Denkakte an.

§. 222.

Diese Vereinbarkeit von Subjekt und Prädikat in
dem einen und einfachen Denkakte (welcher das Eigenthümliche der dritten Potenz der Vorstellung ist) ist das
Principium identitatis der Logik, und weil diese Vereinbarkeit wegfällt, wenn im Prädikate das aufgehoben wird,
was im Subjekte gesezt worden, d. h. wenn beide im
qualitativen Gegensatze gedacht werden, so fügt die Logik diese Unvereinbarkeit noch als Principium contradic-
tionis hinzu. Weil nun diese Unvereinbarkeit der Glieder des qualitativen Gegensatzes nichts übrig läßt, als
entweder das eine oder das andere zu setzen, so heißt
diese Unvereinbarkeit auch das Principium exclusi me-

tät, oder das Principium exclusionis, und weil, wenn das eine oder das andere der entgegengesezten Prädikate gewählt werden soll, sein erkanntes Verhältniß zu dem Subjekte die Wahl bestimmen muß als ihr Grund, so hat die Logik hieran ihr Principium rationis sufficientis, welches der vierte von ihren Grundsätzen ist. Dabey kann die Logik, deren Blick ganz auf die Einheit jenes Denkaktes gerichtet ist, ignoriren, daß Subjekte und Prädikate ausser ihrem qualitativen Gegensatze oder dessen Abwesenheit noch andere Verhältnisse haben können, wie z. B. wenn beide auf ganz verschiedenen Linien des Denkbaren stehend einander fremd sind und sich gar nicht berühren, wie es in dem Urtheile: die Tugend ist blau, der Fall seyn würde; oder wenn bey der Verschiedenheit ihrer Abstammungslinien durch die Gleichheit der Stelle, welche sie in beiden Linien einnehmen, das symbolische Verhältniß entsteht, wie zwischen Unschuld und weiß, welche beide Begriffe das Unentwickelte, jeder auf seiner Linie, bezeichnen. Solche Verhältnisse mag eine höhere Construktion suchen und finden; die Logik begnügt sich mit der Erschöpfung des Verhältnisses von Subjekt und Prädikat zu der Copula und der Wechselbestimmung zwischen beiden.

§. 223.

Bey der Allgemeinheit, welche nach §. 220. das Prädikat in den logischen Urtheilen vor dem Subjekte voraus hat, erscheint das Prädikat für ein ganzes Gebiet von Subjekten als gemeinsames Merkmal (Dictum de Omni), und ein ihm entgegengeseztes Prädikat ist eben

darum auch diesem ganzen Gebiete entgegengesezt (Dio-
toni de Nulbo); auch ergiebt sich daraus, daß jeder allgemeinere Begriff des Subjektes sowohl als des Prädikates für den unter ihm stehenden Begriff Prädikat werden muß, wodurch eine Steigerung der Subjekte sowohl
als der Prädikate bis auf das lezte Denkbare möglich wird.

    Anmerkung. In dem Urtheile: der Hund ist ein
    Thier, umfaßt das Prädikat ein Gebiet, das sich
    weit über den Umfang des Begriffes Hund hinaus
    erstreckt, und in welchem Gebiete zugleich nichts vor-
    kommen kann, was nicht Thier wäre. Ferner ist
    für den Begriff Hund der allgemeinere Begriff Säug-
    thier ein Prädikat, und für den Begriff Thier ist
    der allgemeinere Begriff Naturprodukt, und für die-
    sen wieder der noch allgemeinere Begriff Wesen ein
    Prädikat.

§. 224.

    Diese von der Logik als Grundgesetze des Denkens
anerkannten Ansichten exponiren eigentlich blos den Begriff des Urtheils, nach welchem es zwey der Quantität
nach verschiedene, der Qualität nach aber nicht entgegengesezte Vorstellungen in die Einheit eines Denkaktes aufnimmt.
Soll die Logik über diese Exposition hinaus zur wirklichen Construktion der Urtheile kommen, was sie bis jezt
im Verhältniß zu der langen Zeit ihrer Bearbeitung, seit
Aristoteles nicht sehr befriedigend zu leisten vermochte, so
muß sie nach dem formalen Schema unserer dritten Kategorientafel die möglichen Formen des Urtheils entwickeln, nämlich:

subjektiv   innen
subjektobjektiv   objektsubjektiv   von innen von außen
          objektiv   und   außen

wie dieses Schema in seinem doppelten Ausdrucke lautet.
Das Subjekt ist hier das urtheilende Ich mit seinem inneren Denken, das Objekt ist das fertige Urtheil mit seinen Außenverhältnissen; subjektobjektiv ist, was in den
innern Verhältnissen der Bestandtheile des Urtheils liegt,
sich also zunächst an seine subjektive Bildung anschließt,
und objektsubjektiv heißt, was in der Verschiedenheit der
Vermittlung liegend dem Urtheile vollends die Reife ertheilt, mit welcher es in Außenverhältnisse mit andern
Urtheilen einzugehen vermag.

§. 225.

Die Construktion der Urtheile verlangt demnach 1)
ihre Subjektivitätsformen; 2) die innern Verhältnisse ihrer Bestandtheile; 3) ihre Vermittlungsverhältnisse; 4) ihre objektiven Verhältnisse. Was das erste betrifft, so
hängt die Entstehung der Urtheile in dem urtheilenden
Ich von seiner Einsicht in die Vereinbarkeit des Prädikates mit dem Subjekte ab, und wenn diese als bloß möglich erkannt wird, so entsteht ein problematisches Urtheil,
welches in ein Wahrscheinlichkeitsurtheil übergeht, wenn
die Vereinbarkeit größer erkannt worden als die Unvereinbarkeit. Schwindet das endlich ganz, was der Vereinbarkeit beider im Wege zu stehen schien, so wird das
Urtheil ein förmlich behauptendes (assertorisches), und
wenn die Einsicht in jene Vereinbarkeit noch dazu den
Satz des Widerspruchs erfüllend bis zur Einsicht in die

Unvereinbarkeit des entgegengesezten Prädikates gelängt, so entsteht ein apodiktisches Urtheil mit der gegründeten Anmaßung nothwendiger Wahrheit.

§. 226.

Nach ihren subjektobjektiven Verhältnissen erscheinen die Urtheile zuvörderst in der bejahenden oder verneinenden Form, nach der Vereinbarkeit oder Unvereinbarkeit ihrer Bestandtheile, und dieß nennt man ihre Qualität. Vereinbarkeit oder Unvereinbarkeit beider Bestandtheile kann aber auch mit oder ohne Einschränkung gesezt werden, woraus die sogenannte Quantität der Urtheile mit partikulären oder allgemeinen Urtheilen entsteht.

§. 227.

Weil aber die Logik als Theorie der dritten Erkenntnißstufe die Wechselbestimmung zwischen Subjekt und Prädikat zu erschöpfen hat, und in den Fällen totaler oder partieller Vereinbarkeit oder Unvereinbarkeit der Bestandtheile, d. h. bey allgemein oder partikulär bejahenden oder verneinenden Urtheilen, doch noch ein Verhältniß zwischen Subjekt und Prädikat anerkannt wird, welches selbst auf die Gegentheile beider erstreckt werden kann; so hat die Construktion der Urtheile auch noch die Möglichkeit der Verwechslung der Stelle zwischen beiden Bestandtheilen und in Voraussetzung dieser noch die Verwandlung beider Bestandtheile in die entgegengesezten zu berücksichtigen. Ersteres giebt die Umkehrung (conversio), lezteres die Umwandlung (contrapositio) der Urtheile.

§. 228.

Da der Gegensatz von Subjekt und Prädikat in den Urtheilen auf den Gegensatz von Wesen und Form zurückläuft, welche in jedem Urtheile in einer ihrer relativen Erscheinungsarten mit einander in Verhältniß gedacht werden, so heißt ein Urtheil umkehren nichts anders als den formalen Begriff zum inhaltigen und umgekehrt den inhaltigen zum formalen Begriff machen. Sind beide Begriffe bloße Quantitäten, wie in der Arithmetik, so hat es gar keine Schwierigkeit, zwischen Multiplikandus (Subjekt) und Multiplikator (Prädikat) die Stelle zu wechseln. Weil aber der Gegensatz von Subjekt und Prädikat in den Urtheilen qualitativ und quantitativ zugleich ist, so gilt hier eine doppelte Erwägung, nämlich ob und wie weit überhaupt der formale Begriff des Prädikates den inhaltigen Begriff des Subjektes als Form in sich aufnehmen könne, und dann ob der Umfang, in welchem das erste Urtheil das Verhältniß zwischen beiden gesezt hatte (allgemein oder partikulär) auch in dem umgekehrten Urtheile beybehalten werden könne. Was das erste betrifft, so muß bey allgemeiner Unvereinbarkeit von Subjekt und Prädikat, welche sich in allgemein verneinenden Urtheilen ausspricht, die Umkehrung ungehindert und unbeschränkt stattfinden können, weil die Ausschließung zwischen den beiden Bestandtheilen total und gegenseitig ist; dagegen bey partieller Unvereinbarkeit, welche sich in partikulär verneinenden Urtheilen ausspricht, die Umkehrung unmöglich wird, indem die Ausschließung des Prädikates blos von einem Theile des Subjektes nicht den Sinn ha-

ben kann, daß das umgekehrte Urtheil geben würde, nämlich auch nicht einmal einen Theil des Prädikates im
Subjekte enthalten zu denken. Dagegen verlangt die volle Vereinbarkeit, welche im allgemein bejahenden Urtheile
zwischen Subjekt und Prädikat gesetzt worden, bey der
hier allerdings möglichen Umkehrung eine Einschränkung
im Umfange, indem, wenn das Subjekt auch ganz unter
der Form des Prädikates gedacht worden, doch das letztere, als an sich allgemeinere Form, bey der Umkehrung
eingeschränkt werden muß, indeß, wenn zwischen Subjekt und Prädikat nur ein theilweises Vereinigungsver-
hältniß gesetzt worden, was die partikulär bejahenden Urtheile aussprechen, diese partikuläre Vereinbarkeit auch
bey der Umkehrung bleiben muß. Daher können allgemein verneinende Urtheile schlechtweg umgekehrt werden,
partikulär verneinende aber gar nicht; allgemein bejahende
Urtheile lassen sich nur mit Einschränkung umkehren, partikulär bejahende aber schlechtweg.

§. 229.

Hat so die Umkehrung den Gegensatz der Stellung
befriedigt, welcher Bestimmendes in Bestimmbares umwandelt, so liegt in dem Inhalte beider Bestandtheile des
Urtheils noch ein Gegensatz, der durch die Umwandlung
der Urtheile befriedigt wird. Der Gegensatz des Inhaltes ohne Umkehrung würde aus Einem Urtheile zwey
machen, deren jedes sein eignes Gebiet hätte, z. B. der
Weise ist consequent, der Thor ist inconsequent; wird
aber mit dem Gegensatze des Inhaltes die Umkehrung zugleich vorgenommen, z. B. der Weise ist consequent, der

inconsequente ist ein Thun; so bleibt zwischen dem ersten und dem umgewandelten Urtheile noch ein Zusammenhang, der darin besteht, daß das umgewandelte Urtheil sich als eine Folgerung des ersten Urtheiles ergiebt. Dieser Zusammenhang kann als Grundsatz ausgesprochen werden, und lautet so: wird einem Subjekte ein Prädikat zuerkannt, so muß, was nicht unter diesem Prädikate gedacht werden kann, auch von dem Gebiete des Subjekts ausgeschlossen werden (§. 223.).

§. 230.

Aus diesem Begriffe der Umwandlung der Urtheile folgt, daß allgemein bejahende Urtheile sich schlechtweg umwandeln lassen, wie auch partikulär verneinende; erstere, weil der obige Grundsatz buchstäblich von ihnen gilt, leztere, weil die partikuläre Ausschließung von Subjekt und Prädikat in dieser Stellung nicht hindern kann, daß nicht die Gegentheile des Subjekts und Prädikates in umgekehrter Stellung sich theilweise berühren. Allgemein verneinende Urtheile dagegen verlangen bey der Umwandlung eine Beschränkung ihres Umfanges, weil sie durch die Aufnahme der entgegengesezten Bestandtheile zu allgemein bejahenden Urtheilen werden, welche nur eine beschränkte Umkehrung zulassen, und partikulär bejahende Urtheile gestatten gar keine Umwandlung, weil die theilweise Vereinbarkeit des Subjektes und Prädikates in dieser Stellung kein Grund seyn kann, für die Gegentheile des Subjektes und Prädikates in umgekehrter Stellung auch nicht einmal eine theilweise Vereinbarkeit zurücklassen; und gerade dieß würde: die Umwandlung eines partikulär bejahenden Urtheiles aussprechen.

Anmerkung. Für die Umkehrung so wie für die Umwandlung der Urtheile sind also drey Fälle möglich: 1) für die Umkehrung; einfache Umkehrung gestatten a) allgemein verneinende Urtheile, z. B. kein Mensch ist vollkommen, und: kein Vollkommner ist Mensch; b) partikulär bejahende Urtheile; z. B. einige Menschen sind Krüppel, und: einiges Kräppelhafte ist Mensch. Beschränkte Umkehrung gestattet die allgemein bejahenden Urtheile, wie: alle Menschen sind sterblich, und: einiges Sterbliche ist Mensch; gar keine Umkehrung gestatten die partikulär verneinenden Urtheile; 2) für die Umwandlung; reine Umwandlung gestatten a) allgemein bejahende Urtheile, wie: alle Menschen sind sterblich; und: kein Unsterblicher ist Mensch; b) partikulär verneinende Urtheile, wie: einige Menschen sind nicht weise, und: einiges Thörichte ist Mensch. Beschränkte Umwandlung gestatten die allgemein verneinenden Urtheile, wie: kein Mensch ist vollkommen, und: einiges Unvollkommene ist Mensch; gar keine Umwandlung gestatten partikulär bejahende Urtheile.

Sollten partikulär verneinende Urtheile umgekehrt werden, so müßte das Urtheil: einige Menschen sind nicht weise, lauten: die Weisheit ist nicht einmal bey einigen Menschen zu finden; und sollten partikulär bejahende Urtheile umgewandelt werden, so müßte das Urtheil: einige Menschen sind

Thoren, lauten: nicht einmal einige Menschen giebt es, die nicht Thoren wären.

§. 231.

In diesen Umlehrungs - und Umwandlungs - Verhältnissen der Urtheile liegt denn auch schon ihre qualitative und quantitative Verschiedenheit, indem nach ersterer ein partikuläres Urtheil dem allgemeinen u n t e r -
g e o r d n e t ist, wenn beide dem Inhalte nach gleich sind,
widersprechend aber, wenn das partikuläre Urtheil
das entgegengesezte Prädikat hat; indeß zwey partikuläre
Urtheile mit gemeinschaftlichem Subjekte und entgegenge-
saztem Prädikate sich als N e b e n u r t h e i l e vertragen,
und Urtheile nur dann, wenn sie als e n t g e g e n g e s e z -
te im Prädikate und dem ganzen Umfange desselben Subjektes erscheinen, einander aufheben. Daher folgt aus
jedem allgemeinen Urtheile sein untergeordnetes partikuläres als in ihm enthalten von selbst; und jedes allgemeine Urtheil schließt sein entgegengeseztes als falsch aus;
auch liegen in jedem Urtheile die Bestandtheile seines
umgekehrten schon da, und auf sein umgewandeltes kann
geschlossen werden nach dem Zusammenhange, der oben
zwischen einem Urtheile und seinem umgewandelten aufgezeigt worden.

§. 232.

So sind also durch Quantität, Qualität, Umkehrung und Umwandlung die subjektobjektiven Formen des
Urtheils gegeben, welche sämmtlich aus den Verhältnissen seiner materiellen Bestandtheile entspringen. Aus dem
verschiedenen Sinne der Copula, als des formellen Be-

standtheils der Urtheile, entstehen dann sie objectiv-
tiven Formen nach der verschiedenen Weise, wie die Vermittlung jener materiellen Bestandtheile gedacht worden.
Hier kommt es darauf an, ob Subjekt und Prädikat ein
unmittelbares Verhältniß zu einander haben, wo sie denn,
wie im kategorischen Urtheile, ausser der Copula keiner weitern Vermittlung bedürfen; oder ob in das Subjekt eine Bestimmung gesezt worden, von deren Setzen
die Aufnahme des Prädikates abhänge, wie im hypothetischen Urtheile; oder ob bey einem Gegensatze von
Prädikaten die Aufnahme des einen die Ausschließung
des andern (und umgekehrt) bedinge, wie bey dem disjunktiven Urtheile; oder endlich, ob sich die entgegengesezten Prädikate, wie im conjunktiven Urtheile, als
Halbmesser eines Ganzen verhalten, ihr Zusammenbeste-
hen also durch das Ganze gesezt werde.

§. 233.

Das kategorische Urtheil ist das Ideal aller Urtheile, indem hier die Bestimmung des Subjektes, welche
als Prädikat ausgesprochen wird, schon durch den Begriff des Subjektes selber gesezt worden. Im hypothetischen Urtheile dagegen wird das Prädikat nur in so fern
mit dem Subjekte verbunden, als das Subjekt unter einer besondern Bestimmtheit gedacht worden, wie z. B.
die Dreyecke, wenn sie rechtwinklicht sind, immer auch
ungleichseitig seyn müssen. Dabey ist es denn gleichgültig, ob von dieser in das Subjekt gesezten Bestimmtheit,
welche Bedingung heißt, die Vereinbarkeit oder Unvereinbarkeit des Subjektes und Prädikates abhängig ge-

... werde, b. h. ob das hypothetische Urtheil bejahend oder verneinend sey. Eigentlich ist aber die im hypothetischen Urtheile gesetzte Bedingung selbst schon ein vorläufiges Prädikat des Subjektes, so daß hier zwey Prädikate ohne Gegensatz mit einander in einseitiger Abhängigkeit von einander erscheinen, wie im obigen Beyspiele die Ungleichseitigkeit der Dreyecke von ihrer Rechtwinkligkeit abhängig gemacht wird. Weil denn diese Abhängigkeit durchaus einseitig ist, so muß, wenn die erste Bestimmung des Subjekts (die Bedingung) gesetzt worden, nothwendig auch die zweite als Prädikat folgen, und man kann aus der Abwesenheit der letztern den richtigen Schluß machen, daß auch die erste nicht gesetzt worden seyn müsse.

§. 234.

Das hypothetische Urtheil enthält schon zwey Urtheile, aber in einseitiger Abhängigkeit. In gegenseitiger Abhängigkeit erscheinen zwey Urtheile in der disjunktiven Form des Urtheils, wo sie als Glieder eines realen Gegensatzes einander ausschließen. Dadurch wird die Copula oder die Vermittlung zwischen dem Subjekte und einem der beiden Prädikate schwebend, indeß sie im kategorischen Urtheile wie im hypothetischen für das einzige Prädikat völlig entschieden ist, im kategorischen, weil es der Begriff des Subjekts fordert, im hypothetischen, wenn die Bedingung gesetzt wird. Der Gegensatz der beiden Disjunktionsglieder muß aber ein im Wesen liegender und den Umfang seines Gebietes völlig ausmessender seyn, so daß aber das eine oder das andere Glied desselben

hinaus keine Entgegensetzung mehr möglich sey, jedes
Glied also Halbmesser oder extremer Gegensatz dieses Gebietes heißen könne, und beide Glieder also alle Grade
des Ueberganges aus der Differenz in die Indifferenz
und umgekehrt zwischen sich einschließen, eben so wie Halbmesser eines Kreises alle Grade der Nähe am Mittelpunkte (Indifferenz) oder Entfernung von demselben (Differenz) enthalten. Nur bey solchem die gemeinschaftliche
Sphäre durchgreifenden Gegensatze können die Glieder
desselben bey einseitigem Setzen im Subjekte sich gänzlich
ausschließen, wie es das disjunktive Urtheil verlangt, dem
es wie allen einzelnen Urtheilen bloß darum zu thun ist,
dem Begriffe des Subjekts diese oder jene Bestimmtheit
zu sichern.

§. 235.

Weil aber der disjunktive Gegensatz mit seinen zwey
Gliedern eine ihnen gemeinschaftliche Sphäre durchmißt,
so entsteht dadurch für die Disjunktionsglieder das neue
Verhältniß, daß sie bei einseitigem Setzen sich ausschliessen, bey zweyseitigem sich ergänzen, wobey dann ihre
gemeinschaftliche Sphäre als vermittelnd für sie unter sich
und für ihr Verhältniß zum Subjekte erscheint, welches
eben diese gemeinschaftliche Sphäre selbst ist. So entstehen die conjunktiven Urtheile, in welchen der Gegensatz
der Disjunktionsglieder keineswegs ausgelöscht, sondern
bloß zusammengefaßt ist.

Anmerkung. Das Verhältniß dieser vier Urtheilsformen zu einander drückt sich auch in der Sprache
  recht bestimmt aus, indem das kategorische Urtheil

ohne alle Vermittlungspartikel besteht, die drey andern Urtheilsformen aber bekanntlich durch

wenn — so

entweder — oder

sowohl — als

sich äusserlich gestalten. Daß übrigens in diesen vier
Formen des Urtheils als eben so vielen Vermittlungs-
arten des Prädikates mit dem Subjekte sich die Prädikamente der vierten Kategorientafel darstellen müssen, welche auch in den vier Casus der Deklination
wieder erscheinen, wird man dadurch begreifen, daß
diese Urtheilsformen eben wie die Casus der Sprache ausdrücken sollen, wie ein Ding auf sich selber
beruhe (Nominativus und kategorisches Urtheil), wie
es in einseitiger Abhängigkeit von einem andern gesetzt sey (Genitivus und hypothetisches Urtheil), wie
zwey Dinge in gegenseitiger Abhängigkeit stehen (Da-
tivus und disjunktives Urtheil), und wie bey der
Abhängigkeit des Einzelnen von dem Ganzen alle
Selbstständigkeit für jenes erlösche (Akkusativus und
conjunktives Urtheil), von welchen vier Verhältnissen denn die Prädikamente der vierten Kategorientafel der allgemeinste Ausdruck sind.

§. 236.

Haben nun die Urtheile nach der ersten Form ihre
subjektiven Entstehungsstufen durchlaufen, nach der zweiten die Möglichkeit der Verhältnisse ihrer materiellen Bestandtheile entwickelt, und in der dritten den in der Copula liegenden Akt der Vermittlung nach seiner möglichen

chen Verschiedenheit dargestellt, so bleibt für die vierte Form noch die synthetische Aufgabe, das Subjekt des fertigen Urtheils durch die in seinem Umfange möglichen Urtheile erschöpfend zu bestimmen und diese erschöpfende Bestimmung auf eine dem Wesen des logischen Urtheils angemessene Weise zur Totalitätsform zu bringen oder zu organisiren. Hier ist denn, weil jedes Subjekt gleich ist einer Summe in ihm zusammengeflossener Prädikate, die vollständige Heraushebung derselben durch eine Reihe von Urtheilen das erste, und diese Reihe von Urtheilen erhält eben durch ihr gemeinschaftliches Subjekt eine Gesammtheitsform, in welcher sie Exposition heissen. Solche Exposition als vollständig gedacht giebt ein Gesammtprädikat, welches wegen seiner Identität mit dem Subjekte an dessen Stelle gesezt werden kann, und sollte die vollständige Aufzählung der Bestimmungen des Subjekts unmöglich seyn, so können die wirklich aufgestellten Merkmale durch ein et cetera im Ausdrucke ergänzt dennoch für eine vollständige Exposition gelten. Weil nämlich die Exposition durch das Herausheben der einzelnen Merkmale genöthigt wird, auf die Wahrnehmung zurückzugehen, diese aber auf der Vorstellung beruht, für welche die bekannten Schwierigkeiten und Gränzen der sinnlichen Erkenntniß bestehen, so kann es kommen, daß eine Exposition nicht zur Erschöpfung aller Merkmale der durch sie zu exponirenden Vorstellung gelange.

§. 237.

Sind von mehreren Vorstellungen Expositionen gegeben, so können die Vorstellungen selbst nach der Ver-

M

schiedenheit und Anzahl der aus ihnen herausgehobenen Merkmale verglichen und dadurch bestimmt werden, und diese Art sie zu bestimmen ist ganz individuell, wie bey Beschreibungen, welches Expositionen nach rein sinnlichen Merkmalen sind. Vergleichende Expositionen müssen aber nothwendig, indem sie auf eigenthümliche sowohl als gemeinsame Merkmale stossen, die Arten und Gattungen finden, welche durch die Seitenentwicklung der Dinge gesezt sind, und es entsteht ihnen dadurch die Möglichkeit, ein Ding (oder seine Vorstellung) nach Gattung und Art zu bestimmen, wodurch, wenn die Exposition seine Eigenthümlichkeit angegeben hat, möglich wird, ihm auch seine Beziehung auf das Ganze nachzuweisen. Solche Bestimmung des Dings heißt Definition und muß nothwendig zwey Prädikate zu dem Subjekte gesellen, eines für die Bestimmung der Gattung, das andere für die Bestimmung der Art. Da das erste dieser Prädikate allgemeinerer Natur ist als das zweite, so kann jenes für dieses auch wieder Prädikat werden, und so enthält eine Definition im Grunde zwey Urtheile, welche wiederum ein drittes involviren, nämlich: 1) das Subjekt erhält den Gattungsbegriff zum Prädikat; 2) unter die Gattung stellt man die Art; 3) beides zusammen wird zum Prädikate des Subjekts.

§. 238.

Eine Definition faßt in ihren zwey Prädikaten alle möglichen Prädikate zusammen, welche eine Exposition nur immer enthalten mag mit Ausnahme der individuellen, welche an der Einzelheit der Vorstellung hängen, indem die andern alle entweder der Art oder Gattung angehören müssen. Daher giebt eine Definition eine genügende allgemeine (nicht aber individuelle) Bestimmung für das Subjekt des Urtheils, d. h. einen Begriff von demselben.

§. 239.

Nach der Bedeutung, welche in den zwey Prädikaten einer Definition liegt, wäre es möglich, daß diese entweder für das Allgemeine der Gattung oder für das Besondre der Art zu wenig leisteten, wodurch die Definition entweder zu eng oder zu weit würde. Sind durch die beiden Prädikate aber Art und Gattung gehörig bestimmt, so giebt die Definition mit dem Definitum eine Gleichung, in welcher, wie in der Exposition, die Prädikate an die Stelle des Subjekts gesezt werden können; eine Uhr ist ein Zeitmessungswerkzeug, und ein Zeitmessungswerkzeug ist Uhr, auch ist nichts Uhr was nicht Zeitmessungswerkzeug ist. Eine richtige Definition ist also ein allgemein bejahendes kategorisches Urtheil, welches sich schlechtweg umkehren und umwandeln läßt; eine zu weite Definition (Uhr ist Werkzeug) würde sich wohl umwandeln (was nicht Werkzeug ist, ist auch nicht Uhr) aber nicht umkehren lassen (alles Werkzeug ist Uhr); und eine zu enge Definition (Uhr ist Sonnenzeiger) liesse sich wohl umkehren (Sonnenzeiger ist Uhr), aber nicht umwandeln (was nicht Sonnenzeiger ist, ist auch nicht Uhr), daß also die Richtigkeit einer Definition durch die Umkehrung und Umwandlung geprüft werden kann. Zugleich wird dadurch der Gegensaz zwischen Umkehrung

und Umwandlung recht anschaulich, indem erstere nur
durch Einschränkung das zu weite Prädikat an die Stelle des Subjektes zu setzen vermag, die zu weite Definition also sich mit Einschränkung wohl umkehren liesse
(einige Werkzeuge sind Uhren); die Umwandlung aber
bey entgegengesezten Bestandtheilen, welche dem vorher
bejahenden Urtheile eine verneinende Form geben, diese
Umkehrung wohl machen kann. Eben so läßt die zu enge
Definition, bey welcher das Subjekt weiter ist als das
Prädikat, sich wohl schlechtweg umkehren, wodurch das
Prädikat seinen gewöhnlichen Charakter, weiter zu seyn
als das Subjekt, erst ganz erhält, indeß die Umwandlung der zu engen Definition nur mit Einschränkung geschehen könnte (manche Dinge, die nicht Sonnenzeiger
sind, sind auch nicht Uhren), weil jenes erste Verhältniß
von Subjekt und Prädikat durch die Verwechslung beider mit ihren entgegengesezten nothwendig wegfallen muß,
da diese Verwechslung den bejahenden Charakter des Urtheils ebenfalls in einen verneinenden, die Vereinigung
in eine Ausschließung umwandelt.

§. 240.

So steht nun die Definition über dem Individuellen einer erschöpfenden Exposition des Einzelnen als Begriff mit einer Allgemeinheit da, welche dennoch die höchste Allgemeinheit nicht erreicht, wie sie §. 50., 51. und
57. bey Entwicklung der Kategorien gefordert worden,
und nach dem ersten Schema der ersten Kategorientafel
auch gegeben werden kann. Denn wenn eine Definition
durch ihr Gattungsprädikat auch auf ein Grundwesen

zurückkommt, und dem definirten Begriffe seine Stelle im Umfange desselben bezeichnet, so bleibt doch für jede Definition das Grundwesen oder die Gattung selbst einzeln und schwebend, indeß eine nach den Kategorien geführte Construktion von oben herab jedem Grundwesen selbst wieder seine Stelle im Ganzen anweist. Hat aber die Definition die Gattung bestimmt, so hat sie damit auch den Charakter aller darin enthaltenen Arten bezeichnet, und hat sie die Art angegeben, so sind dadurch auch alle Individuen in derselben charakterisirt, weil Gattung und Art auf gemeinschaftlichen Merkmalen der in ihnen enthaltenen Vielheit beruhen.

§. 241.

Daher läßt sich nun auch, wenn das Enthaltenseyn eines Besondern unter der Allgemeinheit der Art oder Gattung bekannt ist, diesem Besondern, sey es Begriff oder Vorstellung, das als Prädikat zueignen, was in jener Allgemeinheit als Prädikat gefunden worden, und es entstehen daraus Urtheile, welche ihrem Subjekte auf diese Art sein Prädikat sichern, aber eben wegen dieser Berufung auf die Allgemeinheit nicht mehr einfache Urtheile seyn können. Sie heißen Syllogismen und enthalten: 1) das Subjekt in seiner Besonderheit mit seinem Prädikate (Schlußsatz); 2) die Zurückführung (Subsumtion) des Subjektes auf seine Allgemeinheit (Untersatz); 3) die Allgemeinheit mit dem Prädikate, welches dem Besondern gesichert werden soll (Obersatz). Hat man das Allgemeine (die Gattung oder Art) schon mit diesem Prädikate bezeichnet, so kann man nun abwärts

zu der Bezeichnung des Besondern mit demselben Prädikate fortschreiten, welches die gewöhnliche Stellung der
Syllogismen ist, so daß in jener ersten Richtung ein
Begründen des Besondern auf Allgemeines, in dieser
zweiten aber ein Fölgern oder Schließen von dem Allgemeinen auf das Besondre enthalten ist.

§. 242.

In der Definition sind die vielen Prädikate der Exposition auf zwey reducirt worden, welche gemeinschaftlich als Allgemeines der Besonderheit des Subjekts unver-
mittelt gegenüberstehen, in dem Syllogismus dagegen ist
die Aufnahme des Besondern unter das Allgemeine durch
den Subsumtionsakt vermittelt, der in dem Untersatze enthalten ist. Daher ist denn die Definition als der unvermittelte, der Syllogismus aber als der vermittelte Gegensatz des Allgemeinen und des Besondern zu betrachten, die Definition also zweygliedrig, der Syllogismus
dreygliedrig, und da bey dem Syllogismus jedes Glied
selber ein Urtheil ist, so ist er eben dadurch als poten-
zirtes Urtheil in seinen lezten Bestandtheilen neungliedrig.
Die Definition exponirt nur, sie potenzirt nicht.

§. 243.

Der in dem Syllogismus liegende Vermittlungscha-
rakter zeigt sich auch darin, daß seine neun Elemente sich
auf drey reduciren lassen, nämlich auf den Oberbegriff,
der das Subjekt in seiner Allgemeinheit bezeichnet, und
den Unterbegriff oder den Ausdruck des Subjekts in seiner Besonderheit, dann das Prädikat, welches durch jenen mit diesem vermittelt wird, und eben darum auch

gewöhnlich der Mittelbegriff heißt. Die Vermittlersrolle
des leztern ist hier anschaulich genug, indem er im Obersatze des Schlusses dem Prädikate als Subjekt dient, indeß er im Untersatze dem besondern Subjekte selbst Prädikat wird. In dem Schlusse: Menschen sind sterblich,
Cajus ist Mensch, also auch sterblich, erscheint Mensch
als der vermittelnde Begriff zwischen Cajus und seinem
Prädikate.

§. 244.

Folgernd steigt also der Syllogismus vom Allgemeinen zum Besondern herab, und begründend steigt er von
diesem zu jenem hinauf. Durch weiter fortgeseztes Auf-
steigen zu höherer Allgemeinheit kann daher der Syllogismus auch mehrere Glieder erhalten, und heißt dann
ein Kettenschluß. Die Conclusion bleibt dann immer dieselbe, nur daß sie mehrere Prämissen von gesteigerter
Allgemeinheit erhält. Hier kann denn auch wieder aufsteigend oder absteigend verfahren werden; und es muß
bey der aufsteigenden Richtung welche generalisirt, das
Prädikat der ersten Prämisse in der folgenden zum Subjekte werden, dagegen bey der absteigenden Richtung, welche spezialisirt, das Subjekt der frühern Prämisse zum
Prädikate der folgenden wird.

§. 245.

Dieses Auf- und Absteigen hat seine Gränzen, einmal in dem allgemeinsten Denkbaren, also den Kategorien und Urbegriffen, über welche nichts Allgemeineres
hinaus liegt; und dann in dem Einzelnen der Anschauung,

deſſen enge Beſtimmtheit die Erpoſition nicht einmal mehr
zu erreichen vermag.

§. 246.

Wie aber auch der Syllogismus ſich darſtellen möge, einfach dreygliedrig oder als Kettenſchluß, ſo beruht
ſeine Kraft auf der richtigen Vermittlung (Subſumtion)
des Allgemeinen mit dem Beſondern, und wenn dieſes
Allgemeine in der empiriſchen Erkenntniß nur annähe-
rungsweiſe vorkommt, wie in der Mehrheit der Merkmale bey den Schlüſſen aus Analogie, oder in der
Mehrheit der Fälle bey den Schlüſſen aus Induktion,
ſo kann hier die gefundene Mehrheit nicht als wahre Allheit (Allgemeinheit) betrachtet werden, und dieſe Schlüſ-
ſe können nicht als ſtrenge Begründung oder Folgerung
gelten.

§. 247.

Bey dem Verhältniſſe der Vermittlung, welches das
Weſen des Syllogismus ausmacht, bilden ſeine drey
Urtheile zuſammen ein geſchloſſenes Ganzes, wie die Definition es durch die unmittelbare Aufnahme des Subjekts unter ſein Doppelprädikat bildet. Wird nun der
Syllogismus von oben herab betrachtet, ſo erſcheint der
Schlußſatz nach ſeinem Vereinigen oder Ausſchließen (Be-
jahen oder Verneinen) von dem Oberſatze abhängig, der
daſſelbe ſchon im Allgemeinen gethan haben muß; und
der Umfang dieſes Bejahens oder Verneinens wird durch
den ſubſumirenden Unterſatz angegeben; von unten herauf betrachtet aber erſcheint der Oberſatz als der im Sub-

jekte gesteigerte Schlußsatz, und der Untersatz als unmittelbarer Ausdruck dieser Steigerung.

§. 248.

Die Exposition, die Definition und der Syllogismus als objektive Formen des Urtheils haben die drey anderen Formen desselben bereits hinter sich und theilen sich in ihre Anwendung. Die Exposition, welche durch Wahrnehmung über den Detailinhalt der Vorstellung klar seyn soll, verlangt für ihre Urtheile die assertorische und die bejahende Form, die Definition spricht kategorisch, und der Syllogismus will in seiner Conclusion als apodiktisches Urtheil geehrt seyn. Aber in seinen Prämissen kann er die zwey Formen verschiedentlich aufnehmen, und dadurch in seiner Conclusion afficirt zum kategorischen, hypothetischen, disjunktiven und conjunktiven ausschlagen, wobey selbst noch die subjektobjektiven Formen der Urtheile ihn zu modificiren vermögen.

§. 249.

Nach den objektsubjektiven Formen behandelt erhält der Syllogismus seine reinste Form in der kategorischen Weise, welche unter einen allgemein ausgesprochenen bejahenden oder verneinenden Obersatz einen bejahenden Untersatz stellend die reinste Subsumtion giebt; welche bey zwey verneinenden oder zwey partikulären Prämissen ganz wegfallen würde. Aus zwey partikulären Prämissen folgt nichts, weil sie nichts subsumiren, und aus zwey verneinenden folgt nichts, weil sie nur ausschließen und nicht bestimmen.

§. 250.

Aus der kategorischen Form gehen die Schlüsse wie die Urtheile in die hypothetische über; hier wird denn der Obersatz ein hypothetisches Urtheil, und der Untersatz erhält sodann das Geschäfte, was im Obersatze bedingt ausgesprochen worden, kategorisch zu entscheiden, indem er den Grund sezt und damit auch die Folge, oder aus der Abwesenheit der Folge auf das Nichtgeseztseyn des Grundes zurückschließt.

§. 251.

An sich kann jeder Syllogismus im Ganzen als hypothetisches Urtheil dargestellt werden, wenn der Obersatz desselben als Vordersatz ausgesprochen und der Schlußsatz als Nachsatz hinzugefügt wird, wobey sodann der Untersatz wegbleibt. Dieß ist die im Leben gewöhnliche Weise Syllogismen auszusprechen, z. B. wenn alle sterben müssen, muß ich auch sterben, und ist darum richtig, weil zu dem Wesen des hypothetischen Urtheils das bedingte Setzen gehört, und die Allgemeinheit des Obersatzes im Syllogismus eben als Bedingung für die Gültigkeit des Schlußsatzes aufgestellt wird. . . . .

§. 252.

Die disjunktive Form der Syllogismen verlangt, daß der Untersatz sich für eines von den im Obersatze aufgestellten Disjunktionsgliedern entscheide, um im Schlußsatze das andere ausschliessen zu können, wobey es denn, wegen der Wechselbestimmung der Disjunktionsglieder gleichgültig ist, ob der Untersatz sich setzend oder ausschliessend erkläre. Die hypothetische und disjunktive

Form gestatten aber im Syllogismus eine interessante Verbindung, welche Dilemma genannt wird. Hier enthält der Obersatz in seiner zweiten Hälfte eine Disjunktion und ist im Ganzen ein hypothetisches Urtheil; der Untersatz hat sodann die Disjunktionsglieder zusammenzufassen, und daraus die im Obersatze gemachte Voraussetzung zu widerlegen.

§. 253.

Die conjunktive Form der Syllogismen verlangt, daß im Obersatze die Glieder der Disjunktion neben einander gestellt und im Untersatze als Halbmesser ihres Ganzen anerkannt werden, worauf denn im Schlußsatze das Vorhandenseyn dieses Ganzen mit diesen Halbmessern gefolgert wird.

Beyspiel: Buchstaben sind Vokale oder Consonanten; andere Buchstaben sind nicht, folglich machen diese das Alphabet aus.

§. 254.

Auf diese Weise nehmen die Syllogismen die objektiv subjektive Form der Urtheile in sich auf, und soll auch die subjektobjektive Form der Urtheile mit Quantität, Qualität, Umkehrung und Umwandlung an ihnen durchgeführt werden, so giebt dieß die vier sogenannten Figuren der Schlüsse.

§. 255.

Da die Umkehrung der Urtheile oft ihre Quantität ändert, namentlich wo beschränkte Umkehrung nothwendig wird, und da die Umwandlung auch auf die Qualität der Urtheile wirkt, da ferner die Prämissen des

Syllogismus als einzelne Urtheile betrachtet der Umkehrung sowohl als der Umwandlung unterworfen seyn
können, da ferner die leztere jene vorausfezt, so kann
die Durchführung der Syllogismen durch die subjektobjektive Form der Urtheile auch als Werk ihrer Umkehrung betrachtet werden. Sonach erhält man die vier Figuren der Syllogismen

    1) ohne alle Umkehrung der Prämissen,

    2) durch Umkehrung des Obersatzes,

    3) durch Umkehrung des Untersatzes,

    4) durch Umkehrung beider Prämissen.

Es versteht sich, daß die erste Figur die natürliche ist;
auf welche sich die andern mehr oder minder gekünstel-
ten eben so müssen zurückführen lassen, wie sie aus ihr
entstanden sind.

§. 236.

    Da bey dieser Behandlung der Syllogismen der
Mittelbegriff nur in der ersten Figur seine natürliche
Stelle behalten kann, so kann man die vier Figuren
auch nach seiner Stellung charakterisiren. Nämlich:

    1) natürliche Stellung;

    2) in beiden Prämissen Prädikat;

    3) in beiden Prämissen Subjekt;

    4) umgekehrte Stellung.

Seine natürliche Stellung ist, daß er im Obersatze als
Subjekt, im Untersatze als Prädikat bastehe. Die in jeder Figur möglichen Arten, welche die Scholastiker durch
die bekannten barbarischen Worte bezeichnet haben, enthalten nun noch die quantitative und qualitative Verschie-

benheit der drey Glieder der durch diese Figuren durchgeführten Syllogismen.

§. 257.

So kann ein Subjekt logischen Urtheils durch Syllogismen sich seiner Prädikate versichern, welche die Exposition in ihm gesammelt dargestellt hat. In der Form
disjunktiver Urtheile liegt nun schon eine Andeutung,
wie Prädikate durch ihren Gegensatz gegen einander gestellt werden können, was bey fortgeführter Disjunktion,
welche Eintheilung heißt, zu einer relativen Anord-
nung der Prädikate ausschlagen muß. Wie denn auch
das disjunktive Urtheil im Begriff ist, in ein conjunktives überzugehen, in welchem die Ausschließung der Gegensätze sich in eine Ergänzung durcheinander verwandelt; so zeigt eine Eintheilung, die sich als neue Disjunktion in jedem gefundenen Disjunktionsgliede fortsetzt,
anschaulich die Vereinigung der disjunktiven Form mit
der conjunktiven, indem, was als Glied eines Gegensatzes erscheint, auch selbst wieder eine Sphäre ist, in
welcher Gegensätze entdeckt werden können. So lange
nun solche Gegensätze noch wirklich entdeckt werden, schreitet die Eintheilung auch ungehemmt fort, bis die Sache keine Entwicklung mehr darbietet, oder der Gedanke
nichts mehr zu unterscheiden vermag.

§. 258.

Für alle seine Eintheilungen steht das Eingetheilte
da als Substrat oder gemeinschaftliche Sphäre, und die
Seiten desselben, in welchen Gegensätze entdeckt werden,
heissen in Beziehung auf diese Eintheilungsgründe. So

werden z. B. die Verträge eingetheilt nach ihren Gegen-
ständen, nach der Art ihrer Schliessung u. s. w. Uebrigens hat die Eintheilung mit dem einfachen Syllogismus und der Schlußkette die doppelte, auf- und absteigende, Richtung gemein, wobey denn die erste ebenfalls
im Allgemeinsten, die leztere aber im Besondersten enden
muß. Jene als generalisirende Richtung sieht über die
Unterschiede hinweg (abstrahirt), diese als spezialisirende
Richtung sucht neue Unterschiede zu neuer Eintheilung
auf. Alle Eintheilung aber muß zweytheilig beginnen,
weil ihr Prinzip der Gegensatz ist; und eben so kann
sie auch nur zweytheilig fortschreiten; dreytheilig kann sie
nur werden, wenn sie bey dem vermittelten Gegensatze
das vermittelte Glied ebenfalls zählt, und jede mehrthei-
lige Division ist entweder im Prinzip falsch, oder muß
sich auf jene zurückführen. Da nun die Kategorien und
Uebergriffe die allgemeinsten Seiten der Dinge bezeichnen
und zugleich den Uebergang des Allgemeinen in die Besonderheit nachweisen, so sind sie auch das leitende Prinzip für alle Division, welche wissenschaftlich zu Werke
gehen will. Das empirische Tappen muß sich an die
Exposition halten.

§. 259.

Der Expositionsinhalt durch die Division auf diese
Weise bearbeitet wird zur Tabelle, welche in dendriti-
scher Form die erste zum Grunde gelegte Vorstellung in
ihre Aeste und Zweige auswachsen läßt, wobey die Zweige (Eintheilungsglieder) selbst wieder als Aeste (Einge-
theiltes) vorkommen müssen, und die erste eingetheilte

Vorstellung als Stamm die Gesammtheit ihrer Aeste und Zweige trägt. In solcher Tabelle müssen sich nothwendig alle Prädikate der Exposition wieder finden, und zwar jedes an seiner ihm gebührenden Stelle in der Entwicklung des Wesens, indeß sie in der Exposition bloß da standen, wo die von der äussern Erscheinung geleitete Wahrnehmung sie gefunden hatte. Den Gegensatz des Allgemeinen und des Besondern verfolgend kommt also die Reflexion in der vierten Form der Urtheile dazu, die Entwicklung des Wesens in seiner Ausbreitung zu zeigen und dadurch die Exposition der Vorstellung nach dem in der Vorstellung selbst liegenden Leben zu gestalten, wozu in der Definition und dem Syllogismus Vorbereitung gemacht worden.

§. 260.

Die Construktion der Vorstellung auf der Stufe des Urtheils, gewöhnlich Logik genannt, hat also folgendes Schema:

Subjektiv

problematisch

wahrscheinlich   assertorisch

apodiktisch

Subjektobjektiv   Objektsubjektiv

Qualität   kategorisch

Quantität Umkehrung   hypothetisch disjunktiv

Umwandlung.   conjunktiv

Objektiv

Exposition

Definition   Syllogismus

Division

und es wird aus dieser Construktion der Urtheile sichtbar, daß der Formalismus der Logik, welcher bisher
neben dem mathematischen als einzig und eigenthümlich
bestand, von der allgemeinen Construktion nach dem
Weltgesetze blos durch die wenigen Eigenthümlichkeiten
differire, die ihm aus der Besonderheit seiner Stufe nothwendig entstehen müssen.

§. 261.

Soll nun die Vorstellung durch Wahrnehmung und
Begriff hindurchgegangen ihre vierte Stufe erreichen, wo
sie als Idee durch die Mittelstufen auf die Wurzel her-
abschaut (§. 213.), so muß in ihr die vierte Kategorientafel eben so blos formal durchgeführt werden, wie in
der dritten Stufe die dritte Kategorientafel durchgeführt
worden ist (§. 217.). Im Ganzen hat nun die vierte
Stufe überall den Charakter der Totalität und ertheilt
ihn auch den drey vorigen Stufen, wenn sie sich bis zu
ihr erheben, welches in der vierten Kategorientafel durch
die drey ersten Kategorien ausgedrückt ist; in der vierten
Kategorie aber kommt die vierte Stufe ganz zu sich selbst
als Totalitätsform überhaupt.

§. 262.

Ist die Vorstellung als Wurzel oder auf ihrer ersten Stufe genommen nach §. 191. die aus der Empfindung herausgehobene das Objekt nachbildende Form, so
ist sie an sich, d. h. von ihrer bloßen Subjektivität abgesehen, eine Weltform; in welcher das Allleben gebunden ist, ein kleiner Kreis in dem großen. Dadurch erhält jede Vorstellung zweyfache Bedeutung, einm als
Bild

Bild des bestimmten Objektes, und zweitens als Form
des Alllebens, wobey denn die erstere Bedeutung auf dem
Allgemeinsten beruht, was in der Vorstellung liegt, die
leztere aber auf dem Besondersten, was diese Vorstellung
von jeder andern unterscheidet. In jener ersten Bedeutung heißt die Vorstellung Idee, und hat der Begriff
von der Art zur Gattung aufsteigend schon Allgemeinheit
gefunden, so geht in der Idee die Ansicht geradezu von
der Vorstellung des All aus und verlangt etwas, das
noch über Art und Gattung hinaus liegt. So z. B. ist
nach dem Begriffe das Recht die Begränzung der Freyheit des Einzelnen um der Freyheit der Andern willen,
und das Recht ist im Staate; nach der Idee aber bleibt
von dem Begriffe des Rechts nichts übrig, als die Begränzung des Einzelnen zum Behufe des Ganzen, welches die Gliederung ist, die im Idealen wie im Realen
statt findet. Eben so bleibt von dem Begriffe der Uhr
in der Idee nichts übrig als das Zeitmessen oder die
Zeitbestimmung in der Zeit selbst durch Wiederholungen
oder im Raume durch Fortrücken, und das Raum- und
Zeit-Spiel des Lebens ist seine eigene Uhr.

§. 263.

Die Idee überträgt also die Form, welche in der
Definition als Art der Gattung unterstellt worden, unmittelbar auf das All, nicht blos auf die Gattung, und
man kann die Idee bezeichnen als einen Begriff, welcher von der Art auf das All übergehend die Gattung
überspringt. Auf diese Art läßt also jede Definition sich
zur Idee steigern, die für alle Gattungen gilt, weil sie

N

auf dem All unmittelbar steht, folglich das Wesen des Dinges an sich ausspricht, indeß der Begriff nur bey dem relativen Wesen der Dinge stehen bleibt. Zugleich ist klar, daß in der Idee, welche das wahrhaft Allgemeine an die Stelle des relativ Allgemeinen sezt, der Begriff selbst noch einmal vorgestellt, also mit seiner Wurzel, der Vorstellung, multiplicirt worden sey; wie auch, daß der zur Idee gewordene Begriff durch Generalisirung wieder auf das Allesen zurückkomme, von welchem in der ersten Kategorientafel das Einzelne, also auch die Vorstellung, durch Absonderung (Individualisirung) ausgierg.

Anmerkung. Wenn man den Ideen den Begriff als Definition vorausgehen läßt, so kann man jedesmal für die Idee das All als Definitum substituiren. Demnach ist das Universum selbst eine Rechtsanstalt, in so ferne in ihm, wie im Staate, die Gliederung nothwendige Form der einzelnen Vielheit ist; das Universum ist selber ein Staat, in so ferne in ihm, wie im Staate, das Individualleben zu einem Gesammtleben verschmolzen ist; das Universum ist eine Uhr, in so ferne es sich auf dem Zifferblatte des Raumes mit dem Zeiger als Lichtstrahl selbst seine Zeit mißt u. s. w. Die Begriffe werden demnach zu Ideen, wenn sie als Weltformen betrachtet werden, und die Ideen werden zu Begriffen, wenn sie aus ihrem Wesen an sich, d. h. aus ihrer universellen Bedeutung, herausgerissen als Formen endlicher Dinge gedacht werden. Daraus ist einzusehen, daß die

von Plato gerühmte Welt der Ideen keine andere
sey, als die auch sinnlich erscheinende wirkliche aus
dem universellen Standpunkte betrachtet, und daß
dieser griechische Philosoph, wie schon ältere vor
ihm, als Welten trennt und entgegensezt, was blos
Standpunkte der Erkenntniß sind, die in ihrer richtigen Unterordnung erkannt einander ergänzen.

§. 264.

Wenn von den Definitionen aus dieser Weg zur
Idee führt, so führt vom Syllogismus aus ein andrer
Weg zu eben diesem Ziele. Hat nämlich der Syllogismus den Begriff seines Subjekts zu höherer Allgemeinheit gesteigert, so muß er nothwendig die Idee erreichen,
wenn er bis auf die höchste Allgemeinheit zurückgeht;
denn wenn die Könige sterblich sind, weil sie Menschen
sind, so ist das Universum in seinen Ausgeburten selbst
sterblich, und alle Schlußketten hängen mit ihrem ersten
Ringe an Jupiter's Bette. Wenn also von dem Gesichtspunkte der Definition aus gesehen das Universum es ist,
was allen Gattungen und Arten zum Grunde liegend in
allen Definitionen von einer seiner Seiten definirt wird;
so ist es vom Standpunkte des Syllogismus betrachtet
eben dieses Universum, was die Prädikate endlicher Dinge in sich aufnehmend das Subjekt des Obersatzes für
alle Syllogismen ausmacht.

§. 265.

Sezt man statt der Definition und des Syllogismus
die Division, so ist klar, daß das Universum selbst als
das höchste Divisum (Einheit) dastehe, für welches alle

durch die Division zu Tabellen gemachten Begriffe blos
Eintheilungsglieder ausmachen, daß demnach die Division in lezter Vollendung zu einer universalen Construktion ausschlagen müsse, welche nicht nach den Gegensätzen in dem Umfange eines bestimmten Begriffs gräbt,
sondern alle Gegensätze von oben herab findet, indem
sie das Weltgesetz festhaltend die Evolution des Alllebens
schrittweise begleitet.

§. 266.

Ist in jeder Division eigentlich nur eine Seite des
Universums logisch bearbeitet, und ist die Division eigentlich nur die logisch geordnete Exposition, so kann jede Vorstellung, welche exponirt worden, zur Idee gesteigert das Universum von einer seiner Seiten ganz individuell zeigen, weil nämlich die Exposition die Prädikate
der Wahrnehmung nach dem sinnlichen Gesetze der Wahrnehmung hinstellt. Doch ist in den Prädikaten der Wahrnehmung bereits die Vorstellung analytisch zerrissen, welche Zerrissenheit in der zuerst sinnlich angeschauten Vorstellung nicht statt fand. Soll demnach eine Exposition
zur Idee erhoben nicht bey aller Gliederung und Ordnung ihres Details dennoch eine zerrissene Anschauung
gewähren, so muß auf der Stufe der Idee für die Erkenntniß wieder die Continuität der Anschauung eintreten,
wie sie in der Vorstellung als sinnlicher Anschauung gewesen war, und nachher von der Reflexion aufgelöst
wurde.

§. 267.

Diese Continuität entsteht der Idee dadurch, daß sie

zu der universellen Form und Bedeutung, welche ihr als
vierter Stufe der Erkenntniß eigen ist, noch die Idee
des Lebens hinzufügt, auf welche wir schon in §. 9. unsere ganze Entwicklung gegründet haben, und durch deren Wiederaufnahme die Idee das Lezte (das Universelle) mit dem Ersten (dem Leben) verbindet, und dadurch
den Kreislauf ihrer Entwicklung absolut schließt. Diese
Idee des Lebens läßt den ganzen von der Reflexion vereinzelten Expositionsinhalt einer Vorstellung aus ihrem
unbestimmten, jedoch von außen begränzten, Wesen als
endlicher Einheit in ununterbrochener Anschließung des
Entgegengesezten hervorwachsen, und steht dadurch als
innere Continuität der äußeren sinnlichen Continuität gegenüber, welche blos darauf beruht, daß für die räumliche Anschauung jede scheidende Gränze (Gränzlinie) zugleich eine das Diesseits und Jenseits vermittelnde ist,
und daß die mit dem Raume stets zugleich wirksame Zeit
in ihrer Vermittlung der Gegensätze durch den Raum
selbst retardirt wird, wodurch die Glieder der Gegensätze
sammt ihrer Vermittlung ein continuirliches Uebergehen
(Anderswerden) gewinnen.

§. 208.

Indem also die Idee mit der Idee des Alllebens und
der Totalitätsform die Durchführung des Weltgesezes
verbindet, kommt sie zum Universellen und zum Einzelnen
zugleich, und die auf der Stufe des Begriffs einheimi-
sche Klassifikation wird hier Construktion. Dadurch wird
also die Einzelheit zur Individualität, in welcher
nach der ersten Kategorie der vierten Tafel nicht nur die

Abgesonderheit sondern auch die Abgeschlossenheit liegt, welche leztere darin besteht, daß ein eigenthümliches Faktorenverhältniß (eigenartig) mit eigenthümlichem Prozeße (eigenthätig) auf den Umfang dieses Einzelnen eingeschränkt es nicht nur von allen andern Einzelnen unterscheidet und trennt, sondern ihm auch eine auf eben diesen Umfang eingeschränkte Nachbildung des Allebens gestattet.

§. 269.

Die Abgeschlossenheit des Individuellen hat ganz die eben aufgestellte Bedeutung der Reciprocität seiner Faktoren und Prozeße auf das in der Begränztheit des Einzelnen eingeschloßene Wesen; keineswegs aber kann das auf diese Weise in sich abgeschloßene Einzelwesen für isolirt gelten im Allleben, mit welchem es vielmehr in Verbindung zu seyn fortfährt. Will daher eine durch die Idee individualisirte Vorstellung, nachdem sie auf diese Art die erste Kategorie der vierten Tafel erfüllt hat, in die zweite Kategorie derselben Tafel eingehen, und dadurch die Totalitätsform auch in der Entwicklung wiedergeben; so muß sie sogar jene Geschloßenheit brechen, und sich selbst zu einem Durchgangsgefäße für den Inhalt des All machen, was im Physischen Pflanze genannt wird, und wodurch die Vorstellung gleichfalls sich zu einer Anzahl von Aesten und Zweigen entwickelt.

§. 270.

Indem nämlich eine Vorstellung dadurch zur Idee wird, daß sie aus dem Standpunkte des All gefaßt worden, hat sie als eine Form des All sich gezeigt und zu

lassen übrigen Formen ein Verhältniß erhalten, welches
der Begriff nur als einen Gegensatz kennt, welches aber
bey der Identität des All in sich selbst und der Continuität seiner Erscheinung allerdings kein bloßer Gegensatz
seyn kann. Vielmehr müssen die Formen des Universums
mehr oder minder fähig seyn, eine sich in die andere aufnehmen zu lassen, und es kommt also jede Idee dazu,
Gefäß für die andern zu werden, in so ferne diese andern in ihre Eigenthümlichkeit eingehen, und den Gegensatz ablegen, der sie von jener Idee entfernt hält. In so
ferne nun eine Idee Gefäß wird für die andern Erscheinungsformen des All heißt sie Standpunkt, weil das
Erkennen im Bilde des Sehens begriffen wird, und jeder
Standpunkt des Sehenden die sichtbaren Dinge von einer
andern Seite zeigt und anders zusammenstellt.

§. 271.

Sobald eine Idee als Standpunkt betrachtet wird,
ist sie auch bereit, andere Dinge in sich aufzunehmen,
das heißt nach dem Schema der zweiten Kategorie auf
der vierten Tafel, sie ist aufgeschlossen, und das alles, was aus ihrem Gesichts- oder Standpunkte gesehen
wird, ist Material, welches in diese Idee aufgenommen und in ihre Eigenthümlichkeit verwandelt wieder von ihr ausgeschieden wird, so weit es sich dieser Eigenthümlichkeit nicht unterwerfen kann. Jede Idee
kann Standpunkt werden für alle andern; ist aber die
Erkenntniß nur bis auf die Stufe des Begriffs vorge-
rückt, so vermag sie das nicht, sondern die andern Erkenntnisse können mit dem gegebenen Begriffe blos so weit

in Beziehung gesezt werden, als sie etwas von ihm an
sich tragen, wo sodann dieser Begriff ihre Seite genannt wird.

Anmerkung. Das Recht auf seine Idee gebracht,
in welcher es Gliederungsform ist, kann ein allgemeiner Standpunkt werden für alle zur Einheit verbundene geistige oder leibliche Vielheit, indem bey
solcher Verbindung die Gliederung überall äussere
Form und erste Bedingung ist. Das Recht in seinem Begriffe als Persönlichkeitsschranke ist eine von
den vielen Seiten, welche der Staat hat. Der Gesichtspunkt der Gliederung wird in allem Material,
das er aufnimmt, nur auf jene äussern Verbindungs-
verhältnisse achten, und fahren lassen, was das Material ausser dem noch enthalten mag; der Rechtsbegriff als Seite des Staats wird noch mehrere Seiten desselben neben, über, oder unter sich anerken-
nen, für jezt aber nur diese Seite herausheben, und
nur das in Erwägung ziehen, was diesen Begriff
als Form an sich trägt.

§. 272.

Da das System der Grundbegriffe und der Kategorien die höchsten Weltansichten enthält, so ist es eben dadurch zugleich ein System der Gesichtspunkte für alle Erkenntniß, und wenn einer der in den fünf Tafeln enthaltenen Begriffe noch weitere Entwicklung erhält, wie in
§. 18. der Begriff der Quantität, so giebt dieß unter-
geordnete Gesichtspunkte. Zugleich sind eben diese Urbegriffe und Kategorien als Weltformen auch der Grund

aller in den logischen Urtheilen als Prädikate hervortretenden Modifikationen der Vorstellungen, und wenn eine Vorstellung zum Begriffe erhoben worden ist, so wird sie gerade so viele Seiten enthalten, als sie solcher Weltformen in sich hat. In einem Begriffe also, der die Selbstverdopplung der dritten Tafel enthält, wird auch nicht von subjektiver oder objektiver Seite die Rede seyn können, indeß andre auf diesem Gebiete gewachsene Begriffe, wie z. B. der Begriff des Vertrags, diese zwey Seiten von selbst darbieten. Im Allgemeinen können daher die Seiten der Begriffe gefunden werden, wenn man Art und Stufe ihres Inhaltes bestimmt, wozu die zweite Kategorientafel Anleitung giebt.

§. 273.

Ist eine Idee als Gesichts- oder Standpunkt in dem ihr gehörigen Material durchgeführt worden, so daß sie dieses Material in ihre Form aufgenommen, das nicht Aufnehmbare des Materials aber ausgeschieden hat, so gleicht sie in ihrer Darstellung einer Tabelle, wie sie nach der Lehre von der Eintheilung (§. 252 fg.) zu Stande kommt. So ist z. B. die Gliederung nach der ersten Kategorientafel die Aggregatform, nach der zweiten die dendritische, nach der dritten die organische und nach der vierten die systematische, was also eine Eintheilung der Gliederung giebt. Hier ist aber nicht nach der formalen Weise der Eintheilung verfahren worden, sondern die Idee hat sich als Weltform, wie in den Kategorien, mit dem Inhalte zugleich entwickelt, und so erscheint hier an der Idee eine dem Begriffe ganz fremde Eigenthümlich-

keit, nämlich wesenartig und formartig zugleich zu seyn,
und in dieser doppelten Entwicklung ein Individualleben zu haben.

§. 274.

Dadurch fällt also eine Idee in die dritte Kategorie
der vierten Tafel, deren Momente an ihr wahr werden
müssen. Wenn die Idee als Gesichtspunkt (Gefäß) einen Inhalt, der ausser ihr lag, in sich aufnahm und
durch sich hindurchgehen ließ; so erzeugt sie sich jetzt
nach dieser Kategorie selbst, indem sie sich begreift als
ein Leben, das sein eigener Inhalt und seine eigene
Form ist, wie das bey dem Allleben so statt findet. Dadurch ist das formale Wesen der Erkenntniß in sich selber verdoppelt als ein zugleich inhaltiges Wesen, das in
der Entwicklung seines Inhaltes ein produktives, in
der Erkenntniß der Form aber ein reproduktives
d. i. die Welt spiegelndes, System enthält, welche beide
Seiten, Weltinhalt und Weltform, in einem Centralleben zusammenlaufen, welches für die Idee Construktion heißt. Diese hier zu dem Weltinhalte der Idee hinzukommende Weltform besteht nun in der Vermittlung
von Wesen und Form durch den zwischen beide tretenden
doppelten Gegensatz, und wenn die Ideen nach der ersten
und zweiten Kategorie der vierten Tafel noch eigenthümliches Wesen und eigenthümliche Entwicklung gehabt haben, so wird jetzt in der dritten Kategorie alles unter die
allgemeine Form aufgenommen, und ihre produktive Seite (Weltinhalt) mit der reproduktiven (Weltform) innigst
verbunden läßt jene doppelte Eigenthümlichkeit blos als
besondere Richtung des Alllebens erkennen.

§. 275.

Demnach steigt die Erkenntniß von der Vorstellung, welche als erstes Werk des Geistes aus ihrem Zusammenhange mit der sinnlichen Anschauung sich losreißt, durch die Wahrnehmung und den Begriff zur Idee empor, in welcher das Einzelne universell wird, und wenn die Erkenntniß diese Höhe erreicht hat, so ist auch ihr Inhalt in Form aufgegangen, denn er ist ja aus der Anwendung der Form auf die Idee des Alllebens begriffen worden. Jedes in der Idee erkannte Ding erscheint nämlich als eine bis auf diese Stufe und nach dieser Seite und so weit fortgeführte Anwendung der Weltform auf das Allleben, und die Form erscheint hier eben so souverain, als bey der eben entstandenen Vorstellung der Inhalt. Diese Souverainität des Inhaltes ist nun das sonst so genannte a posteriori der Erkenntniß, und gegenüber steht die Souverainität der Form als das a priori, und für geistige Naturen, deren Erkenntniß sich vom individuellen Standpunkte aus bildet, ist der Weg von dem a posteriori zu dem a priori der natürliche, und der alte Canon: nihil est in mente, quod non prius fuerit in sensu, behält für uns seine ewige Wahrheit.

Anmerkung. Das formell Wahre, wie z. B. die Sätze der Mathematik, ist von jeher zu dem a priori gerechnet worden, weil man hier die Macht der Form fühlte. Bisher gab es aber nur zwey formelle Wissenschaften, nämlich Logik und Mathematik; durch gegenwärtiges Werk wird man wohl einsehen,

wie die Wissenschaft überhaupt formell werden könne, und auch müsse.

§. 276.

Ist eine Erkenntniß als Idee zur Gestalt des Universums geworden, so ist für sie nichts mehr zu thun,
als ihr Verhältniß zu den andern Ideen oder ihre Stelle im Universum als einem Ideenganzen nachzuweisen.
Ist die zur Idee gewordene Erkenntniß nicht selbst die
Idee des Universums, so ist sie eine Seite desselben,
nämlich die reale oder ideale, und da für unsere menschliche Anschauung das Universum sich individualisirt zeigt
als Erde, so fallen alle von Vorstellung bis zur Idee
gesteigerten Erkenntnisse für uns in die reale oder ideale
Entwicklung dieses Planeten, gehören also der Weltgeschichte an oder der Naturwissenschaft. So sind Staat,
Kunst, Wissenschaft u. s. w. welthistorische, Vegetation,
Animalisation u. s. w. naturwissenschaftliche Ideen.

§. 277.

Wohin aber auch eine Idee gehöre, welche nicht selber das Ganze ist, so hat sie als Theil eines Ganzen
ihre Besonderheit, welche von aller universellen Beziehung entblößt Einzelheit heissen muß, wie sie in der ersten Tafel der Kategorien genannt worden. Die Einzelheit aber ist nie ohne universelle Beziehungen, weil der
Grund der Einzelheit, die Abscheidung aus dem Alle-
ben (S. 49.), nur relativ ist, und am allerwenigsten kann
eine bis zur Idee gesteigerte Vorstellung sich des Universellen entäussern. Daher ist hier die Besonderheit mit

ben universellen Beziehungen zu begreifen, und nach die‑
ser Ansicht heißt das Besondre ein Glied.

§. 278.

Wenn also jede Idee als Glied eines Ganzen be‑
trachtet werden muß, und aus welthistorischer oder na‑
turwissenschaftlicher Construktion das Ganze bekannt ist,
welchem sie angehört, so nimmt sie Antheil an dem Cha‑
rakter dieses Ganzen und sezt sich mit diesem Charakter
den Ideen entgegen, welche zu einem andern Ganzen
gehören, wie z. B. die Ideale der Kunst mit ihrem ob‑
jektiven Charakter sich den subjektiv angeschauten Ideen
der Wissenschaft entgegensetzen. Ueberall aber hat das
Glied zu seinem Ganzen das Verhältniß, daß es 1) sei‑
nen Inhalt aus dem Ganzen erhalten hat, und 2) in
seiner Form die Form des Ganzen nachbildet; 3) daß
das Ganze zum Theil in jedem Gliede lebt, und 4) die
Gesammtheit der Glieder über die individuelle Gränze
des einzelnen Gliedes hinauslebend durch ihr Gesammt‑
leben das Ganze constituirt. Je nachdem nun das Ganze
selbst ist, je nachdem sind auch diese vier Momente be‑
schaffen, im Staate politisch, im Concert musikalisch u. s. w.

§. 279.

So wird eine Idee überhaupt als Glied ihres Gan‑
zen bestimmt; da aber jedes Ganze, das als Inbegriff
seiner Glieder Geschlossenheit hat, auch in seiner fort‑
schreitenden Entwicklung begriffen Stufen durchläuft, in
deren vierter erst die vollendete Darstellung seines In‑
haltes heraustritt, so kommt jede Idee auf irgend eine
Stufe ihres Ganzen zu stehen, welche Stufen, da jede

ihre eigene Vielheit geordnet entfaltet, Systeme genannt werden, wie Sphärensystem, Gefäßsystem, Nervensystem, Finanzsystem u. s. w. Demnach ist für die Bestimmung einer Idee auch anzugeben, zu welchem Systeme ihres Ganzen sie gehöre, welches voraussezt, daß man die Construktion des Ganzen selbst vor sich habe. Ist dadurch für die Idee die Entwicklungsstufe ihres Ganzen bestimmt, auf welcher sie vorkommt, so bleibt noch die Stelle zu bestimmen, welche sie in der Seitenentwicklung des Ganzen einnimmt, wo sie mit der Besonderheit einer Art oder Gattung als Organ des Ganzen erscheint, wie im Staate die Justiz, im thierischen Organismus die Lunge u. s. w.

§. 280.

Weil aber die Differenz der Organe in einem Centralorgane sich auslöscht, wie in der Gattung die Arten, und weil diese Indifferenzirung für ein Ganzes mit seiner höchsten Stufe zusammenfällt, so wird möglich, daß eine Idee in ihrem Ganzen auch die Stelle der Gesammteinheit einnehme, wie im Staate die Majestät, im thierischen Organismus das Hirn. Diese Stelle ist denn die höchste, die Bestimmung der Stelle überhaupt aber für eine Idee das Lezte.

III.
Sprachsystem.

§. 281.

Das in den Dingen lebendige Weltgesetz, welches in der Tafel der Urbegriffe und den vier daraus abgeleiteten Tafeln der Kategorien dargestellt worden, entwickelt sich der Erkenntniß gegenüber in der Darstellung, in welcher nach der dritten Kategorientafel und der dritten Kategorie der vierten Tafel das subjektive Leben die von demselben nachgebildete Weltform wieder auf das objektive Leben überträgt. Die Darstellung ist, wie die Erkenntniß, formaler Natur, indeß die inhaltige Aufnahme des objektiven Lebens in das subjektive Leben Gefühl und die inhaltige Rückwirkung des erkennenden Subjekts Wille genannt wird.

§. 282.

Im Gefühle bildet sich für die erkennenden Subjekte eine jedem eigenthümliche innere Welt, indeß in der Erkenntniß, je reiner sie ist, sämmtlichen Individuen dieselbe Weltform sich in ihrer Universalität aufschließt; daher ist denn auch die inhaltige Rückwirkung oder das Wollen ganz individuell, und mein ist, was ich fühle und will. Dagegen hat das formale Rückwirken, wel-

ches Darstellen heißt, den universalen Charakter der Erkenntniß, und die Individuen, wie sie auch nach ihrer
Individualität verschieden seyn mögen, müssen sich als
Geister in Einer gereinigten Erkenntniß und Einer gelungenen Darstellung derselben begegnen. Fühlend und
wollend waren sie aber Gemüther, und, was sie als
Geister erkannten, trat erst als Form aus ihrem Gemüthe hervor, und was sie darstellen mochten, mußte
von ihrem Willen ausgehen und ihrem Gemüthe entsprechen; woraus folgt, daß für endliche Geister weder die
Erkenntniß noch die Darstellung den universellen Charakter sogleich annehmen kann, sondern beide vom Individuellen ausgehend zu dem Universellen sich erst empor-
arbeiten müssen.

§. 283.

Dazu ist nothwendig, daß die Vielheit der Individuen, wie sie aus Einheit entsprungen ist, durch formale Gemeinschaft in dargestellter Erkenntniß sich zuvörderst
auf Uebereinstimmung wieder zurückbringe, welches nur
möglich ist, wenn die Individuen auf dem Wege der
Darstellung ihr gemüthliches und geistiges Leben einander entgegentragen. Diese Gemeinschaft (§. 70, 71.) geistigen und gemüthlichen Lebens der Individuen wird erreicht durch die Sprache, in welcher jedes Individuum
seine Gefühle und Erkenntnisse herausstellt, damit sie
ein anderes Individuum objektiv aufgreife und subjektiv
in sich übertrage und in der Fortsetzung dieses Wechsel-
spiels eine Vermittlung des individuellen und universellen Lebens in dem Innern der Individuen möglich werde.

Daher gelangt die Erkenntniß sowohl als die Darstellung der Individuen durch solche Sprachgemeinschaft
zu ihrem reinern Charakter, indem hier die Eigenthümlichkeiten der Einzelnen als Gegensätze erscheinen, welche
sich untereinander theils ergänzen, theils aufheben.

§. 284.

Die Sprache ist demnach zwar objektive Herausstel-
lung subjektiven Lebens, aber nicht für die Darstellung
überhaupt (§. 154. Note), sondern für die Umwandlung
des objektiv gemachten Lebens in subjektives in einem andern Subjekte, und für die Zurückgabe solchen Lebens
von dem andern Subjekte, also für gemüthlich-geistige
Gemeinschaft. Daher heißt denn die erste hervortretende
Aeußerung des Sprechens, welche auf Zurückgabe von
andern Individuen wartet, eine Frage, und die Zurückgabe eine Antwort, und die Sprache selbst ist ein Frag-
und Antwort-Spiel, in welchem die Sprechenden sich
theils in einander verweben, theils auch ihre eigene Individualität zur Universalität steigern.

Anmerkung. Daraus ist klar, daß bey den Thieren, als deren Individualität theils der Geschlossenheit, theils des universellen Charakters entbehrt,
von wahrer Sprache nicht die Rede seyn könne,
und daß ihre sprachähnlichen Aeußerungen durch
Laute oder Gebehrden, selbst wenn sie, wie bey ge-
selligen Thieren der Fall ist, aus Bedürfniß gegenseitiger Mittheilung entstehen, indeß sie bey unge-
selligen doch nur aus Bedürfniß der Organe subjektiven Lebens, welche ihre Erregung an die Orga-

ne des objektiven Lebens absetzen, entspringen, doch
des formalen Charakters entbehren, der, in Erkenntniß und Darstellung liegend und in seiner Vollendung universell, die gegenseitige Mittheilung subjektiven Lebens erst zur eigentlichen Sprache erhebt,
und aus den Sprechenden ein Geisterreich bildet.

§. 285.

Für die Sprache entsteht also ein individueller in
Fühlen und Wollen gemüthlicher und ein geistiger in Erkenntniß und Darstellung universeller Theil, welcher leztere allein unserem Systeme der Erkenntniß gegenüber zu
stehen kommen kann, indeß der erstere sammt dem ebenfalls individuellen Antheile der Erkenntniß seine Stelle
in einer allseitigen Construktion der Menschennatur (Anthropologie) einnimmt. Für den von uns zu construirenden Theil der Sprache ist nun, gegenüber der bereits
geführten Construktion der Erkenntniß, das Verhältniß
von Subjekt und Objekt an die Spitze zu stellen, nach
welchem in der Sprache die im Subjekt als Vorstellung
nachgebildete Form des Objekts in das leztere selbst wieder übertragen wird, so daß, wenn die Erkenntniß Anschauung in Vorstellung umwandelt, die Sprache dagegen Vorstellung in Anschauung umzuwandeln hat.

§. 286.

Daher ist zuvörderst die Frage nach einem Gebiete
objektiven Lebens, welches der Einwirkung des Subjektes soweit ausgesezt sey, daß dieses subjektive Formen
darin erkennbar darstellen könne. Als solches erscheint
die gesammte den Sinnen eingeräumte objektive Welt,

indem diese nach ihrer Form modificirbar ist durch die dem Sinnensystem beygeordneten Bewegungsorgane des Subjekts (S. 149.), so, daß diese Sinnenwelt selbst in dem Grade Sprachmaterial werden kann, als sie fähig ist, bestimmte Form in sich aufzunehmen, und die angenommene zugleich äusserer Anschauung entgegenzuhalten. Der mechanische Sinn mit seinen objektiv darstellbaren starren Formen, der dynamische Sinn mit seinen im Elemente trennbaren und meßbaren Conflikten, und der Lichtsinn mit seiner stehend gemachten Recapitulation alles Sinnlichen, müssen daher dem Bedürfnisse der Sprache angemessener entgegenkommen als der chemische Qualitätensinn, der an sich höchst subjektiv nur in den Massen des mechanischen Sinnes oder den Gestalten des Lichtsinnes zu objektiver Darstellung kommt.

: Anmerkung. Im vierten Abschnitte finden sich diese
    hier blos angedeuteten Verhältnisse der Sinnlichkeit
    weiter ausgeführt.

§. 287.

Hat die Sprache auf diese Art ihr objektives Darstellungsgebiet sicher, so kann sie gleich der Erkenntniß ihr Wesen auf diesem Gebiete durch seine Stufen hindurchführen. Wie nämlich die Erkenntniß mit der Vorstellung als Stufe der Einzelheit und Nichtorganisation anfängt, und mit der Universalität und Construktion der Idee endet, so stellt auch die Sprache zunächst einzelnes Vorstellen heraus und endet mit Darstellung des Weltgesetzes nach universeller Erkenntniß, und es ist der Stufengang der Sprache dem Stufengange der Erkenntniß

ganz parallel, nur daß auf der Erkenntnißseite die Vorstellbarkeit des Objektiven, auf der Sprachseite aber die
Darstellbarkeit des Subjektiven den eigenthümlichen Charakter ausmacht.

§. 288.

Höchste Darstellbarkeit ist verbunden mit höchster
Objektivität, die erste Stufe der Sprache muß also die
Anschauung der Vorstellung in einer von dem Wirken
des Subjekts ausgegangenen Objektivität, welche Bild
heißt, hervorbringen, und weil die höheren Stufen überall nur das Wesen der niedersten Stufe ins Formelle
erweitern, so wird die Sprache in jeder Stufe Bilder
hervorbringen, welche zwischen dem vorgestellten Gegenstande und der Vorstellung von ihm in der Mitte stehen,
sich auf beide zugleich beziehend. Das Bild, welches die
niedrigste Sprachstufe erschafft, wird aber die höchste
Objektivität nur in dem Gebiete des niedersten Sinnes,
welcher die Massen betastet, zu finden vermögen; die
niederste Stufe der Sprache wird also Bilderschrift seyn,
welche in vollgültiger Wirklichkeit plastisch, in höherer
Abstraktion aber mahlerisch ist.

§. 289.

Plastisch oder mahlerisch ausgesprochen bleibt dem
Bilde immer der Charakter des Firen, welcher auch den
festen Bildungen der Natur anhängt, und es enthält
das Bild wie sein Gegenstand räumliche Anschauung,
welche ihre firirte Erscheinung auf ebenfalls firirte Grundverhältnisse aufträgt. Diese Grundverhältnisse sind ebenfalls räumlich, und laufen auf die drey Dimensionen

(§. 126 fg.) zurück, laſſen ſich aber in der Geſchloſſen=
heit, in welcher ſie einem Bilde zum Grunde liegen, in
Linienzeichnung abſtrakt herausſtellen, und heiſſen Fi=
gur, ſo daß das Bild in ſeiner höhern Formaliſirung
auf der zweiten Stufe der Sprache Figur wird.

§. 290.

Die Figur drückt die Grundverhältniſſe der Geſtalt
aus, in welchen Momente der Entwicklung irgend eines
Lebens fixirt ſind. Durch eine weiter gehende Abſtrak=
tion kann alſo die Sprache aus der Figur noch die Zahl
herausheben, welche das Auffaſſen dieſer Momente iſt,
und wodurch die Sprache von einer Linienſchrift ſich in
eine Punktſchrift umwandelt, welche in der äuſſern Dar=
ſtellung eben ſo wie in der innern Anſicht von der An=
ſchauung der Bilderſchrift ſich entfernt hat. In dieſen
drey Stufen der Sprache verliehrt ſich für die Darſtel=
lung die Objektivität in dem Grade, als die darzuſtel=
lende Anſicht von Abſtraktion und Allgemeinheit zunimmt,
wobey zugleich auf jeder folgenden Stufe neue Verhält=
niſſe der Organiſation, nämlich zuerſt geometriſche, dann
arithmetiſche hervortreten, nachdem die Bilderſchrift blos
die Verhältniſſe räumlicher Aſſociation gekannt hatte.

§. 291.

Das Lezte, was endlich die Sprache noch zu errei=
chen vermag, iſt eine Objektivität, welche aus dem ſpre=
chenden Subjekte ſelbſt hervorgegangen ſein eigenes Werk
iſt, alſo ſubjektobjektiv heiſſen kann. Dieſe wird möglich
in dem Leben des Subjekts, welches nach ſeiner Geſtal=
tung gänzlich in deſſen Gewalt iſt, ſo daß die noch un=

bestimmte Produktivität des allgemeinen Lebens nebst seiner Produktenform sich darin spiegelt. Dieß ist die
Stimme, welche ungetrennt in ihren Elementen des
Tonspieles fähig ist, getrennt aber nach ihrem inhaltigen
und formalen Elemente den Gegensatz alles Lebens nach-
ahmend zu einem Gestaltensysteme zu werden vermag,
welches als Tonsprache die Welt nachschafft. Wenn nun
solche Tongestaltung in irgend einer Form der fixirten
Erscheinung ihre angemessene Objektivirung findet, so
hat diese Tonsprache als Schrift auch vollends ihre objektive Vollendung. Weil denn hier die Produktivität mit
der Produktenform wie im Allleben verbunden ist, dessen Gestalten die Bilderschrift schreibt, so kann die Schrift
der Tonsprache, d. i. die Buchstabenschrift, sich eben
so wohl der geometrischen als der arithmetischen Lebens-
anschauung bemächtigen, und ist wahre alles sprechende
und schreibende Sprache.

§. 292.

Demnach gilt für die Construktion der Sprache das
Schema: -

Wort

Zahl   Figur

Bild

und es ist jetzt nur zu zeigen, was jede dieser vier
Sprachformen für sich besonders vermöge. Das Bild
der Bilderschrift steht zwischen der Vorstellung und dem
Gegenstande, und hat in Bezug auf den leztern die Aehnlichkeit, in Bezug auf die erstere aber den Sinn des Sprechenden in sich; und wenn die Aufgabe der Aehnlichkeit

eine Technik der Darstellung erfordert, die auch außer
dem Sprachgebiete für sich ihren eigenen Zweck haben
kann, so verlangt die Darstellung des Sinnes durch das
Bild wissenschaftliche Erkenntniß, die zur Construktion
der Sprache gehört.

§. 293.

Die Aehnlichkeit des Bildes vorausgesetzt, so ist klar,
daß es selbst einzeln der angemessene Ausdruck für die
gegenständliche Einzelnheit der Vorstellung sey, wobey
ihm aber auch, wie dem einzelnen Dinge, die für die
zur Idee gesteigerte Vorstellung erreichbare universelle
Bedeutung zum Grunde liegen kann, wenn etwa sich
das sprechende Subjekt zu solch universeller Ansicht erhoben hätte. Zunächst aber muß das Bild gelten als objektiv einzelne Bezeichnung des einzelnen Dings und seiner Vorstellung, was in der Tonsprache ein Name genannt wird, der in vieler Einzelnheit vorkommend zum
Appellativum (Gattungsnamen) ausschlägt. Dadurch
wird die Bilderschrift fähig, Vorstellung, Wahrnehmung
und Idee zu schreiben, und wenn die Appellative schon
Gattungen und Arten bezeichnen, so fehlt ja auch dem
Sprechenden nicht mehr viel, ihr Charakteristisches als
Begriff in besonderem Bilde, z. B. einem Flügel, auszusprechen, was denn ebenfalls wieder universell genommen zum Ideenausdrucke ausschlagen mag. Im Ideenausdrucke heissen die Bilder Symbole.

§. 294.

Demnach kann die Bilderschrift dem Ausdrucke der
Erkenntniß in so weit genügen, als diese überhaupt Vor-

ſtellung ſinnlicher Anſchauung iſt und in der Nachbildung des Gegenſtandes ſich wieder findet. Will aber
die Erkenntniß aus dem inhaltigen und gegenſtändlichen,
d. h. unmittelbar anſchaulichen Weſen in's Formale der
Verhältniſſe und Beziehungen übergehen, ſo kann ihr die
Bilderſchrift nur ſo weit folgen, als die Erſcheinung des
Sinnlichen dergleichen Verhältniſſe und Beziehungen für
die Wahrnehmung darbietet, wofür die Tafel der Urbegriffe in den Schematen des Weſens und des Gegenſa-
tzes nebſt den Prädikamenten der erſten und zweiten Kategorientafel die Conſtruktion giebt. Da erſcheinen die
Qualitätsverhältniſſe als Farbenverhältniſſe, die Quan-
titätsverhältniſſe als Verhältniſſe der Umriſſe oder nume-
riſcher Wiederholung (Zahl), der abſolute Gegenſatz als
oben und unten, der relative als rechts und links, das
Urweſen als umfaſſend, ſein Produkt als umfaßt, jenes
als Ganzes, dieſes als Theil u. ſ. w.

§. 295.

Für die beiden eben ausgeſprochenen Paragraphen
kann die Bilderſprache um ſo mehr genügen, je mehr ſie
ihre Bilderwelt in das Menſchliche führt, indem hier
theils die Geſtalt durch vielfache Veränderung in Stellung und Zuſätzen ausdrucksvoller wird als in den auſ-
ſermenſchlichen Formen, theils auch die Verhältniſſe und
Beziehungen nach Ausdruck und Bedeutung bekannt in
der Bilderſchrift wiederholt werden können, z. B. daß
eine Menſchengeſtalt mit aufgehobenen Händen vor der
anderen kniet u. ſ. w. Demungeachtet kann dieſe Sprache, die Unbehülflichkeit ihres Gebrauchs abgerechnet,

nicht einmal dem Bedürfnisse der Erkenntniß genügen,
weil sie überall nur das Produkt in seinen Verhältniß
sen darzustellen, nie aber die Verhältnisse von dem Pro=
dukte zu trennen und auch nie die Produktivität selbst
darzustellen vermag. Eben so wenig vermag die Bilder=
schrift dem subjektiven Bedürfnisse des Sprechenden zu
genügen, der theils sich mit seinen inneren Zuständen,
theils wie er von den Dingen afficirt oder gegen diesel=
ben gesinnt sey, auszusprechen begehrt; die Bilderschrift
eignet sich daher nur zu Darstellung solcher Erkenntniß=
se, die aus der sinnlichen Anschauung genommen in der
Darstellung wieder zu ihr zurückkehren, z. B. astrono=
mische Wahrheiten. Will sie durch Aufnahme von Bil=
dern aus der Menschenwelt ihr Gebiet auf die vorhin
bezeichnete Weise erweitern, so wird sie durch diese Iko=
nographie nothwendig historisch und fängt an Gemälde
zu seyn.

§. 296.

Da bey dieser Beschränktheit die Bilderschrift die
Aufgabe der Sprache nur so ungenügend zu lösen ver=
mag, so bleibt noch die dreyfache Forderung, einmal
nämlich aus dem Bilde der Bilderschaft das Allgemeine
herauszuheben, dann für die noch nicht ins Produkt über=
gegangene Produktivität besondern Ausdruck zu finden,
und endlich in einer Sprache synthetischer Art das alles
zu vereinigen und mit dem Ausdrucke subjektiven Sinnes
in dem Sprechenden zu verbinden.

§. 297.

Das Bild der Bilderschrift stellt ein Produkt aus

dem Gebiete der Erscheinungswelt in seiner Besonderheit
dar, und hat sonach die räumliche Produktenform über=
haupt als Allgemeines in sich. Diese beruht auf Gegen=
sätzen des Lebens und ihrer Vereinigung, welche beide
als extensive Größen sich darstellen, und in der räuml=
chen Anschauung als Richtungen festgehalten Linien ge=
ben, durch welche die Bilderschrift sich in eine abstra=
cte Form, die Linienschrift, umwandelt, deren Bestand=
theile aber dennoch nur Werk des schreibenden Geistes,
nicht der Natur sind. Denn wenn auch die körperlichen
Gestalten, welche die Natur producirt, durch Linien be=
gränzt scheinen möchten, so ist die Anschauung der Grän=
ze als einer Linie doch nur Produkt des Auffassens von
dem, was in der körperlichen Natur als bloße Richtung
und Aufhören der Masse (Aufhören der Masse nach die=
ser oder jener Richtung) dasteht, und wenn die körperli=
chen Bewegungen Bahnen beschreiben, welche als Linien
dargestellt werden mögen, so läßt doch keine Bewegung
eine solche Linie wirklich zurück.

§. 298.

Linien sind also blos Schrift zu Bezeichnung von
Gränzen und Richtungen räumlichen Lebens, und da aus
begränzten Richtungen die räumliche Existenz der Dinge
selber besteht, so liegt eben in einer Linienschrift die Mög=
lichkeit eines allgemeinen Ausdrucks für die Produkten=
form der Dinge, und da Richtungen sammt ihren Grän=
zen extensiver Art sind, so liegt hierin auch die Möglich=
keit ihrer quantitativen Vergleichung, welche als eigene
Technik Meßkunst genannt wird. Die Geometrie aber

als Linienschrift und Sprache genommen muß auf ihre Art in Gegensätzen und Synthesen von Linien, d. h. in Figuren, ebenfalls schreiben, was alle Geister nur schreiben, das Weltgesetz nämlich.

§. 299.

Linie ist also Schriftzeichen für Richtung und Gränze, und beide geben dem räumlichen Daseyn die Form; dessen Wesen ist also zu suchen in dem, was noch richtungs- und gränzenlos ist, und, als Anfang von Richtung und ohne Ausdehnung seyend von der Linienschrift bezeichnet wird durch den Punkt, der also unter ihren Schriftzeichen das äusserste ist. Die Form dagegen liegt in einer Linie, welche zu der Identität des Punktes das vollkommenste Reciprocitätsverhältniß darstellt, indem sie ausser ihm selbst seyend sich in ihrem ganzen Verlaufe gleichmäßig auf ihn zurückbezieht, welche Linie Kreis heißt.

§. 300.

Der Punkt ist das Schriftzeichen des richtungslosen Wesens im Raume, und eben darum auch dimensionslos, wenn auch sein Zeichen wegen der räumlich ausgedehnten Darstellung die Dimensionen der Fläche oder gar der Masse enthalten muß. Der Kreis dagegen enthält schon die beiden Dimensionen, welche in einander verwebt die Fläche ausmachen, und wenn der Punkt mit dem Kreise in Eine Flächenrichtung gestellt ist, so bestimmen beide mit einander eine Ebene. In dieser enthält der Punkt die Möglichkeit aller Richtungen und der Kreis enthält ihre gemeinschaftliche Gränze, und die weitere Entwicktung des geometrischen Wesens liegt in dem Entstehen bestimmter Richtungen, welche als Linien ausgedrückt im Punkte beginnen und im Kreis enden müssen, weil die Möglichkeit durch Begränzung zur Wirklichkeit wird. Ist die Wirklichkeit einmal gesezt, so kann die Reflexion sie auf die Möglichkeit wieder zurückführen, also die Linien vom Kreise aus- und im Punkte untergehen lassen.

§. 301.

In der Ebene des Kreises muß nun auch gesezt werden, was die Geometrie weiter zu schreiben hat, nämlich der Gegensaz und die Vermittlung. Jener ist darzustellen durch eine Linie, welche vom Punkte nach entgegengesezten Richtungen ausgehend im Kreise endet, und Durchmesser heißt einen Gegensaz ausdrückend, der durch das ganze Wesen geht zugleich den Kreis theilend und dessen Hälften als Sehne begränzend; und die Vermittlung liegt in einem zweiten Durchmesser, welcher im Kreise gezogen seine gleiche Entfernung von den Gegensäzen bezeichnet, die der erste Durchmesser in den Kreis gesezt hatte. Beide Durchmesser sich rechtwinklicht schneidend geben das Kreuz im Kreise (§. 10.), in welchem die Richtung des zweiten Durchmessers von der Richtung des ersten abhängt, die Richtung des ersten aber an sich unbestimmt nur der Ansicht unterliegt, nach welcher (§. 138.) der Mensch in die reine Erkenntniß der Raum- und Zeitverhältnisse auch seine Individualität hineinträgt, und somit den ersten Durchmesser zum senkrechten macht.

§. 302.

Jezt enthält die Kreisebene schon ausser dem Kreise

und seinem Mittelpunkte noch eben diesen Mittelpunkt im Gegensatze mit den Endpunkten der Durchmesser, welche Pole heißen, und durch welche jezt der Mittelpunkt des Kreises als Indifferenzpunkt der in ihm erwachten Gegensätze bestimmt wird; zweitens enthält die Kreisebene gerade Linien als Durchmesser, welche im Gegensatze sind mit den krummen Linien oder Bogen, in welche der Kreis durch seine zwey in einander verschlungenen Durchmesser getheilt wird; drittens enthält jezt die Kreisebene vier gleiche Winkel am Mittelpunkte, welche in anderem Gegensatze mit den vier gleichen Bogen und am Mittelpunkte liegend, indeß die Bogen in die Peripherie fallen, das Hervorgehen der Gegensätze aus der Einheit ausdrücken; und viertens zeigt das Kreuz im Kreise in seinen vier Quadranten, welche mit ihren Bogen die in den vier gleichen Winkeln aufgegangenen Gegensätze einschließen und begränzen, und in welchen die Durchmesser zu Halbmessern werden, das Universelle von Wesen und Form, Gegensatz und Vermittlung im Relativen oder Individuellen, wo es in der Geometrie Figur heißt.

§. 303.

Nach Feststellung dieses Urbildes kann die Linienschrift es zerreissend weiter gehen zu einem ersten oder elementarischen Theile, welcher Linien nach beliebig gesezten Endpunkten zieht, und ihre Verhältnisse als gerade und krumme, einen Gegensatz (Winkel) einschließende oder Gegensatzlose (Parallellinien) bestimmt, wobey die vier gleichen Winkel des Kreuzes im Kreise als

Urformen aller Winkel d. h. als rechte Winkel zum Grunde gelegt werden müssen, weil die Verschlingung zweier Gegensätze in einander, wobey der zweite Gegensatz als Vermittler des ersten erscheinen, also sich in gleicher Entfernung von seinen Polen halten muß, nach §. 10. der Ursprung aller Relationen ist. Der rechte Winkel ist das Urverhältniß der Glieder eines Gegensatzes zu seinen Vermittlungsgliedern, und unter ihm stehen die Parallellinien, welche noch ohne Verhältniß blos außer einander gesezt auch ins Unendliche verlängert ohne Verhältniß bleiben; und über dem rechten Winkel steht das Zusammenfallen zweier Linien in Eine durch Ergänzung beider mit einander oder Verschwinden der einen in der andern. In diesem elementarischen Theile kann und soll die Geometrie die Lehre von dem Gegensaze erschöpfend schreiben, indem in den Verhältnissen des Geraden und Krummen der qualitative, in den Winkelverhältnissen aber der quantitative Gegensaz enthalten ist.

§. 304.

Der qualitative Gegensaz der geraden und der krummen Linie läßt ein Verhältniß beider zu, bey welchem sie in ihren Endpunkten sich berührend gemeinschaftlich Einen Raum einschließen, wie es schon zwischen dem Halbkreise und dem Durchmesser, als des halben Kreises Sehne, vorkommt. Indem nun die Kreisperipherie die ganze Möglichkeit der Gegensätze begränzt, die als Winkel aus dem Mittelpunkte des Kreises hervorgehen mögen, begränzt der Bogen des Halbkreises nur die halbe Möglichkeit solcher Winkel, von denen aber noch keiner wirk-

lich hervorgetreten ist, so daß also das Verhältniß von
Bogen und Sehne noch im Unbestimmten bleibe, und,
obgleich hier eine Raumeinschließung statt findet, der Be=
griff von Figur als bestimmte Vermittlung eines bestimm=
ten Gegensatzes doch nicht vollständig gegeben ist. Sehne
und Bogen sind noch ein Raumverhältniß.

§. 305.

Vollständiger tritt die Realisirung dieses Begriffs
hervor in den Quadranten des Urbildes, in welchen dem
vierten Theile der Kreisperiphorie auch immer ein rechter
Winkel als bestimmter Gegensatz gegenübersteht. Indem
aber dieser als Winkel von dem Mittelpunkte des Krei=
fes ausgegangene Gegensatz, den die Halbmesser als sei=
ne Schenkel bis an den Bogen evolvirend fortsetzen, von
diesem als einem Theile der Kreisperipherie begränzt wird,
geschieht diese Begränzung noch auf krumme Weise, das
heißt im Sinne der Zurückbeziehung der Kreislinie auf
den Mittelpunkt (§. 299.), so daß der dem rechten Win=
kel gegenüberstehende Kreisbogen hier als Begränzung
des vierten Theils der von einem Punkte aus mög=
lichen Winkel, welche sämmtlich in den Umfang eines
rechten Winkels fallen, zu nehmen ist. Der Quadrant
des Urbildes hat also mit dem Halbkreise und dem Krei=
se selbst noch die Begränzung des Möglichkeit von
Gegensätzen gemein, obgleich hier schon ein wirklicher Ge=
gensatz hervorgetreten ist, der aber nicht im Sinne sei=
ner Wirklichkeit, sondern im Sinne der in ihm enthalte=
nen Möglichkeit vermittelt wird. Daher sind die Qua=
dranten des Urbildes dem Begriffe der Figur zwar nä=

her als: der Halbkreis und der Kreis, welcher letztere nicht einmal den Gegensatz des Krummen mit dem Graden kennt, aber sie sind doch noch keine vollständigen Figuren. Der Kreis hatte die Raumeinschließung, der Halbkreis den qualitativen Gegensatz der Linien dazu, und der Quadrant bekam noch den quantitativen Gegensatz als Winkel gegenübergestellt dem vermittelnden Bogen, indeß im Halbkreise die in dem Anschließen der Linien liegende Vermittlung ihres qualitativen Gegensatzes noch keiner besondern Linie übertragen war; aber auch in dem Quadranten des Urbildes erscheint die Vermittlung noch im Sinne der Kreislinie, indeß der aus dem Gegensatze von halben Durchmessern (Halbmessern) gebildete Winkel auch eine Vermittlung in seinem Sinne, d. h. eine geradlinige, verlangen kann.

§. 306.

Diese wird gefunden, wenn in den Quadranten des Urbildes von jedem Halbmesserende nach dem andern eine Sehne gezogen wird, welche für den Kreis zwar noch die Bedeutung hat, daß sie in keine Polpunkte fällt, aber für jeden rechten Winkel, dem sie gegenüber steht, ist sie eine geradlinige Vermittlung seiner Schenkel, also eine angemessene Synthese seines Gegensatzes, und das auf diese Art entstandene Dreyeck ist die erste selbstständige Figur, die sich nun auch von dem Kreise ganz ablösen und in alle möglichen Verhältnisse der Seiten und der Winkel verliehren kann, indeß die Quadranten des Urbildes noch an ihrem Bogen eine Nabelschnur haben, ver-

vermittelst welcher sie mit ihrer Mutter, dem Kreise, zusammenhängen.

§. 307.

Das Dreyeck ist demnach ein geschlossener Winkel, d. h. ein Gegensatz mit seiner Synthese; und wenn der Winkel zweygliedrig war, so ist das Dreyeck dreygliedrig, und der eben aufgezeigte Ursprung des Dreyecks aus dem Quadranten des Urbildes zeigt das Dreyeck als ein rechtwinklichtes, in welchem die Schenkel des rechten Winkels als Halbmesser ihre Synthese in einer Sehne gefunden haben, welche nicht zugleich Halbmesser ist, so daß also in dem rechtwinklichten Dreyecke die Glieder des Gegensatzes (Schenkel des rechten Winkels) und die synthetische Linie (Hypotenuse) sich verschieden darstellen. In dieser Verschiedenheit drücken diese drey Linien den Begriff der Figur auch durch die Gestalt aus, und da ist der Gegensatz aus der Spitze des Winkels, als dem Einheitspunkte, analytisch hervorgegangen, und hat in der Hypotenuse synthetisch geendet; ist aber nun das Ganze eine dreyseitige Figur geworden, so bleibt es eine solche, auch wenn jene Verschiedenheit der Linien anders gestellt wird oder gänzlich erlischt, und die drey Linien heissen jetzt überhaupt Seiten. Da werden denn Winkel zu innern, Seiten zu äußern Faktoren der Figur, und ihre Wechselbestimmung zu zeigen wird eine Aufgabe der Geometrie; der Gegensatz selbst, der in den Winkeln analytischer Art ist, wird in den Seiten ein antithetischer.

§. 308.

In der Hypotenuse zeigt sich das synthetische Wesen

P

anschaulich dadurch, daß sie in beide Glieder des Gegensatzes auf gleiche Weise eingehend zwischen ihnen sich
theilt, so daß, wenn die Schenkel des ihr gegenüberstehenden rechten Winkels gleich sind, d. h. wenn kein einseitiges Uebergewicht des Senkrechten oder Horizontalen
statt findet, die Winkel dieser Hypotenuse mit jenen Schenkeln auch gerade halb so groß sind, als der rechte Winkel, welchen die Katheten unter sich bilden, folglich der
Gegensatz der Katheten mit einander in der Hypotenuse
wirklich getheilt ist, als welche zu jedem Kathetus nur
den halben Gegensatz hat. Zieht man nun für alle Quadranten des Urbildes die Hypotenuse, so entsteht dadurch
ein Viereck im Kreise, welches jene halbe rechte Winkel ergänzt und vier rechte Winkel an die Peripherie
stellt, so wie sie von den sich schneidenden Durchmessern
um den Mittelpunkt des Kreises gelegt worden. Das
von diesen Durchmessern gebildete Kreuz bleibt nun auch
im Vierecke stehen; seine Winkel halbirend und auf den
Mittelpunkt des Kreises zurückbeziehend.

§. 309.

Im Vierecke steht jedem rechten Winkel ein rechter
Winkel gegenüber, dagegen im Kreuze die rechten
Winkel um den Mittelpunkt her einander anliegen,
und wie um den Punkt her die Einheit nur in vier
rechte Winkel zerlegt werden kann, so kann ihre Synthese durch Sehnen in der Peripherie auch nur vier rechte Winkel gewähren. Wird aber das Viereck als selbstständige Figur aus dem Kreise, in welchem es noch mit
dem Kreuze erscheint, herausgehoben, so hören seine

Seiten auf, Hypotenusen und Sehnen zu seyn, und es
wird überhaupt zur Figur, in welcher vier rechte Winkel in vier gleichen Seiten eingeschlossen sind.

§. 310.

Dadurch realisirt das Viereck überhaupt den Begriff
des Viergliedrigen (§. 89.), in welchem zwey Gegensätze
ohne Vorrang ihrer Faktoren einander begränzen, so daß
ihre Glieder als gleichen Seiten des ganzen Begriffes erscheinen, und wenn eine Idee als Kreis die vier Winkel des Kreutzes in sich hat, so hat sie dagegen als Begriff die vier gleiche Seiten des Vierecks (§. 271.). In
jenen vier Winkeln entwickelt die Idee ihr Wesen in seine vierfache Form nach dem Weltgesetze, und in diesen
vier Seiten steht jede der vier Formen schon aus der
Einheit des Wesens herausgetreten der andern entgegen,
sind die Winkel (Gegensatz) ihrer Entstehung wiederholen sich nun als Winkel (Gegensatz) ihrer gegenseitigen
Begränzung. Alle Erkenntniß als Idee ist Kreis, und
in den Figuren, die aus dem Kreise heraustreten, lösen
die Elemente der Idee von der Einheit des Wesens sich
ab und treten in pure Relation als einander begränzend. Im Dreyecke begränzen sich zwey Glieder in einem gemeinschaftlichen dritten, im Vierecke aber ist die
Begränzung durchaus gegenseitig, und der Begriff durchaus gegenseitiger Begränzung heißt Gleichgewicht.
Nun ist aber die Einheit des Wesens überall die Ursache der Gleichheit der Form, und jeder lebendige Kreis
muß also das Gleichgewicht seiner Polaritäten als Viereck enthalten.

Anmerkung. Das Viereck des Kreises enthält seine um den Mittelpunkt versammelten vier Dreyecke, und die Seiten dieses Vierecks sind Hypotenusen derselben. Nun ist jedes dieser Dreyecke die Hälfte eines Vierecks, dessen Seite der Halbmesser wäre, jenes Viereck im Kreise als Hypotenusenquadrat enthält also in seinen vier Dreyecken die Summe der Quadrate beider Katheten eines solchen Dreyecks, und dieß ist die wahre Anschauung des pythagorischen Lehrsatzes, indeß die andern Beweise desselben ihn aus künstlich ersonnenen Wechselbestimmungsverhältnissen ableiten.

§. 311.

Im Dreyeck hat ein Gegensatz seine Synthese gefunden, im Viereck haben die Glieder zweier gleichen aus Einer Einheit entwickelten Gegensätze ihre gleichmäßige Beziehung gefunden, und zugleich sind (nach dem pythagorischen Lehrsatze) die Beziehungen der einzelnen Gegensatzglieder theils auf ihre Einheit, theils unter sich dadurch befriedigt. Noch ist also eine Figur übrig, in welcher die Beziehungen der Gegensatzglieder auf einander, welche im Vierecke noch blos nach der Gleichheit der Polaritäten des Ganzen gesezt sind, auch mit den innern Verhältnissen des Ganzen in Uebereinstimmung gesezt würden. Für die Linienschrift liegen diese innern Verhältnisse des Kreises im Halbmesser, die äußern polarischen Verhältnisse aber in der Sehne, die eben aufgestellte Forderung sucht also eine Figur, in welcher die Sehne dem Halbmesser gleich sey — das Sechseck.

Der Halbmesser ist die Beziehung einer Polarität auf die Einheit, die Sehne ist die Beziehung einer Polarität auf die andre; wenn also das Sechseck beide Beziehungen gleichsezt, so ist dadurch das Relationsprinzip der Gegensazglieder mit ihrem Entwicklungsprinzip in Uebereinstimmung gebracht.

Anmerkung. Dreyeck, Viereck, Sechseck ist die natürliche Folge der Figuren in ihrer Entstehung aus dem Kreise und seinem Kreutze, als dem Urbilde der geometrischen Anschauung des Weltgesetzes, in welcher die Beziehungen sich als Linien darstellen, und ein Inbegriff geschlossener Beziehungen eine Figur heißt. Im Dreyecke sind die Beziehungen zweier Gegensazglieder auf die Einheit des Gegensatzes als Halbmesser und Schenkel eines Winkels enthalten, der in der Beziehung der Gegensazglieder unter sich, d. h. in der Sehne ihres Bogens, seine Synthesis (Hypotenuse) findet; im Vierecke ist dieß für alle ursprünglichen Gegensätze (Kreutz) des Kreises geleistet; im Sechsecke wird die Beziehung der Gegensazglieder unter sich mit ihrer Beziehung auf die Einheit, d. h. die Sehne und Seite mit dem Halbmesser, in Uebereinstimmung gebracht, so daß also das Sechseck durch die Gleichheit seiner Elemente (des peripherischen und des centralen) dem Kreise gleichsteht, daher denn auch seine enthaltenen Dreyecke gleichseitig und die centralen Winkel den peripherischen gleich werden.

§. 312.

Wenn demnach jede Idee sich nach den vier Grundformen entwickelt, welche das Kreuz im Kreise durch die
Endpunkte (Pole) seiner zwey sich rechtwinklicht schnei-
benden Durchmesser darstellt, so können eben diese vier
Grundformen für die als Begriff genommene Idee als
seine vier Seiten erscheinen, deren jede zugleich Hypotenuse des Gegensatzes ist, der in zweien Halbmessern enthalten mit dieser Seite des Vierecks ein Dreyeck bildet.
So finden sich durch die Entwicklung der Idee der Kunst
das Poetische, Plastische, Mahlerische und Musikalische
als Seiten, welche der Begriff der Kunst von allen
Kunstwerken fordert, und jede dieser Seiten ist zugleich
eine Synthese, in welcher die verschiedenen Prinzipien
der Kunst, z. B. ihr ganz Subjektives mit ihrem Halb-
subjektiven, ihr ganz Objektives mit ihrem Halbobjekti-
ven u. s. w. in einander fliessen. Diese vier Seiten aber
auf sechs zu bringen kann einer das Wesen der Dinge
construirenden Wissenschaft weniger gelten als der ein
blosses Beziehungsnetz für die Welt webenden oder zeich-
nenden Geometrie, welcher die im Sechseck gefundene
Gleichheit der peripherischen Beziehungen mit den centralen ein Wink seyn muß, daß ihre Netzweberey dem Ende sich nahe, indeß die Construktion des innern Wesens
der Dinge vielmehr bemüht ist, alles, was die Geometrie blos in Beziehungen darstellt, zur weitern innern
Entwicklung zu bringen, bis endlich das Entwickelte
(nach §. 34.) in seinen innern Verhältnissen sich wieder
verwebt zeigt. Indeß hat das Sechseck doch auch in der

realen Construktion seinen Sinn, indem die Beziehungen
der vier Pole einer Idee auf ihre Einheit (die Halbmesser) bey jeder Idee theils unter sich gleich, theils ganz
einfach sind, weil jeder dieser vier Pole, davon zwey
dem absoluten und zwey dem relativen Gegensatze gehören, eine Form ist, in welche die Idee sich selbst umgewandelt hat. Indeß liegt aber in den zwey relativen
Polen jeder Idee eine Duplicität, welche die Beziehungen dieser Uebergangspole zu den absoluten Polen, also
eben die vier Seiten des Vierecks im Kreise, nicht so einfach seyn läßt als die Beziehungen aller Pole, in welchen die Idee sich selbst gleich gilt, auf die Einheit des
Ganzen; soll also gleiche Einfachheit in diese centralen
und peripherischen Beziehungen der Pole kommen, so
muß in den relativen Polen die Duplicität aufgelöst werden, welches geschieht, wenn der in ihnen enthaltene Gegensatz in seine zwey Glieder auseinander gelegt und jedem Gliede seine besondre Beziehung zum andern (Sehne) und zur Einheit des Ganzen (Halbmesser) gegeben
wird. Dann erhält also die Idee sechs Pole, und ihr
Begriff sechs Seiten, und die Verwandlung ist dadurch
geschehen, daß die relativen Pole des Kreuzes in einen
Winkel auseinandergelegt und mit den absoluten Polen
in ein symmetrisches Verhältniß gebracht wurden. Dadurch, daß man die rechte und die linke Seite des Vierecks in einen Winkel bricht, treten die Beziehungen der
Pole unter einander (die Sehnen) in Gleichheit mit ihrer Beziehung auf die Einheit (Halbmesser), d. h. werden eben so einfach wie diese.

Anmerkung. Die klarste Anschauung von der Bildung des Sechsecks in der idealen Construktion giebt die Schematisirung der Farben. Hier sind Weiß und Schwarz die absoluten Pole, und Hell und Matt treten als relative Pole dazwischen. Nun stellt sich aber das Helle als Gelb und Roth, das Matte als Blau und Grün dar, und das ganze Schema erscheint dadurch mit sechs Seiten, welche sich gleich einfach zu einander wie zu ihrer Einheit, dem farblosen Lichte, verhalten. — Man wird jedes tetrabische Schema in ein sechsseitiges zu verwandeln im Stande seyn, sobald die mittleren Pole den in ihnen liegenden Gegensatz in besonderer Anschauung oder besonderm Begriffe auszusprechen erlauben; man wird aber auch immer finden, daß die Einsicht in das Wesen der Dinge von der tetrabischen Construktion abhängt, und durch die Verwandlung des Vierecks in ein Sechseck nur geringe Erweiterung erhält. Die tetrabische Construktion ist aber auch in der Geometrie das Erste, indem sie dem Kreise sein Durchmesserkreuz und seine vier Polpunkte giebt, durch deren Beziehung auf einander erst Dreyecke und Vierecke gebildet werden, welche dann in dem Sechseck nur ihre völlige Angemessenheit zu dem Kreise erhalten.

§. 313.

Wenn in den Linienverhältnissen ohne Geschlossenheit der Gegensatz seine Variationen entwickelt (§. 303.), so liegt in den Figuren das synthetische Wesen der Vermitt-

lung, welches in dem Dreyecke am einfachsten ist, indeß
in dem Vierecke Gegensatz durch Gegensatz vermittelt erscheint, und in dem Sechsecke ein absoluter Gegensatz
durch zwey relative vermittelt das Absolute mit dem Relativen für die Erscheinung ins Gleichgewicht sezt, indem
das Relative seinen Werth in der Exposition hat, wie
das Absolute in der Intensität, lezteres also das Erstere
trägt, wie die Baßnote den Diskant. Sollen nun aber
über das Sechseck hinaus noch mehrere Sehnen und
Seiten der Figur im Kreise gebildet werden, so geschieht
dieß ohne innere Nothwendigkeit des Kreuzes und seiner
Durchmesser oder Halbmesser und der Peripherie, welche
willkührliche Fortbildung das Polygon giebt. Dieser
Begriff fortentwickelt verliehrt endlich die Unterscheidbar-
keit seiner Seiten und Winkel, wie eine ins Kleinste der
Anschauung fortgesezte Exposition einer Vorstellung, und
fällt dadurch in das zurück, wovon alle Linien- und Fi-
gurenbildung ausgegangen — den Kreis. Dieser mit
seinem Kreuz und dessen Quadranten erscheint nun als
lezte Figur, wie er als Urbild am Anfange der Linienschrift gesezt war; er löscht aber jezt dieses Kreuz aus,
welches ihm nur zur Construktion der Figuren gedient,
und erscheint wieder als einfache, in sich selbst zurückkeh-
rende Linie, die, weil sie einfach und allfach zugleich ist,
auch Figur genannt werden muß.

§. 314.

Dreyeck, Viereck, Sechseck und Kreis sind also die
durch die Construktion nothwendigen Figuren, jede derselben ist aber durch Veränderung in den Verhältnissen

ihrer Elemente noch mancher Verschiedenheit in der Darstellung fähig, wie z. B. das Dreyeck als rechtwinklichtes, gleichseitiges u. s. w. das Viereck als Parallelogramm,
Rhombus u. s. w., und auch das Sechseck kann nach
der Länge oder Breite verzogen werden. Solche Varietäten aus dem Kreise gebildet geben die sogenannten Curven, deren erste, die Ellipse, durch das in dem Kreise
hervortretende Uebergewicht der einen Dimension über die
andere seinen Mittelpunkt in zwey Brennpunkte theilt,
und seinen Durchmesser in zwey ungleiche Achsen verwandelt, weil der Dualismus entgegengesezter Prinzipien
die Einheit des Wesens verdrängt hat. Die Wirksamkeit
dieses Dualismus erscheint noch mehr in der Parabel,
deren wirkliche und ideelle Hälfte sich zwar noch anschliessen können, wiewohl ohne Rundung; das Maximum
erreicht aber diese dualistische Spaltung in der Hyperbel,
deren zwey Hälften sich fliehend und in ihren Schenkeln
höchst divergent das Wesen des Kreises in seiner gänzlichen Umkehrung darstellen, so daß die beiden sammeln-
den Brennpunkte der Ellipse hier zu zerstreuenden werden.

Anmerkung. Für die Parabel muß wie für die Hyperbel eine ideelle Hälfte im umgekehrten Kegel gedacht werden, weil die drey Curven sämmtlich nur
die Geschichte der Kreiszerstörung enthalten, so wie
auch die Varietäten der drey anderen Figuren eigentlich nur Abnormitäten von ihrem Construktions-
ideal sind.

§. 315.

Bei dieser genetischen Construktion der Figuren aus

dem Urbilde der Geometrie heraus hat sich der Quadrant
gleich anfangs als ein kleines Ganzes erwiesen, das in
sich selbst die Bestandtheile des großen Ganzen vereinigt.
Die beiden Durchmesser des Kreises enthält der Quadrant
als zwey Halbmesser, und an dem Punkte so wie an der
Peripherie hat der Quadrant durch seinen rechten Winkel und den gegenüber stehenden Bogen ebenfalls den gebührenden Antheil. Daraus entsteht nun die Möglichkeit,
in dem Quadranten, welcher bey seiner Geschlossenheit
im Einzelnen zugleich auch das Ganze des Urbildes repräsentirt, die Wechselbestimmung der Linien und Winkel erschöpfend zu entwickeln, wenn eine continuirliche
Veränderung der Dimensionsverhältnisse in ihm gesezt,
und in den davon abhängigen Linien- und Winkelverhältnissen durchgeführt wird. Dieses Wechselbestimmungssystem, welches die dritte Stufe der Geometrie ausmacht,
kennt die Meßkunst unter dem Namen der Trigonometrie.

§. 316.

Die Veränderlichkeit der Dimensionsverhältnisse, welche die Trigonometrie voraussezt, ist nicht etwa eine diesem Theile der Geometrie eigenthümliche Voraussetzung,
sondern geht durch die ganze Linienschrift hindurch, indem jede andere Linie oder andere Figur nur durch das
in den Raumverhältnissen regsame Leben begreiflich wird.
Aber die Trigonometrie hat in ihren Quadranten die
Möglichkeit, die leisen Fortschritte solcher Veränderung
genau zu bezeichnen, indem der Quadrant in seiner Bo-
genlinie selbst den stätigen Uebergang der ersten und zwei-

ten Dimension in einander verzeichnet, die Trigonometrie
also nur jeden Schritt dieses Ueberganges durch einen besonderen Stand des Halbmessers auszudrücken braucht.
Daher wird in dem trigonometrischen Liniensysteme die
Wechselbestimmung der Linien und Winkel von einem besonderen Stande des Halbmessers abhängig, und gilt für
den jedesmal angenommenen Stand desselben; aber die
Veränderung dieses Halbmesserstandes hat ihre Gränzen
in den beiden Schenkeln des rechten Winkels, welchen
der Quadrant einschließt.

§. 317.

Die Aufgabe, aus den Elementen, welche der Quadrant darbietet, ein Wechselbestimmungssystem für Linien
und Winkel zu errichten, verlangt zuvörderst die Ver-
zeichnung einer im Quadranten an sich noch nicht enthaltenen Linie, welche, indem sie genau den Stand des
Halbmessers angiebt, zugleich die entsprechenden Veränderungen des durch diesen Stand bestimmten Winkels
und Bogens ausdrückt. Diese Forderung wird durch einen Perpendikel befriedigt, welcher von dem peripherischen Ende des beweglichen Halbmessers auf den queer-
laufenden Halbmesser des Quadranten gefällt wird, und
nun als Kathetus eines rechtwinklichten Dreyeckes erscheint, für welches der bewegliche Halbmesser die Hypotenuse abgiebt. Diesen Perpendikel heissen die Geometer
Sinus, und beziehen ihn mit vollkommenem Rechte eben
sowohl auf den Bogen als auf den Winkel, zwischen
welchen er steht, und freuen sich, daß er ihnen zu einem rechtwinklichten Dreyecke verhilft, dessen zwey bis-

ponible Seiten und Winkel (auſſer dem rechten Winkel,
der unverändert bleibt, und der Hypotenuſe, welche als
Halbmeſſer ſich ebenfalls gleichbleibt) die Wirkung des
veränderten Halbmeſſerſtandes zunächſt an ſich zeigen.
Daß die Dimenſionen als Faktoren des Raumes die Veränderung ihrer Verhältniſſe in dem trigonometriſchen Li-
nienſyſteme durch den Sinus ausdrücken, iſt eine allgemeine Idee, weil alle Veränderungen der Faktoren ſich
im Produkte durch die Veränderung einer ſeiner Erſchei-
nungsformen zunächſt ausdrücken müſſen; das wiſſen aber
die Geometer nicht, und das kümmert ſie auch nicht, indem
ſie die Trigonometrie als Dreyeckmeſſung benennen und
treiben. Indeß rückt ihnen ihr beweglicher Halbmeſſer
aus der horizontalen Lage gegen die ſenkrechte, oder umgekehrt, vor, und wenn er auf dieſem Wege mit einem
der Halbmeſſer des Quadranten zuſammenfällt, ſo ſagen
ſie, der nun verſchwundene Sinus ſey Sinus totus geworden. So bezeichnen ſie die Gränzen des veränderlichen Halbmeſſerſtandes.

§. 318.

Dieſe Triangularbildung nebſt der Beſtimmung des
dem Sinus gegenüberſtehenden Winkels und Bogens iſt
die erſte Wirkung des Sinus, und der Winkel iſt der
Gegenſatz, den die Geſchichte in ihrem Bogen vermittelt,
welche Vermittlung in jedem Theile einer Zeitperiode zu
einem andern Reſultate (Dreyecke) ausſchlagen muß.
Nun hat aber der Sinus, wenn er perpendikular auf
dem Querhalbmeſſer ſteht, dadurch eine beſtimmte Entfernung von dem Polpunkte gewonnen, in welchem der

Queerhalbmesser endet, und diese Entfernung drückt sich durch einen Theil des lezteren aus, welcher Queersi- nus genannt wird. Da dieser in der Dimension dem Sinus rechtwinklicht entgegengesezt ist, so ist klar, daß die Veränderungen einer Dimension (Sinus) in der ent- gegengesezten Dimension (Queersinus) wiederhallen, weil die Dimensionen als Faktoren entgegengesezt und zugleich in unauflöslichem Wechselverhältnisse sind. Eben darum kann sich auch das ganze Verhältniß von Sinus und Queersinus nach der entgegengesezten Dimension als Ver- hältniß von Cosinus und Cosinus versus reproduciren.

§. 319.

Ein solcher Sinus sezt also nothwendig einen solchen Queersinus, und umgekehrt sezt ein solcher Queersinus ei- nen solchen Sinus voraus, und die Verhältnisse von Winkel und Bogen sind dabey mitbestimmt. Nun ist aber der Queersinus ein Theil des Halbmessers, der nach der Peripherie zu von dem Sinus abgeschnitten worden, und es bleibt auf der anderen Seite des Sinus ein Rest des Halbmessers nach dem Abschneiden des Queersinus zurück; weil aber dieser Rest dem Queersinus proportio- nal ist, so kann auch er in den Kreis der Wechselbestim- mung gezogen werden. Diese concentrirt sich daher jezt in drey Linien, die für diese Ansicht neue Namen erhal- ten, nämlich dem Sinus als Ordinate, dem Queer- sinus als Abscisse, und dem Reste des Halbmessers als Rest der Abscissenlinie. Unter diesen Linien erscheint die Ordinate als die ursprüngliche, welche von der Krümmung des Kreises zunächst afficirt die Abscisse und

den Rest der Abscissenlinie sekundär bestimmt, und die
bey dem Kreise der Krümmung absolut bey den andern
Curven aber nur relativ ist, so wird die Ordinate mit
ihrem Verhältnisse zu der Abscisse für den Kreis eine
wahre Bestimmung seiner Eigenthümlichkeit, eine Definition, und die anderen Curven müssen, weil bey ihrer
blos relativen Krümmung die Ordinate nicht mehr mittlere Proportionale zwischen der Abscisse und dem Reste der Abscissenlinie bleibt, um sich durch das Ordi-
natenverhältniß definiren zu können, eine dritte Pro-
portionallinie ersinnen, welche P a r a m e t e r heißt, und
die Differenz ihrer beiden Achsen vermittelt. So ist also
die Wechselbestimmung der Linien in dem trigonometrischen Quadranten jezt so weit gediehen, daß aus derselben eine Definition des in seinen vier rechten Winkeln
wie in seiner Peripherie unerschöpflichen und darum un-
meßbaren Kreises gewonnen wird.

§. 320.

Dieß ist wiederum eine allgemeine Idee, denn jedes
zu innerer Vielheit entfaltete und in Einheit organisch
verbundene Leben hat solche innere Verhältnisse, in welchen seine Eigenthümlichkeit concentrirt ist, und deren einer Faktor bestimmend wie die Ordinate, der andere
aber bestimmbar wie die Abscissenlinie, in ihren Verhältnissen von dem Stande des beweglichen Halbmessers,
d. h. von dem Vorrücken der Lebensperioden abhängen,
und wenn auf der einen Seite der bestimmende Faktor
dieser Verhältnisse in seiner Abhängigkeit von dem Halb-
messerstande als Sinus betrachtet das bestimmte Alter

des Dinges bezeichnet, so wird andererseits derselbe Faktor als Ordinate in seinen Verhältnissen zu dem entgegengesezten Faktor (Abscisse) erwogen die Eigenthümlichkeit der Art und Gattung bestimmen. Beyspiele zu dieser Ansicht wird künftig die vergleichende Anatomie in Menge auffinden, vor der Hand könnte sie auch schon die Weltgeschichte aus dem Völkerorganismus, der Staat heißt, hernehmen; überhaupt aber liegt in diesen trigonometrischen Ansichten die lezte Construktion alles organischen Lebens.

§. 321.

Was endlich das trigonometrische Raumbild auch noch enthalten kann, sind Linien auffen am Kreise parallel mit dem Längen- oder Queerdurchmesser des Kreises gezogen und Tangenten genannt. Auch in schiefer Richtung gezogen sind sie immer mit irgend einer im Kreise möglichen Linie parallel, enthalten also nichts Neues, was die Linien im Kreise nicht schon dargestellt hätten, und haben mit allem, was den Kreis von auffen berühren kann, das gemein, daß sie ihn nur in einem Punkte berühren, indeß die andern Figuren, die Seiten haben, eben mit diesen in die Auffenverhältnisse eingehen, welche der Kreis nur als Punkt, d. h. mit seiner ungetheilten Ganzheit, berührt. Für die Trigonometrie sollen aber diese Tangenten blos zeigen, daß der bewegliche Halbmesser über die Peripherie hinaus fortgesezt auch diese Tangenten proportional mit den inneren Linien afficire, d. h. daß überhaupt alle Auffenverhältnisse eines Ganzen nur nach Maaßgabe seiner innern Ver-

Verhältnisse aufgenommen und modificirt werden. Daraus folgt denn eben, daß die Außenverhältnisse eines Ganzen in ihren Veränderungen blos die Verhältnisse des Innern wiederholen, was in den trigonometrischen Linienverhältnissen für Tangenten und Cotangenten berechnet, und in dem bekannten Sprichworte: jeder ist sein eigener Glücksschmied, für eine künftige Schicksalstheorie voraus angedeutet wird. Daß aber die Trigonometrie bisher so ganz nur der Meßkunst anheimgefallen, ist zu bedauern.

§. 322.

Wäre die Geometrie Weltwissenschaft, so würde sie in dieser Construktion der innern Verhältnisse eines organischen Ganzen, welche in der Trigonometrie liegt, ihr Höchstes erblickt haben; Linienschrift aber, wie sie ist, verfolgt sie ihre räumliche Einseitigkeit in Linien und Figurenverhältnissen Einer Ebene noch durch entgegengesezte Ebenen hindurch, wo sie verwickelter werden, bis zu der vollen Idee der Räumlichkeit in dem Volum. Hier stellt sie Ebenen auf nach der Länge, nach der Queere, und nach der beide enthaltenden Massenerscheinung, und erhält dadurch Körper, welche aus Grundflächen, Höhen und Oberflächen zusammengesezt einer neuen Construktion Raum geben, die sich Stereometrie nennt. Fügt die Masse den Dimensionen der Länge und Fläche noch die Tiefe hinzu, welche alle Ausbreitung der ersten Dimensionen allseitig wieder auf den Punkt zurückführt, so mögen diese Körper der Stereometrie verglichen werden mit den Ideen, in so fern diese nicht mehr

bloße Ansichten ihres Gegenstandes, von außen, sondern
Einsichten in sein Inneres und Durchsichten sind, welche
ihn von seiner Zusammengedrängtheit im Punkte bis zu
seiner allseitigen Entwicklung verfolgen und wiederum
die vollständig reife Erscheinung auf ihren ersten Keim
zurückzuführen vermögen.

§. 323.

Die Länge potenzirt sich zur Fläche und diese zum
Volum, daher wird nicht Körper, was nicht vorher Figur auf der Fläche gewesen, und die Stereometrie kommt
mit ihren Körpern auf die Figuren: Dreyeck, Viereck,
Sechseck und Kugel zurück. Weil aber in den Figuren
schon der Unterschied des Geradlinigten und des Krumm-
linigten ist, und in den Körpern zwischen der Grundfläche und Höhe Einstimmung oder Differenz statt findet,
daß nämlich jene sich in dieser wiederholt findet oder
nicht; so entsteht für die Körper zuvörderst der Unterschied der triangularischen, welche ihre Grundfläche
in der Höhe verschwinden lassen, und der quadratti-
schen, welche ihre Grundfläche durch die Höhe ganz
durchführen, wobey es dann noch darauf ankommt, ob
die Grundfläche selbst rund oder geradseitig sey. Dieß
giebt eine doppelte Verkörperung des Dreyecks in Pyra-
mide und Kegel, die doppelte Verkörperung des Vierecks
als Prisma und Cylinder, und die Verkörperung des
Kreises als Kugel, wobey das Sechseck leer ausgienge,
wenn nicht das Prisma sich theilen wollte, indem es in
völliger Gleichheit seiner vierseitigen Dimensionsflächen
Würfel genannt als die reinste Verkörperung des Vierecks

als Ebenen die Construktion der Sphäre sich schließt.
Dadurch erscheint denn die Kugel als das Ideal der
Gestalten.

§. 325.

Die Linienschrift schreibt also auf ihre räumliche
Weise: 1) Linien, d. h. Beziehungen eines Punktes auf
den andern, ohne oder mit Linien-Gegensatz (Winkel);
2) Figuren, d. h. Beziehungen geschlossener Gegensätze;
3) Trigonometrie, d. h. Wechselbeziehungen der unter
sich veränderlichen Theile eines Ganzen; 4) Körper,
d. h. Gestalten mit ihren Grundrissen (Grundflächen),
Durchführungsverhältnissen (Höhen), und Aufrissen (Oberflächen), welches alles auf Beziehungen von Punkten zurückläuft, und wobey die Stereometrie sammt der Plani-
metrie in das Hieroglyphische fällt, wenn sie Figuren
und Körper symbolisch nimmt. Geht sie noch in die Zusammensetzung von Linien und Figuren über, wie in der
Wellenlinie und dem aus zwey entgegengesetzten Dreyecken gebildeten Sechsecke, so wird theils das Symbolische immer weiter hervortretend, theils nähert sie sich dadurch dem Ikonographischen, und zeigt dadurch ihre Verwandtschaft mit der Bilderschrift sowohl von Seite der
Idee als auch der sinlichen Anschauung.

§. 326.

Wie nun diese Beziehungsschrift (Geometrie) eine
Abstraktion von der Bilderschrift (Hieroglyphe) ist, deren innere allgemeine Verhältnisse sie zur Hälfte heraushebt, nämlich soweit sie Beziehungen sind; so liegen in
der Linienschrift selbst wieder als weitere Abstraktion die

Punkte, welche durch Linien auf einander bezogen werden, und welche systematisch erzeugt und in Verhältnisse
mit einander gesetzt eine Punktschrift gewähren. Hier
kommt es also auf die Produktion des Bezogenen an,
und wenn das Bezogene, obwohl durch Punkte äusserlich
dargestellt, Dinge oder Vorstellungen sind, so gilt es der
Punktschrift, das Gesetz ihrer Produktivität aufzufassen,
indeß die Linienschrift sich an die Erscheinung des Produkts hält. Durch diese höhere Abstraktion, durch welche sich die Punktschrift von der Bilderschrift weiter entfernt, kommt sie dagegen der reinen Anschauung des
Weltgesetzes schon näher als die Linienschrift, hört aber
dennoch nicht auf, einseitig wie diese zu seyn.

§. 327.

Was nun die Schriftsprache als einen Punkt zeichnet, das heißt seinem Begriffe nach — sey es nun Ding
oder Vorstellung — ein Moment der Produktion, und
die Dinge und Vorstellungen unter diesem Begriffe aufgefaßt sind einander so ähnlich, wie die Punkte. Daher
ist kein Unterschied unter ihnen als ihre Entfernung vom
Anfange der Wirksamkeit der Produktivität, welche hier
Vielheit heißt, indeß sie in der Linienschrift Ausdehnung genannt worden, und die Produktionsmomente erhalten Verhältnisse zu einander je nach ihrer relativen
Entfernung von jenem Anfange. Produktionsmomente
nun nach der in ihnen enthaltenen Vielheit begriffen heissen Zahlen, und die Punktschrift muß nothwendig zu
einer Zahlenwissenschaft (Arithmetik) ausschlagen, wie
die Linienschrift zu einer Geometrie.

§. 328.

Die Zahlenbildung (das Zählen), indem sie Momente sezt, welche durch nichts als durch ihre Entfernung vom Anfange sich unterscheiden, muß nothwendig als stete Wiederholung des ersten Momentes erscheinen, und wo solche Wiederholung eintritt, muß die Zahl sichtbar werden. Daher denn auch geometrische Größen, in so ferne sich eine in der andern ganz oder zum Theile wiederholt findet, die Zahl zulassen, und dieser Zählmessung wegen auch der Kreis mit seinen vier rechten Winkeln mit einer Zahl belegt worden ist, und in den trigonometrischen Messungen der Halbmesser als Eins gilt. Dabey wird aber die Zahlenbildung, die zunehmende Entfernung von ihrem Anfange beständig im Auge behalten, und also jeden ihrer Schritte, d. h. jede Zahl durch eine Anzahl von Punkten bezeichnen müssen, welche für diese Zahl gerade diese seyn muß.

> Anmerkung. Daß die Bezeichnung der Zahlen durch
> eine Anzahl von Punkten im Schreiben und Lesen
> ihre große Beschwerlichkeit habe, welcher aber durch
> geometrische Stellung der Punkte (wie bey den so
> genannten figurirten Zahlen) zum Theil abgeholfen
> werden kann, noch besser aber durch abkürzende
> Zahlzeichen (Ziffern) abgeholfen wird, kann hier
> nicht in Betracht kommen, wo es blos um die Einsicht in das Wesen der Zahlen und ihrer Schreibung
> zu thun ist. Uebrigens ist die geometrische Stellung
> der Punkte der Zahlenschrift auch darum natürlich,

weil sie als Punktschrift sich zunächst an die Linienschrift anschließen muß.

§. 329.

Die Zahlenschrift hat nun wieder wie die Linienschrift in ihrem Urbilde ihr eigenes Wesen conzentrirt zu
entwerfen, welches geschieht, wenn sie überhaupt Einen
Punkt sezt als den ersten und in ihm selber den Anfang
ihres Setzens erblickt. Die Einheit des Wesens, welche
dieser erste Punkt auszudrücken hat, bestimmt denn zum
voraus, daß alle weiter zu setzende Punkte, obwohl sie
räumlich verzeichnet auffer dem ersten Punkte erscheinen,
dennoch als in ihm gesezt gedacht werden müffen, daß
also die scheinbar äuffere Vielheit ihrem Wesen nach innere Theilung sey, alle Zahlen also auffer der Eins als
ihre Brüche betrachtet werden müffen. Sogenannte ganze Zahlen sind nur scheinbar, weil von ihrer Entstehung
in der Eins abstrahirt worden, und was man neben diesen ganzen Zahlen noch als Brüche angiebt, sind blos
Brüche willführlich gewählter Einheiten (Zähler) mit
eben so willführlich gesezter Größe der Theilung (Nen-
ner), indeß die Zahlen überhaupt nothwendige Brüche
der wahren Einheit (des Wesens) mit einer nach dem
Weltgesetze fortschreitenden Theilung (der Form) sind.

§. 330.

Am Weltgesetze fortschreitend wird die Zahlenbildung
nach dem ersten Punkte, den sie Eins genannt hat, für
den in der Einheit entstehenden noch unvermittelten Gegensatz zwey Punkte, für den vermittelten aber drey setzen
müffen, wie sie denn auch selbst in bloffer indifferenter

Wiederholung des ersten Punkts nicht anders kann. Daburch hat nun die zahlenbildende Reflexion auf ihrem Gebiete dasselbe gewonnen, was die linienbildende mit dem Unterschiede der graden und krummen Linien gefunden hat, nämlich - den Gegensatz der Elemente oder Urprinzipien, an dessen durchgreifender Wirkung Theil nehmend die Zahlen entweder gerade sind oder ungerade, die Linien gerade oder krumme. Und zwar offenbart sich in der krummen Linie sehr deutlich, was die Einheit sey, welche zu den zwey unmittelbar verbundenen Enden der geraden Linie noch hinzukommt; weil nämlich alle Krümmung nichts ist als Zurückbeziehung auf die ausserhalb des Gegensatzes gelegene erste Einheit des Wesens, so folgt die krumme Linie auch dem Gegensatze und der Einheit zugleich, indeß die gerade Linie dem Gegensatze allein folgt. Zwey und drey sind also die einzigen Zahlen, und nach ihnen können blos ihre eigenen Wiederholungen folgen, wobey auch für diese Wiederholungen dasselbe Gesetz gilt, nach welchem das Leben sie selbst producirt hat.

§. 331.

Ist die Zahlenbildung bis auf Zwey und Drey vorgeschritten, so steht das ungetheilte Wesen der Eins über seiner zweyfachen Theilungsform, welche einen Gegensatz bildet, als einzelnes Glied eines Gegensatzes da, zu welchem noch das entsprechende zweite Glied fehlt. Dieses fehlende Glied, nach dem Zählen das vierte, ist nach dem Weltgesetze die durch ihre Geschlechtsdifferenz durchgeführte und aus derselben als Totalitätsform wiederher-

gestellte Zahleinheit, welche in der Arithmetik Null ge=
nannt das beendigte Fortschreiten der Zahlen und die ge=
schlossene Zahlstufe bezeichnet. Indem also die Eins mit
der Null den absoluten Gegensatz (Längendurchmesser),
die Zwey mit der Drey den relativen Gegensatz (Queer=
durchmesser) bildet, und beide Gegensätze dadurch in ein=
ander verschlungen erscheinen, daß die Einheit es ist, die
in Gerades und Ungerades zerrissen in der Ganzheit einer
Zahlstufe sich als Null wiederherstellt, hat die Arithme=
tik auf ihre Weise das Urgesetz der Dinge geschrieben.
Dabey erscheint denn die Vier auf dem niedern Gebiete
des Zählens an der Stelle der Null, weil bey dem Ein=
treten der leztern die zweymal zwey Glieder des Schema
vollendet sind; und eben so steht im geometrischen Urbil=
de das Viereck im Kreise stellvertretend für ihn selbst da,
indem es in geradlinigter Weise nicht nur die vier rechten
Winkel enthält, welche der Kreis, sondern auch das
Gleichgewicht dieser vier Winkel äusserlich noch in vier
Seiten wiederholt.

Anmerkung. Aus einem kleinen Programme, wel=
  ches der gründliche Geschichtsforscher Mannert
  noch als Professor in Altorf geschrieben, entlehne ich
  die historische Notiz, daß die Pythagoräer sich un=
  serer arabischen Ziffern und unserer Art, sie nach
  dem Dekadensysteme zu stellen, längst bedient hatten,
  wie aus einem altorfischen Coder des Boethius (der
  am Ende des fünften Jahrhunderts geschrieben) er=
  helle. Diese arabischen Ziffern seyen den griechischen
  Buchstaben sehr ähnlich, und die Null habe noch

das griechische Delta in sich. Bekanntlich schwuren die Pythagoräer bey der Vierzahl, und wenn sie das griechische Delta, welches als Dreyeck geschrieben wurde, und als Ziffer die Vier galt, noch in die Null (den Kreis) hineinschrieben, so kann man kaum zweifeln, daß sie unsere Ansicht von der Null und der Vier schon gehabt, woraus denn weiter folgen möchte, daß wir mit unserer Ansicht und Darstellung des Weltgesetzes überhaupt nur die verlohren gegangene älteste Ansicht der Vorzeit wiederherstellen. Vieles, was für diese Vermuthung spricht, findet der wißbegierige Leser in meinem Buche: der Staat, in dem Kapitel vom alten Priesterthume zusammengestellt, und der Anhang des Buches hebt aus den mythologischen Sprachforschungen Kanne's noch manches hieher gehörige aus.

§. 332.

In diesem arithmetischen Urbilde liegt nun zuvörderst das Gesetz der Zahlenbildung und Fortschreitung selbst, welches, wenn auch die Punktschrift ihre Punkte ins Unendliche vervielfältigen und zur wahren Sandrechnung ausschlagen kann, dennoch dem Sinne nach immer in Tetraden fortschreiten und in ihnen sich wiederholen muß, so daß andere willkührlich gewählte oder in Gang gekommene Zahlensysteme, die wegen der scheinbar weiter vorrückenden Zählung Rechnungsvortheile darbieten, am Ende doch der Tetradik weichen müssen, welche auf vier Tetraden gesteigert mit der Sechzehn als Null jene Rechnungsvortheile noch weit überbietet. Ferner liegen in diesem arithmetischen Urbilde Zahlenverhältnisse, wie zwischen Zwey und Drey, oder wie zwischen Zwey und Vier, welche beide, weil das Zählen ein Fortschreiten ist, vorwärts und rückwärts genommen werden können, und zwischen das unerschöpfliche Verhältniß von Eins und Null eingeschlossen sind, so daß die ganze Arithmetik selbst als eine unendliche Zahlreihe erscheint.

§. 333.

.... Die beiden eben erwähnten mittlern Verhältnisse des bloßen Mehr oder Minder und der Selbstverdopplung oder Selbsttheilung geben in beliebigen Zahlen durchgeführt die bekannten vier Rechnungsarten, welche den elementarischen Theil der Arithmetik ausmachen. Da die Zahlen überhaupt keine andere ursprüngliche Differenz kennen, als die größere oder geringere Entfernung vom Anfange, welche Mehr oder Minder genannt wird, so liegt in dem Additions- und Subtraktionsprozesse, deren erster das Mehr oder Minder zweier Zahlen in einer Summe auslöscht, per leztere aber diesen Unterschied in einer bestimmten Zahl ausspricht, für die Zahlen überhaupt der Prozeß des Indifferenzirens und Differenzirens, und die in die Arithmetik aufgenommene Rechnung mit entgegengesezten Größen ist eigentlich für die Mathematik selbst die Fiktion eines Gegensazes der Zahlen, der aus ihrer lebendigen Bedeutung überhaupt genommen der Zahlenwissenschaft fremd ist. Diese Rechnung mit entgegengesezten Größen ist eine Art angewandter Mathematik, denn in der reinen Mathematik bleibt jede Zahl stehen, sie mag vorwärts oder rückwärts gezählt werden, dage-

gen in dieser Anwendung der Mathematik auf den qualitativen Gegensatz der Dinge jede Zahl in entgegengeseztem Sinne genommen sich selbst aufhebt. Uebrigens ist
interessant, daß auch die Rechnung mit entgegengesezten
Größen ihren aus der Philosophie geborgten Gegensatz
des Positiven und Negativen durch Plus und Minus ausdrückt, weil im Grunde alles, was positiv heißen kann,
nur durch ein Plus von Entwicklung oder Form von
dem Negativen differirt, also arithmetisch genommen wirklich ein Mehr ist.

§. 334.

Wie der erkennende Geist diesen Prozeß des Indifferenzirens und Differenzirens als ein Generalisiren und
Spezialisiren der Begriffe treibe, wobey die Addition
Unterschiede weglassend zu allgemeinen Begriffen als zu
Summen aufsteigt, indeß die Subtraktion Reste als Kennzeichen sezt, ist §. 198. gezeigt worden, und daß überhaupt das Leben der Dinge in diesem Spiele begriffen
sey, welches die Zahlenschrift als Addition und Subtraktion vorbildet, ist aus der zweiten Kategorientafel bekannt, wo dieses Spiel als Seitenentwicklung aus der
Verschiedenheit der Urprinzipien Arten und Gattungen
producirt. Bedeutend aber ist für dieses Spiel sowohl
in seiner arithmetischen Abstraktion als in jeder lebendigen Erscheinung desselben in Natur oder Geist, daß in
der Addition die Faktoren ohne Wechselwirkung auf einander blos in einer gemeinschaftlichen Begränzung, in
welcher sie nicht mehr zu unterscheiden sind, zusammenfließen, wodurch die Summe als ein blos weiter vorge-

rüktes Zählen erscheint, und daß in der Subtraktion diese Gränze sich blos auf die Differenz beider Faktoren
zurückzieht, wodurch der Rest als ein blos weiter zurück-
getretenes Zählen erscheint. Dieser gemeinschaftliche Begriff der Addition und der Subtraktion als ein blos äußer-
liches Verrücken der Gränze bezeichnet genau die Oberflächlichkeit dieses Prozesses.

<h2 style="text-align:center">§. 335.</h2>

Die Addition läßt also geschiedenen Inhalt in Einer
Gränze zusammenfließen und vergrößert dadurch diesen
Inhalt; die Subtraktion trennt von dem Inhalte einen
Theil, ihn besonders begränzend, und verkleinert jenen dadurch, und so lebt das ganze Verhältniß zwischen den
Urzahlen Zwey und Drey, weil 3 = 2 + 1, und
2 = 3 — 1 ist. Anders verhält es sich mit der Zahlen-
verdopplung, welche in der Zahl Vier zum erstenmal
vorkommt; da erscheint nämlich die eine Zahl als die
verdoppelte, die andere als die verdoppelnde, und das
Resultat ist ein Zahlenprodukt, welches die Form beider
Zahlen trägt. Letzteres wird am meisten sichtbar, wenn
die beiden Zahlen nicht dieselben sind, z. B. wenn die
beiden Urzahlen sich miteinander verdoppeln; da erscheint
die Sechs als zweifache Drey und dreyfache Zwey, und
überhaupt als das reine Produkt der zwey Zahlen, welche arithmetisch die Urprinzipien der Dinge ausdrücken,
folglich als Neutralitätszahl entsprechend dem Sechseck
der Linienschrift, in welchem das Centrale und das Peripherische zum Gleichgewichte verbunden sind.

§. 336.

Demnach verhält sich die Addition zu der Multiplikation wie die Wahrnehmung zum logischen Urtheile nach §. 218. Der Multiplikandus ist jedesmal der arithmetische Inhalt, welcher durch einen von dem Multiplikator anzugebenden Prozeß der Wiederholung, den das Wörtchen mal ausdrückt, hindurchgeführt das Produkt giebt, so daß also Wesen und Form hier in zwei Zahlen gesondert erscheinen. Eben so hat die Division in dem Dividendus eine Zahl, aus welcher sie Wesen und Form getrennt hervorzurufen arbeitet, indem sie frägt: wie viel mal der Divisor in dem Dividendus enthalten sey. Der Quotient, der diese Frage beantwortet, ist also jedesmal Formzahl, und der Divisor ist Wesenzahl; weil aber der Dividendus, als Produkt von Divisor und Quotienten, Wesen und Form von beiden in sich vereinigt, so ist es an sich gleichgültig, welche von den Zahlen als Wesen oder als Form (Divisor oder Quotient, Multiplikandus oder Multiplikator) gesetzt werde.

§. 337.

Ist durch Addition und Subtraktion der Indifferenzirungs- und Differenzirungsprozeß arithmetisch geschrieben, so stellt dagegen die Multiplikation mit der Division den Verbindungs- und Trennungsprozeß dar, bey welchem erst die Faktoren mit voller Besonderheit als aktiv und passiv in Wechselbestimmung eingehen. Dabey ist es für die Multiplikation selbst gleichgültig, ob diese beiden Faktoren verschiedene Zahlen seyen, oder ob die

selbe Zahl ihr eignes Wesen mit sich selbst als Form
multiplicirend zur Potenz werde; auch können Multipli-
cationsprodukte und Potenzen, indem sie die Zahlenbildung erweitern, gleich Additionssummen auf dem Wege
der Addition, ja des blos fortschreitenden Zählens, welches als Zahlenbildungsprozeß der ganzen Arithmetik zum
Grunde liegt, erreicht werden. Ausserdem ist aber durch
das Selbstprodukt einer Zahl, welches Potenz heißt, für
diese Zahl etwas Neues gesetzt, nämlich die Durchführung ihrer selbst zur Entwicklung ihres ganzen Inhalts
nach der ihr eigenen Form, welcher Durchführungspro-
zeß in dem Wurzelausziehen umgekehrt aus der Entwicklung den Saamen wiederherstellt, und für das Wesen
der Dinge überhaupt die Stufenbildung oder fortschreitende Entwicklung den zweiten Kategorientafel arithmetisch
vorbildet. Daß dieser Stufen, so wie der Zahlen selbst,
überall nur vier seyn können, ist bey den Kategorien
gezeigt worden, die Arithmetik aber mit der bedeutungs-
losen Indifferenz ihres Fortschreitens kann deren ins Unendliche setzen, und braucht nur, um sich selbst nicht zu
verliehren, die Stufen durch Exponenten zu zählen,
welche im Wesen der Dinge als die besondere Charakteristik jeder Stufe wirklich gegeben sind, von der Arithmetik aber auch nur als bloßer Ausdruck eines neuen
Verhältnisses angesehen werden.

§. 338.

So schreibt also die Punktschrift eine Zahlreihe, Sub-
trahenten, Subtrahenden, Summen, Reste, Multiplika-
tionsfaktoren und Produkte nebst Divisoren und Quoten-

en, dann Wurzeln, Potenzen und Exponenten, und wenn sie für alles dieß bequeme Ziffern statt der Punkte einge-führt hat; so kann sie jezt noch weiter gehen, und von der Bestimmtheit der Zahlen abstrahirend bloß ihre eben angegebenen Verhältnisse, durch welche sie geworden sind, was sie sind, mit irgend einem allgemeinen Zahlzeichen schreiben, und dadurch arithmetische Operationen bezeich-nen, denen man jede beliebige bestimmte Zahl als Inhalt unterlegen kann, indem diese abstrakte Schreibung die Form zeichnet. Dieß ist es, was gewöhnlich B u c h s t a-b e n r e c h n u n g genannt wird, und keineswegs eine be-sondere Rechnungsart, sondern blos eine abstraktere Schrei-bungsart der Arithmetik ist, durch welche es möglich wird, was in den Zahlen rein formal für das Wesen der Dinge vorgebildet wird, auch in einer von der Eigen-thümlichkeit der Punktschrift unabhängigen Weise rein formal darzustellen. - Die Buchstaben gelten hier, wie in der Punktschrift die Punkte, rein nur als Elemente über-haupt, die durch arithmetische Prozesse sich gestalten, und man will nur diese Gestalt schreiben.

§. 339.

Jede Zahl ist eine Resumtion von Momenten der Evolution des Wesens in die Form, welche hier als ein Fortschreiten in die Vielheit erscheint, und wie einfache oder sich verdoppelnde Schritte vorwärts oder rückwärts in dieser Entwicklung sich zu besonderen Zahlen gestal-ten, zeigt die Arithmetik in ihrem elementarischen Theile. Wie aber diese Zahlen aus Evolution hervorgegangen sind, so lassen sie sich auch wieder, jede nach ihrer Art,

in

und so geben sie Reihen, welche die Zahlenschrift in ihrem zweiten Theile bezeichnen lehrt. Diese Reihen sind also Evolutionsformen einer Zahl und haben ihr Vorbild an der Zählreihe selbst, sind also vorwärts oder rückwärts zu begreifen wie diese, und theilen auch ihre Bedeutung, daß nämlich das Leben selbst als eine evolvirte Zahlreihe erscheint, wenn blos die Schritte seiner Entwicklung bezählet werden. Jede Reihe, die von einer bestimmten Zahl anfängt, wiederholt also diese allgemeine Bedeutung im Sinne dieser besonderen Zahl.

§. 340.

In dem arithmetischen Urbilde liegt schon der Unterschied des additionsweisen (arithmetischen) und multiplicirenden (geometrischen) Fortschreitens nebst der fortschreitenden Potenzenentwicklung und ihrer Zählung durch Exponenten. Daraus ergeben sich also 1) arithmetische; 2) geometrische; 3) Potenzreihen; 4) Beziehungsreihen, welche Schritt für Schritt das Fortschreiten einer andern selbstständigen Reihe begleiten und zählen. Eine Potenzreihe kann sich nun zählen durch ihre Exponenten; es kann aber jede selbstständig fortschreitende Reihe sich also oberflächlich von einer andern begleiten lassen, welche dann ihre Logarithmenreihe genannt wird. Indem das Leben die Seitenentwicklung durchführt, bildet es arithmetische, in der Stufenentwicklung aber geometrische Reihen, und indeß die Stufenentwicklung das innere Wesen der Dinge bestimmt, weil die Tetraden selbst Stufen sind, treibt sich oberflächlich die Seitenentwicklung in Erscheinungen fort, deren immer eine als Logarithmus

N

ein inneres Verhältniß der Selbſtverdopplung (oder Selbſt-
theilung) bezeichnet.

§. 341.

Für die Reihenbildung aus Zahlen iſt das erſte die
Fortbewegung einer Zahl zu ihrer nächſt anderen Form,
was man ein Verhältniß nennt, und das Geſetz dieſer Fortbewegung, was der Name dieſes Verhältniſſes,
heißt. Kennt man das erſte Glied und den Namen, ſo
hat man das Weſen und die Form der Reihenerzeugung,
und kann daher auch nun die Reihe ins Unendliche fort-
ſetzen. Das Verhältniß aber, mit welchem die Reihe beginnt, iſt ſelbſt die Reihe im Kleinen, und unterſcheidet
ſich von dieſer nur durch ihre Wiederholungen. Mehr-
artig (arithmetiſch) oder vielfachend (geometriſch), wie
dieſe Verhältniſſe ſeyn mögen, enthalten ſie aber immer
daſſelbe in zwey Formen, nämlich in ſeiner Grundform
und der daraus zunächſt abgeleiteten, und ſetzen beide
mit einander durch Reflexion in Vergleichung, wo dann
eine Differenz oder ein Quotient, als des Verhältniſſes
Name den Prozeß ausdrückt, durch welchen die Grundform der Zahl in ihre abgeleitete Form übergegangen.
Zwey Verhältniſſe in formaler Gleichſtellung, (mit gleichem Namen) geben ſodann eine Proportion, welche
ein Verhältniß von Verhältniſſen iſt, in welchem Summe oder Produkt der äuſſeren Glieder der Summe oder
dem Produkte der Mittelglieder darum gleich ſeyn muß,
weil das gleichmäßige Fortſchreiten das lezte Glied eben
ſo weit von dem erſten entfernt, als dadurch das zweite
Glied dem dritten nahe gemacht wird.

§. 342.

... Arithmetisch genommen haben alle Zahlen Verhältnisse, weil sie entweder durch Differenzen oder nach Quotienten verschieden seyn müssen, und im Wesen der Dinge giebt auch alle Verschiedenheit ein Verhältniß, dessen Grund in den Faktoren der Seitenentwicklung (arithmetisch) oder den Prozessen der Stufenbildung (geometrisch) zu suchen ist. An sich oder müssen alle Verhältnisse in dem Urschema der Dinge enthalten, also Verhältnisse des Wesens zu der Form oder Uebergangsverhältnisse seyn, welche leztern dem unvermittelten oder vermittelten Gegensatze anheimfallen. Dabey kommen denn auch Verhältnisse dieser zwey Arten des Gegensatzes zum Wesen wie zu der Form, und Verhältnisse der Gegensätze selber unter sich in Betracht, und ob sie wohl alle auf das Grundverhältniß von Wesen und Form zurücklaufen, so ist doch dieses Verhältniß nur zwischen dem ersten und vierten Gliede einer Tetrade ganz und vollkommen, im zweiten Gliede ist es halbirt, und im dritten Gliede, welches neben den Gegensatz die vermittelnde Einheit hinstellt, ist es zweyfach vorhanden, einmal nämlich zwischen den Gliedern des zu vermittelnden Gegensatzes, und dann zwischen diesem Gegensatze und der vermittelnden Einheit. Uebrigens sind alle diese Schemate in ihren Gliedern nur Formen der fortschreitenden Entwicklung des Einen, und so giebt es in der lebendigen Construktion Proportionen, welche durch alle möglichen Schemate durchgehen, indem a) in allen Schematen das erste und vierte, b) das zweite und dritte, c) das erste und zwei

stimmt werden kann, und in dieser Beziehung eine
Gleichung hat; aber das Gebiet der Gleichung umfaßt
nicht nur die Zahlengestalten, welche in Proportionen
vorkommen können, sondern alle, welche der elementarische
Theil der Arithmetik nach §. 338. zu geben vermag, und
so kann z. B. der Mathematiker auf dem Wege der Gleichungen eine Zahl suchen, deren Hälfte, Drittheil und
Viertheil um ein Gegebenes größer sey als jene Zahl
selbst. Als Rechner wird er zu Lösung dieser Aufgabe
theils den Gegensatz der Rechnungsarten, nach welchem
die eine setzt, was die andere wieder aufhebt, theils das
Gesetz der Gleichheit für die beiden Theile der Gleichung
benützen, nach welchem jeder Theil gleiche Behandlung
erfahren muß, und beide Theile mit negativen Zeichen
verbunden sich auf Null bringen. Immer wird aber
der Rechner in seinen Gleichungen die Verhältnisse der
Glieder zu einander für die besondere Bezeichnung jedes
einzelnen Gliedes zu benützen verstehen, und dadurch an
erkennen, daß in den Gleichungen nur das allgemeine
Gesetz, welches überall die Vielheit der Glieder zu einem
Ganzen verbindet: alle für eines und eines für alle;
arithmetisch vorgestellt sey.

§. 344.

Sind die Gleichungen nur arithmetischer Ausdruck
des organischen Gesetzes überhaupt, so haben sie überall
ihr Gebiet, wo ein Ganzes mit bekannten Verhältnissen
seiner Glieder gegeben ist, und was in §. 320. von der
physiologischen und welthistorischen Bedeutung der trigonometrischen Ansichten gesagt worden, muß für die Glei-

nicht gleich den in Zahlen geschriebenen, auch rückwärts
gelesen ihre Gesetzmäßigkeit beybehalten, der Name aber
in entgegengeseztem Sinne genommen werden muß. Weil
bey richtig gebildeten Tetraden die Verhältnisse der Glieder immer dieselben sind, so kann obiges Beyspiel durch
eine beliebige Menge andrer Tetraden fortgesezt werden,
und der Name bleibt immer derselbe.

§. 343.

In diesen Progressionen hat also die Zahlenschrift
ihre erste Bildung aus ihren Elementen wie die Linienschrift in den Figuren. Ihren dritten Theil mit dem
Charakter der Wechselbestimmung der Theile im Umfange
eines Ganzen, also entsprechend der Trigonometrie, gewinnt die Arithmetik, die als endlose Entwicklungsreihe
ihre Totalitätsform, wie der Kreis ist, entbehrt, durch
diesen selbstgeflochtenen Kranz von Zahlengestalten, wie
sie der elementarische Theil ihr geliefert, welchen Kranz
die Mathematiker Gleichung zu nennen, und dadurch
noch unbekannte Zahlen zu bestimmen gewohnt sind, indem sie in diesen Kranz eingeflochten mit bekannten Zahlen in Verhältnisse kommen, durch welche sie selber bekannt werden. Diese Verwendung der Gleichungen ist der
Arithmetik als Rechenkunst wesentlich; für die Zahlenschrift
aber sind die Gleichungen Kreise vollständiger Wechselbestimmung aller in ihnen enthaltenen Glieder, wobey jedes
Glied als unbekannt gesezt und durch seine Verhältnisse zu
den andern bestimmt werden kann. Schon in dem Umfange
einer Proportion ist solche Wechselbestimmung, daß jedes
Glied als Produkt zweier andern dividirt durch das dritte

bestimmt worden kann, und in dieser Begehrung eine
Gleichung hat; aber das Gebiet der Gleichung umfaßt
nicht nur die Zahlengestalten, welche in Proportionen
vorkommen können, sondern alle, welche der elementarische
Theil der Arithmetik nach §. 338. zu geben vermag, und
so kann z. B. der Mathematiker auf dem Wege der Gleichungen eine Zahl suchen, deren Hälfte, Drittheil und
Viertheil um ein Gegebenes größer sey als jene Zahl
selbst. Als Rechner wird er zu Lösung dieser Aufgabe
theils den Gegensatz der Rechnungsarten, nach welchem
die eine sezt, was die andere wieder aufhebt; theils das
Gesetz der Gleichheit für die beiden Theile der Gleichung
benützen, nach welchem jeder Theil gleiche Behandlung
erfahren muß, und beide Theile mit negativen Zeichen
verbunden sich auf Null bringen. Immer wird aber
der Rechner in seinen Gleichungen die Verhältnisse der
Glieder zu einander für die besondere Bezeichnung jedes
einzelnen Gliedes zu benützen verstehen, und dadurch erkennen, daß in den Gleichungen nur das allgemeine
Gesetz, welches überall die Vielheit der Glieder zu einem
Ganzen verbindet: alle für eines und eines für alle,
arithmetisch vorgestellt sey.

§. 344.

Sind die Gleichungen nur arithmetischer Ausdruck
des organischen Gesetzes überhaupt, so haben sie überall
ihr Gebiet, wo ein Ganzes mit bekannten Verhältnissen
seiner Glieder gegeben ist, und was in §. 320. von der
physiologischen und welthistorischen Bedeutung der trigonometrischen Ansichten gesagt worden, muß für die Glei-

hängen ebenfalls gedacht werden. Wo daher auch eine
Erkenntniß es zu solcher Exposition und Bezeichnung ihrer Theile gebracht hat, wie sie bey den Gliedern einer
Gleichung statt findet, kann sie sich als Gleichung bewähren, und einige Theile oder auch das Ganze selbst durch
das Verhältniß zu den andern bestimmen, wie das in
Solchem bisher der Fall war, wo die absichtlich unvollständig gegebene Beschreibung oder Exposition das Ver-
schwiegene vollends ergänzen und dadurch das Ganze
errathen ließ. Daß aber die Wissenschaft von den Gleichungen noch keinen Gebrauch machen könnte, kommt
bloß von dem Mangel an bestimmter Kenntniß der Verhältnisse der Begriffe zu einander; denn wo zwischen
einer Anzahl von Begriffen oder Vorstellungen die Verhältnisse scharf bestimmt sind, läßt sich auch jedes Glied
durch die Verhältnisse der übrigen zu ihm ausdrücken.
Da dieß nun bey den Tetraden der Fall ist, so geben
jede drey Glieder einer Tetrade eine Gleichung für das
vierte; z. B. das Wort ist das in der Subjektivität lebendig gewordene Sprachbild, nachdem es in der Linien-
und Punktschrift aus der vollen Objektivität in die zwey
Formen halber Objektivität übergegangen. Die Fortbildung der Logik in Definitionen und der Philosophie in
Tetraden wird zu Gleichungen in der Wissenschaft führen.

§. 345.

Die Arithmetik in ihren Gleichungen abstrahirt von
aller innern Verschiedenheit unter den Gliedern, und
auch Potenzen, die etwa darin vorkommen möchten, sind
nur Zahlenprodukte, welche sich durch Wurzelausziehen

wieder aufhören laffen, obwohl fie die Operation des Rechnens erschweren. Daß aber die Glieder einer Gleichung in ihrer bestimmten Geltung fixirt seyen, ist für die Zahlenschrift, welche die Schritte der lebendigen Entwicklung der Dinge zu bezeichnen hat, nur als zufällig zu achten, und die Gleichungen müssen sich auch dem Ausdrucke des Veränderlichen anschließen, was mit dem Fixirten verbunden in dem Raum- und Zeit-Spiele der Dinge wie in dem trigonometrischen Linienfysteme erscheint. In dieser Gestalt heißen die Gleichungen Funktionen, und haben theils das Veränderliche in seinen Verbindungen mit dem Fixirten, theils in seinen verschiedenen dadurch bestimmten Werthen zu schreiben. So hat auch in der Philosophie das Schöne auf seinem Gebiete verschiedene Bedeutung, je nachdem es im Mineralischen, Pflanzlichen, Thierischen oder Menschlichen als ein Theil der Form mit dem Wesen verbunden erscheint, und der Sauerstoff mit seinen verschiedenen Basen giebt dem Chemiker eine Funktion mit steigenden oder abnehmenden Werthen von x.

§. 346.

Daraus entsteht für die Zahlenschrift die weitere Nothwendigkeit, sich des Gesetzes der Veränderung überhaupt zu bemächtigen, so daß, wenn auch die Veränderung selbst für einen fixirten Ausdruck zu klein wäre, was die Mathematiker unendlich klein nennen, sie doch durch die scharfe Bestimmtheit des Veränderungsgesetzes für diesen Moment der Veränderung noch ausgedrückt werden könne. Dieß leisten die Differenzialglei-

dungen, und wie dieser Veränderungscalcul von neu
nem gegebenen Zustande der Zahlen aus ihre Veränder
rungen fortschreitend zu verfolgen vermag, so vermag er
als Integralrechnung rückwärts gehend jenen Zu
stand wieder zu finden. Da die Wortsprache alle Zu
stände der Dinge nur im Großen bezeichnet, so wird es
daß, wenn die Erkenntniß der Dinge durchconstruir
ten Worten ihre bestimmte Stelle gesichert hat, der Wort
sprache sehr willkommen seyn, sich für die Bezeichnung
der unmerklichen Uebergänge des Differenzialcalculs be
dienen zu können.

§. 347.

Die höchste Aufgabe für diesen dritten Theil der
Zahlenschrift ist aber, die Veränderung in der Entwicke
lung und die Entwicklung in ihrer doppelten Form als
Stufen- und Seitenentwicklung zugleich zu begreifen, wo
bey denn letztere als oberflächlich von der erstern getra
gen werden, diese aber, weil das Wesen der Dinge sich
überall dualistisch entfaltet, als fortschreitende Potenzirung
einer zweytheiligen Wurzel erscheinen muß, wobey jeder
Theil der Wurzel seine Potenzen für sich sezt, und die
Potenzen beider Wurzeltheile sich parallel gegenüberstehen,
zugleich aber während des Potenzirens die Wurzeltheile
noch unter sich Verbindungen eingehen, deren Wechsel-
und Wiederholungsgesetz in den Coefficienten dieser Ver
bindungen ausgedrückt ist. Dieses stellt die Arithmetik in
der Binomialformel vor, und die Philosophie, wenn
sie für irgend ein Gebiet der Erkenntniß den Dualismus
seiner Prinzipien und deren Potenzirung fixirt hätte,

außerhalb auch im Stande seyn, das Coefficientenge-
setz dieser Formel an den Erscheinungen nachzuweisen; in
welchen die Potenzreihen beider Wurzeltheile sich gegenseitig die Hand reichen.

§. 548.

In dieser vierfachen Form der Gleichungen, Func-
tionen, Differenzialen und des Binomiums entwickelt die
Zahlenschrift ihre dritte Stufe mit dem Charakter der
Wechselbestimmung der Momente der fortschreitenden Le-
bensentwicklung, und es bleibt ihr nur noch übrig, auf
ihre Weise die Totalitätsform einer in ihren Elementen
gegebenen Entwicklung auszudrücken, und dadurch über
diese Entwicklung, deren Bearbeitung nach den vorangegangenen Formen der Arithmetik vorausgesetzt werden
mag, Controle zu halten. Diese Controle besteht in der
Combinationslehre, welche alle Verbindungen be-
kannter Elemente als Complexionen bezeichnend einerseits
die Möglichkeit der Versetzungen der Elemente einer Com-
plexion, andererseits die Möglichkeit ihrer ein- zwey-
oder mehrgliedrigen Verbindungen überschaut, und nachdem sie auf diese Art Permutations- und Combinationslehre gewesen, als Variationslehre die ganze Möglichkeit von Versetzungen und Verbindungen gegebener Elemente erschöpfend dem Ziel nahe kommt, daß
sie erst als Involutions- und Evolutionstheo-
rie wirklich erreicht. Wie nämlich die Zahlenschrift in
dem Binomium den Dualismus der Dinge anerkannt
hatte, so huldigt sie hier der noch höhern Idee, daß alle
Vielheit nur Evolution eines in tiefer Einheit sich selbst

§. 350.

Anschauungsschrift, Beziehungsschrift, Evolutionsschrift, diese drey Sprachen, laſſen aber die in §. 281
bis 284 aufgeſtellte Idee der Sprache noch zum Theil
unbefriedigt. Zwar kann die Bilderſchrift objektives Seyn
in ſeiner Erſcheinung wiedergeben, und die Geometrie
kann die Grundriſſe dieſer Erſcheinung für die Erkenntniß heraushebend eigentliche Erſcheinungstheorie werden,
auch kann die Arithmetik aus der Erſcheinung noch durch
weitere Abſtraktion die Erſcheinungen einzeln ſelbſt als
Wellen des Lebensſtroms darſtellen, der durch die ganze
Anſchauungswelt hinfährt, und ſo iſt durch dieſe drey
Sprachen und Schriftarten für das Auffaſſen der Form
der Dinge im Erkenntniß allerdings ſehr viel geleiſtet,
und die Geiſter in dieſen drey Sprachen ſich mit einander beſprechend und dieſe drey Schriftarten ſchreibend
können ſich dreyfache Erkenntniß mittheilen, nämlich der
Anſchauung thetiſche, analytiſche und antithetiſche Form.
Aber der Sprechende und Schreibende borgt hier immer
von dem objektiven Leben das Weſen, und ſpricht und
ſchreibt nur deſſen anſchaubare, meßbare und zählbare
Form, und es fehlt ſich eine Sprache, welche das Weſen
ſen mit der Form zugleich ſchafft, und zu der thetiſchen,
analytiſchen und antithetiſchen Form der erkannten Dinge noch die ſynthetiſche hinzufügt, nach welcher die Dinge in ihrem Erzeugungsmomente ergriffen durch ein Wech-
ſelſpiel ihrer arithmetiſchen Evolution mit ihrer geometri-
ſchen Aſſociation ſich zur Erſcheinung geſtalten. Zugleich
hat dieſe höchſte der Sprachen noch das ſubjektive Prin-

§. 340.

Die Zahlenschrift schreibt demnach Momente der fortschreitenden Entwicklung des Lebens als einzelne Punkte, welche in verschiedener Entfernung vom Anfange zusammengefaßt Zahlen genannt werden, und unter sich Wiederholungen ihrer selbst bildend oder dazwischen hineinfallend die Zahlenprozesse und Zahlenverhältnisse geben, welche leztere gemäß der Zahlenerzeugung selbst fortgesetzt zu Reihen ausschlagen, in welchen das wiederholende (geometrische) Fortschreiten mit dem einfachen (arithmetischen) in einer Doppelreihe verbunden ein das Wesen mit der Erscheinung nachbildendes Logarithmensystem giebt. Durch solche Resumtion des Fortschreitens gebildet erhalten denn die Zahlen eine den Dingen gleiche Bestimmtheit, nach welcher sie unter sich in Wechselverhältnisse gebracht mit oder ohne Rücksicht auf das Veränderliche darin, welches selbst noch Gegenstand besonderer Darstellung ist werden vermag, sich gegenseitig bestimmen, und in solcher Wechselbestimmung einen geschlossenen Kreis bilden, der aber zulezt doch nur die fortschreitende Stufenbildung der zweytheiligten Wurzel der Dinge mit den dazwischen einfallenden Uebergangsbildungen nachahmen kann. Endlich weiß die Zahlenschrift auch noch Controle zu halten über die geschlossene Entwicklung einer gegebenen Anzahl von Elementen, die Möglichkeit ihrer Verbindungen und Stellungen überschauend, und es ist im Grunde die ganze Arithmetik eine Evolutionsschrift der Dinge, die auf der Zahlreihe beruht, indeß die Geometrie die Beziehungen des Evolvirten bezeichnet.

§. 300.

Anschauungsschrift, Beziehungsschrift, Evolutionsschrift, diese drey Sprachen, lassen aber die in §. 281
bis 284. aufgestellte Idee der Sprache noch zum Theil
unbefriedigt. Zwar kann die Bilderschrift objektives Seyn
in seiner Erscheinung wiedergeben, und die Geometrie
kann die Grundrisse dieser Erscheinung für die Erkenntniß heraushebend eigentliche Erscheinungstheorie werden;
auch kann die Arithmetik aus der Erscheinung noch durch
weitere Abstraktion die Erscheinungen einzeln selbst als
Wellen des Lebensstroms darstellen, der durch die ganze
Anschauungswelt hinführt, und so ist durch diese drey
Sprachen und Schriftarten für das Auffassen der Form
der Dinge zu Erkenntniß allerdings sehr viel geleistet,
und die Geister in diesen drey Sprachen sich mit einander besprechend und diese drey Schriftarten schreibend
können sich dreyfache Erkenntniß mittheilen, nämlich der
Anschauung thetische, analytische und antithetische Form.
Aber der Sprechende und Schreibende borgt hier immer
von dem objektiven Leben das Wesen, und spricht und
schreibt nur dessen anschaubare, meßbare und zählbare
Form, und es fehlt doch eine Sprache, welche das Wesen mit der Form zugleich schafft, und zu der thetischen,
analytischen und antithetischen Form der erkannten Dinge noch die synthetische hinzufügt, nach welcher die Dinge in ihrem Erzeugungsmomente ergriffen durch ein Wech-
selspiel ihrer arithmetischen Evolution mit ihrer geometrischen Association sich zur Erscheinung gestalten. Zugleich
hat diese höchste der Sprachen noch das subjektive Prin-

zip des Fühlens und Wollens (S. 282.) mit dem objektiven Prinzip des Erkennens und Darstellens zu vereinigen, und dadurch die Aufgabe einer Vermittlung des
Individuellen und Universellen im Menschen (S. 283.)
vollständig zu lösen.

§. 351.

Die Möglichkeit einer solchen Sprache verlangt ein
Material, welches, wie das Leben der Dinge selbst, sich
sich unbestimmt, aber allseit bestimmbar eine Reihenfolge
von Formen aus sich zu produciren, festzuhalten, unter
sich in Beziehung zu setzen und wieder aufzulösen vermöge. Dieß ist die Luft, die aus des Menschen Brust
zurückkehrend in seiner Kehle zum Tone geworden und
in den mehr äusserlich gestellten Organen als modificir-
barer Brusthauch sich an diesen Ton anschließt, mit einem
Worte — die Stimme. In ihr gehen auch, wie in
dem Leben der Dinge, die Formen auf und unter, setzen
sich einander entgegen und schließen an einander sich an,
und man kann die Worte die Dinge der Stimme und
die Dinge die Worte des Weltgeistes mit Recht nennen.
Die Tonsprache ist sich selber Wesen und Form; dagegen
die drey andern Sprachen das Wesen borgen und die
Form abstrahiren.

§. 352.

Das Wesen dieser Sprache liegt demnach in der
Stimme, und diese geht in den Gegensatz von Kehlton
(Vokal) und Brusthauch (Consonant) auseinander, welchen die Aussprache zur Wortbildung vermittelt. Wie
es nun erste Aufgabe der Geometrie war, die Richtungs-

Ahle die Höhe und Tiefe des Tons suchend Genüge werden.

§. 354.

Das Alphabet als Elementenreihe mit seraphischer Construktion ist gleichbedeutend mit jeder Kategorientafel sammt ihren Prädikamenten, indem es völlig einerley ist, in welchem Material das Weltgesetz nachgebildet worden, wenn nur das Wesen desselben, der doppelte in sich verschlungene Gegensatz, das Kreuz im Kreise, vorhanden ist. Folglich gilt das Alphabet mit seinen sechzehn Tonschamen für jede auf vier Stroben entwickelte Idee, und die vier Vokale geben die Grundform und den Träger jeder Tetrade an, wodurch denn auf jeden Vokal vier Consonanten kommen, die mit ihm in der Aussprache zusammengesetzt Sylben geben, welche die Bedeutung ihres Vokals theilen. Da nämlich die Idee der Sprache in das Verhältniß des Subjektiven zum Objektiven hineinfällt, so muß der Vokal a die subjektiven, der Vokal o die objektiven Worte beherrschen, e muß für das, was vom Subjekte, und i für das, was vom Objekte ausgeht, bestimmt seyn, und die Vokale unter sich in Diphthongen zusammenfließend müssen die Uebergänge dieser Verhältnisse in einander ausdrücken. Dabey erzeugt sich dann als Fortsetzung des Gegensatzes der Urprinzipien in der Tonsprache ein Gegensatz der Sylben, die weiblich auf einem Vokal ruhen, mit denen, die männlich in einem Consonanten enden, der die weiter schreitende Fortbildung zum voraus andeutet, und so macht sich für die Tonsprache eine gesetzmäßige Sylbenwelt; von deren Construktion jetzt alle Zungen der Völker abgebildt sind, wie gleich durch die ältesten Alphabete noch die ursprüngliche Gesetzmäßigleit ihrer das Weltgesetz nachbildenden Verhältnisse durchschimmern.

§. 355,

Diesem elementarischen Theile der Tonsprache, welcher Lautlehre heißen mag, folgt nun der etymologische Theil oder die Wortlehre, bestehend in der Bildung der in sich verschiedenen Tongestalten, welche die lateinische Grammatik partes orationis genannt und auf eine bekannte Anzahl gebracht hat. Ist die Tonsprache die synthetische Form für die Bilder-, Linien- und Punkt-Schrift, so müssen auch diese drey sich in ihr eben so wiederfinden, wie die drey ersten Kategorientafeln in der vierten, und es müssen also die Wörter zuvörderst für die individuelle Anschauung der Dinge gebildet werden, wie die Gestalten der Bilderschrift. Solche Wörter heißen denn Namen und machen geschichtlich und wesentlich den ersten Theil einer Tonsprache aus; und wenn sie auch durch die weitere Fortbildung der Tonsprache in's Abstrakte theils selbst abstrakt werden, wo sie dann Appellative heißen, theils in andere Form übergehen, so kann doch das sprechende Individuum, weil seine universelle Natur und Erkenntniß sich erst aus dem Individuellen und Sinnlichen herausarbeiten muß, die Tonsprache nur damit anfangen, den Dingen Namen zu geben, und unsere Deklinationen haben für ihre Substantive den Vokativus noch beybehalten, weil diese ursprüng-

Kehle die Höhe und Tiefe des Tons suchend Gesang
werden.

Das Alphabet als Elementenreihe, mit strophischer
Construktion ist gleichbedeutend mit jeder Kategorientafel
sammt ihren Prädikamenten, indem es völlig einerley ist,
in welchem Material das Weltgesetz nachgebildet worden,
wenn nur das Wesen desselben, der doppelte in sich verschlungene Gegensatz, das Kreuz im Kreise, vorhanden
ist. Folglich gilt das Alphabet mit seinen sechzehn Consonanten für jede auf vier Stufen entwickelte Idee, und
die vier Vokale geben die Grundform und den Träger
jeder Tetrade an, wodurch denn auf jeden Vokal vier
Consonanten kommen, die mit ihm in der Aussprache
zusammengesetzt Sylben geben, welche die Bedeutung ihres Vokals theilen. Da nämlich die Idee der Sprache
in das Verhältniß des Subjektiven zum Objektiven hineinfällt, so muß der Vokal a die subjektiven, der Vokal
o die objektiven Worte beherrschen, e muß für das, was
vom Subjekte, und i für das, was vom Objekte ausgeht, bestimmt seyn, und die Vokale unter sich in Diphthongen zusammenfließend, müssen die Uebergänge dieser
Verhältnisse in einander ausdrücken. Dabey erzeugt sich
denn als Fortsetzung des Gegensatzes der Urprinzipien
in der Tonsprache ein Gegensatz der Sylben, die weiblich auf einem Vokal ruhen, mit denen, die männlich in
einem Consonanten enden, der die weiter schreitende Fortbildung zum voraus andeutet, und so macht sich für die
Tonsprache eine gesetzmäßige Sylbenwelt, von deren Con-

struktion jetzt alle Jungen der Völker abgeteilt sind, obgleich durch die ältesten Alphabete noch die ursprüngliche Gesetzmäßigkeit ihrer das Weltgesetz nachbildenden Verhältnisse durchschimmern.

§. 355.

Diesem elementarischen Theile der Tonsprache, welcher Lautlehre heissen mag, folgt nun der etymologische Theil oder die Wortlehre, bestehend in der Bildung der in sich verschiedenen Tongestalten, welche die lateinische Grammatik partes orationis genannt und auf eine bekannte Anzahl gebracht hat. Ist die Tonsprache die synthetische Form für die Bilder-, Linien- und Punkt-Schrift, so müssen auch diese drey sich in ihr eben so wiederfinden, wie die drey ersten Kategorientafeln in der vierten, und es müssen also die Wörter zuvörderst für die individuelle Anschauung der Dinge gebildet werden, wie die Gestalten der Bilderschrift. Solche Wörter heissen denn Namen und machen geschichtlich und wesentlich den ersten Theil einer Tonsprache aus; und wenn sie auch durch die weitere Fortbildung der Tonsprache in's Abstrakte theils selbst abstrakt werden, wo sie dann Appellative heissen, theils in andere Form übergehen, so kann doch das sprechende Individuum, weil seine universelle Natur und Erkenntniß sich erst aus dem Individuellen und Sinnlichen herausarbeiten muß, die Tonsprache nur damit anfangen, den Dingen Namen zu geben, und unsere Dellinationen haben für ihre Substantive den Vokativus noch beybehalten, weil diese ursprünglich Namen gewesen, und nichts unnatürlicher ist, als das Ding bey seinem Namen zu rufen.

§. 356.

Die Tonsprache arbeitet sich aus den Namen, welche in ihr die Stelle der Bilder vertreten, heraus in das geometrische Gebiet der Figuren, wenn ihre Namen über das Individuelle ihrer Bedeutung hinaus auf alles erstreckt werden, was ähnliche Erscheinung gewährt. Dann heißen diese Namen Appellative, und bezeichnen, wie die Figuren der Geometrie, Inbegriffe von Beziehungen, welche sich einzeln herausheben lassen. In der Geometrie bilden diese Beziehungen als Linien erscheinend die Seiten der Figur; in der Wortsprache aber heißen sie Adjektive und finden sich in ihrem Inbegriffe, dem Substantivum, zusammen, ähnlich den Prädikaten der Logik, die in ihrem Subjekte ihren Inbegriff haben.

§. 357.

Wie nun die Arithmetik ein Werk höherer Abstraktion ist als die Geometrie, indem erstere sich über die fixirten Punkte und ihre linearen Beziehungen zu der Idee einer lebendigen Evolution erhebt, welche diese Punkte sammt ihren Beziehungen als Entwicklungsschritte sezt und als Zahlen in der Reflexion resumirt, so hat auch die Wortsprache ihren arithmetischen Theil mit dem zeitlichen Typus, nach welchem das Nennwort aufhört, einen fixirten Begriff zu bezeichnen, indem es als lebendiges Werden und Wirken geschaut blos seine Zeiten und das unterscheidet, woran es als Werden und Wirken geschaut worden. Dieß ist in der Sprache das Zeit-

wort, und der Sprache Vollkommenheit will, daß es zu
dem Nennworte leicht werde, als Verbum zu handeln
oder zu wandeln, so wie es auch jedem Verbum leicht
werden soll, als Substantiv stille zu stehen, oder als
Adjektiv einem Substantive sich anzuschließen.

§. 358.

So erscheinen die Bilderschrift, die Lautenschrift und
die Zahlenschrift in der Tonsprache wieder, und sie hat
nur noch ihren vierten ganz eigenthümlichen Theil zu
entwickeln, in welchem als vierter der erste durch Form
verklärt wieder erscheinen muß. Das vierte Wort der
Tonsprache wird also, wie das erste, der Name seyn,
aber nicht mehr in der sinnlichen Individualität äusserer Anschauung, sondern in der Bedeutung der Individualität, von welcher die Sprache selbst ausgeht, also
in der Bedeutung des Sprechenden. Indem dieser sich
einen Namen giebt, stellt er sich mit diesem selbst in die
Sprache hinein; und diese erhält dadurch zu der objektiven Seite ihrer Sachnamen und Nennwörter noch eine
subjektive Seite von Personalnamen, an welche sich auch
die Zeitwörter und Adjektive anschließen können, so daß
dadurch der Kreis des Lebens in der Tonsprache geschlossen ist.

§. 359.

Hat die Sprache, die Personalnamen gefunden, so
kann sie mit diesen eine ähnliche Abstraktion vornehmen
wie mit den Sachnamen, als diese in Appellative verwandelt wurden, vorgieng. Sie abstrahirt nämlich von
der Individualität des Sprechenden und bezeichnet den

Sprechenden überhaupt, und da alles Gespräch ein Duett ist, so muß sie nicht nur den ersten Sprechenden, sondern auch den zweiten bezeichnen, der von gleicher Persönlichkeit ist, wie der erste. Daher schafft die Sprache für den Personalnamen ein Personalwort (Pronomen) der ersten und zweiten Person, und da jede Person auch Gegenstand des Gespräches werden kann, ohne daran Antheil zu nehmen, so muß das Personenwort sich auch noch in einer dritten Form zeigen; und da die dritte Person mit der Sache schon das gemein hat, daß sie nicht in das Gespräch eingreift, obwohl sie noch Persönlichkeit hat, so muß das Personenwort noch eine vierte bloß gegenständliche Form annehmen, die, weil hier aller Persönlichkeitsbegriff wegfällt, auch Stellvertreter aller Nennwörter werden kann. So bildet die Sprache in ihren Fürwörtern: ich, du, er, es, ihr Höchstes, und indem sie Nennwörter und Zeitwörter zwingt, auch diesem Höchsten sich unterzuordnen, so löst sie dadurch die oben bezeichnete Aufgabe, neben dem Universellen der Erkenntniß zugleich das Individuelle des Fühlens und Wollens zu sprechen.

§. 360.

Ist die Tonsprache zu solcher Wortbildung gelangt, so sind Wörter Gesammtlaute, und durch das Gesetz der Stufenbildung der Dinge steht der Sprache bevor, nun auch ein Gesammtwort zu sprechen, welches den Gegensatz der Wörter zu Einheit des Sinnes verbinde. Hier muß die Sache durch ein Nennwort oder durch das gegenständliche Fürwort vertreten sich Nennwörter oder Zeit-

§. 362.

Dieses System der Flexionen vorausgesetzt kann die Sprache mehrere Wörter zur Einheit des Sinnes verbinden, wie die Geometrie mehrere Linien zu einer Figur, und zwar ist hier wie dort die einfachste Verbindung dreygliedrig und giebt in der Sprache einen Satz, wie in der Erkenntniß ein Urtheil. Der Sprechende läßt nämlich, in der Sprache die Welt reproducirend, die als Namen, Nennwörter und Fürwörter erscheinenden Dinge ihre Beziehungen aussprechen, in welchen für ihn theils ihre Erkenntniß, theils der Ausdruck seines Afficirtwerdens von ihnen, also der zweyfache Sinn der Wortsprache, enthalten ist, und bedient sich dabey der allgemeinen Idee des Lebens, in welchem diese Dinge sammt ihren Beziehungen schwimmen, in einem allgemeinen zeitwörtlichen Ausdrucke, der mit Recht verbum substantivum genannt werden, indem er alle möglichen Bestimmungen trägt, wie die Substanz als Substrat ihre Erscheinungen, und bestimmte Zeitwörter auch nur dadurch entstehen, daß ein Nennwort (z. B. Rede) mit Beybehaltung seiner Bestimmtheit in die zeitwörtliche Form übertragen wird. Die zeitwörtliche Form ohne solche Bestimmtheit des Begriffs rein aufgefaßt heißt überhaupt: seyn, und die Sprache kann alle übrigen Zeitwörter entbehren, wenn sie nur dieses Wort allen Nennwörtern und Fürwörtern anpassen will. Häufig haben die Sprachen das umgekehrte gethan, und ihre Zeitwörter der adjektiven Form angepaßt, woraus ihnen die Participe entstanden sind, so daß man nur jedes bestimmte Zeitwort

in das substantive Zeitwort mit einem Particip zeitigen
kann, z. B. reden, redend seyn. Dabey hat aber das
substantive Zeitwort weder den firiren Charakter der ersten, noch den beweglichen Charakter der zweiten Kategorientafel, indem Eristiren und Werden selbst schon
zwey bestimmte Zeitwörter abgeben, sondern es hält sich
in der Indifferenz des ersten Prädikamentes dieser beiden
Kategorientafeln, will also nichts als die noch unbestimmte Möglichkeit andeuten, die alle Bestimmungen beider
Kategorientafeln aufnehmen kann.

§. 363.

So entsteht denn in der Wortsprache ein Satz, wie
im Denken ein logisches Urtheil, daß nämlich das substantive Zeitwort als Hypotenuse zwischen ein Substantiv und ein Adjektiv in die Mitte tritt, wie dort zwischen
Subjekt und Prädikat. Aber im Satze der Sprache hat
die Copula objektive Bedeutung, indeß sie im logischen
Urtheile nur die subjektive Einheit des Denkens bezeichnet, und im Satze spielt das Nennwort, oder was seine Stelle verwaltet, die Hauptrolle, indeß im logischen
Urtheile alles auf das Denken ankommt. Da nun in
der Sprache die Selbstständigkeit des Begriffs durch den
Nominativ des Redetheils ausgedrückt wird, so ist in jedem Satze das im Nominativ stehende Wort vorherr-
schend und zieht Verbum und Adjektiv nach sich. Da die
Wortsprache ihrer Subjektivität wegen auch unter die
Herrschaft des Gefühls kommen kann, welches keine Zeit
hat, Begriffe zu analysiren, so kann es kommen, daß
ein Laut der Empfindung ganze Sätze involvirt, die

nachher der Begriff auseinander legt. Das sind die Interjectionen. Uebrigens geht alles Sprechen so wie alles Denken von der Vorstellung aus, und so müssen die logischen Formen des Urtheils in der Wortsprache auch als Formen der Sätze erscheinen; da aber die Wortsprache auch den Begriff des Gespräches nicht aufgiebt, so müssen in ihrem Gebiete dem Satze auch noch andere Formen entstehen.

§. 364.

Das Lezte, was die Tonsprache zu leisten vermag, erreicht sie auf ihrer vierten Stufe in der Bildung eines Ganzen von Sätzen, d. h. eines Periodes. Schon die hypothetischen, disjunktiven und conjunktiven Urtheile der Logik zeigen solche Verbindung von Sätzen nach den Gegensatzformen des Denkens, aber die Sprache, die neben dem Denken auch das Gespräch und in beiden auch die Darstellung überhaupt zu berücksichtigen hat, kann das logische Gesetz nicht als genügendes Gesetz des Periodenbaues erkennen. Ein Periode hat die in ihm enthaltenen Sätze nicht nur zur Einheit des Sinnes sondern auch zur Geschlossenheit der Darstellung zu bringen, und so liegt sein Gesetz in der Abtheilung in zwey Hälften, deren erste, gewöhnlich Arsis genannt, den Sinn beginnt und bis auf eine bestimmte Höhe entwickelt, dagegen die zweite Hälfte, Thesis genannt, den Sinn auf dieser Höhe aufnimmt und seinem Schlusse entgegenführt, gerade wie in der ersten Hälfte eines Hexameters die Versbewegung bis zur Cäsur steigt und in der zweiten Hälfte von dieser Höhe herabfallend ruhet. Möge

und dieses Verhältniß der Theile eines Perioden zu einander in der Stimme durch ihr Steigen und Fallen, in
den Redetheilen durch Flexionen oder auch durch Partikeln, welche Conjunktionen heißen, ausgedrückt werden,
so bleibt das Verhältniß von Arsis und Thesis an sich
dadurch ungeändert, und es läuft zur gänzlichen Auflösung der Sprache in das Weltgesetz auf den Bau unsrer
Schemate zurück, welche selbst in die Sprache übersetzt
sich als Perioden darstellen. Denn das Wesen tritt
durch den Gegensatz aus seiner Einheit heraus, und
geht durch die Vermittlung des Gegensatzes in die
Form über. 2.

§. 366.

Hat so die Tonsprache die von Anfang dieses Ka-
pitels für die Sprache überhaupt ausgesprochene Aufgabe nach ihrer doppelten Richtung nicht nur gelöst, sondern ist sie hierin nicht nur unendlich reicher als die
Bilderschrift, unendlich vielseitiger als die Linien- und
Zahlenschrift, und unendlich lebendiger als sie alle gewesen; so steht sie diesen nur in einer Hinsicht noch nach,
daß nämlich ihre Darstellung mit dem lebendigen Hau-
che des Sprechenden aufhört, indeß jene drey Sprachen in Bildern, Linien und Punkten ihre Gedanken in
die fixirte Objektivität übertragen. Wenn daher der Gedanke in der Tonsprache eine ihm selbst entsprechende lebendige Objektivirung erhalten hat; so würde die Tonsprache eine Verdopplung ihrer selbst, also wahre Subjektobjektivität, erhalten, wenn sie sich ebenfalls schriftar-
tig zu fixiren vermöchte. Die Lösung dieser Aufgabe

müßte mit dem Alphabete anfangend die Laute in Lautzeichen, d. h. Buchstaben verwandeln, wie schon die Punktschrift zu ihrer Bequemlichkeit Zahlzeichen, d. h. Ziffern gewünscht hatte. Soll aber die Tonsprache hiebey die Würde des in ihr abgespiegelten Weltgesetzes behaupten, so müssen ihre Lautzeichen nach der §. 352. gegebenen Construktion des Alphabets vier Vokalzeichen und sechzehn Consonantenzeichen seyn, wobey die erstern aus der Punktschrift genommen die vier ersten Zahlen in Punkten darstellen, die leztern aber vier Vierheiten enthaltend für die erste Vierheit Punkt, Halbmesser, Sehne und Kreuz, für die lezte dieß alles im Kreise, für die zweite Vierheit vier zunehmende Halbmessergestalten zum Dreyeck, und für die dritte vier zunehmende Sehnengestalten zum Viereck darstellen müssen. Ist auf diese Art das Buchstabenalphabet im Stande, eine Kategorientafel zu schreiben, so ist es, weil alle Dinge in ihrer Construktion auf solche Tafeln zurücklaufen, auch alles zu schreiben vermögend zum Verständniß von jedermann, der das Weltgesetz inne hat; denn da die verschiedenen Gebiete der Dinge alle auf Kategorientafeln zurücklaufen, und solche Tafeln (Gebiete) sich wie die einzelnen Kategorien verhalten; so kann der besondere Sinn jeder Tafel verstanden werden, wenn eine von den Kategorien als Schlüssel über dieselbe geschrieben ist, und die Buchstabenschrift kann so zur Pasigraphie werden, noch ehe die Tonsprache selbst ihre Lautgestalten zu solcher Gesetzmäßigkeit durcharbeiten vermachte.

IV.
Welttafel.

§. 366.

Wie das Weltgesetz sich als ewig wiederkehrender Durch=
gang des Wesens durch den Gegensatz und seine Ver=
mittlung in die Form und umgekehrt darstelle, wie die
Erkenntniß ihre Stufen durchlaufend auf der letzten sich
dieses Weltgesetzes bemächtige, und wie dieses Bemächti=
gen an Versuche der Nachbildung desselben in Sprache
und Schrift gebunden sey, ist bisher gezeigt worden. Da
zeigen ist noch, wie dieses Weltgesetz sich in den Stufen
der Wesen selbst Wesen geworden darstelle, welches eine
Welttafel giebt. Sie zeigt das Weltgesetz in seiner
Verkörperung.

§. 367.

Die Wesenheit an sich heißt hier Aether, welcher
betrachtet wird als erfüllend alle Räume zwischen den
Sphären und Sphärensystemen, und in welchem alle
Vereinzelung des Endlichen durch Abscheidung entsteht
und in welchen auch nach Abwerfung der Gränzen das
Einzelne sich auflösend wieder zurückkehrt. Das Einzelne
mit seinem in Raumgränzen eingeschlossenen Leben heißt
hier Masse, und die Sphären sind solche Massen, de=

ren Lebensgeit sich theils nach außen in Wechselwirkung
unter einander und mit ihrem gemeinschaftlichen Ursprunge, dem Aether, theils in einer eben dadurch aufgeregten
Entwicklung ihres Innern verzehrt. Ihre Außenverhältnisse heißen kosmisch, und der geringe Theil dieses kosmischen Lebens, der in unsere sinnliche Anschauung fällt,
heißt der gestirnte Himmel, und wird von den Bewoh-
nern der Erde zunächst mathematisch begriffen in der
Astronomie. Die Gesammtheit dieses Lebens erscheint in
Räumen und Zeiten.

§. 368.

Das Leben dieser Massen verändert seine Raumverhältnisse in der Zeit und erscheint dadurch in Bewegung.
In dieser drückt sich der Gegensatz aus durch Entfernung,
die Einheit aber durch Annäherung, welche bey aufgeho-
bener Gränze, bis zum gänzlichen Ineinanderfließen der
Massen übergehen kann. Das Schema einer Bewegung
geometrisch im Raume verzeichnet giebt ihre Bahn, und
die zeitliche Schließung einer Bewegung durch Wiederkehr giebt Zeitkreise, und die kosmischen Dinge mit ihren
Massen, Räumen, Zeiten und Bewegungen enthalten
die Massengestalt, die Entfernungen und Bahnen, die
allgemeinen (Jahr) und besonderen (Tag) Zeitkreise, und
die Verflechtung von allem dem zu einem Ganzen in Verschlingung der Bahnen und Zeiten und Wechselwirkung
der Kräfte.

§. 369.

Diesem kosmischen Leben der Sphären steht das eigene Entwicklungsleben jeder Sphäre gegenüber, welches

für unsere Erde tellurisch gebaut werden mag, und dessen erstes Objekt der Sphäre eigne Gestalt ist, welche durch die über alle einzelnen Bestrebungen in der Masse allmählich siegende Einheit endlich das Runde erreichen muß. Gegen die Gränze der Gestalt, als in welcher für die Masse die erste Gränze gesetzt ist, regt sich das Leben von innen heraus, aber angeregt durch äussere Einflüsse, und der erste Gegensatz, welcher sich in der Sphäre entwickelt, ist des Raumes erste Dimension, die Länge, hier als Achse mit entgegengesetzten Polen erscheinend. Die allseitig höchste Entfernung der Sphärenmasse von ihrer Gestaltgränze giebt ihr einen Mittelpunkt mit dem allgemeinen Charakter der Unbestimmtheit des Wesens, und dieser Mittelpunkt in besondrer Beziehung auf die Pole der Achse betrachtet heißt ihr Indifferenzpunkt.

§. 370.

Dieses ersten in den Polen der Achse liegenden Gegensatzes Vermittlung, in dem Uebergange der Pole in einander durch Continuität der Masse enthalten, geht durch die ganze Sphäre und bezeichnet auf ihrer Gränze eine Linie, welche von den Polen des Gegensatzes überall gleichweit entfernt ist, und die Quere als zweite Raumdimension darstellt. Die ganze Raumgränze der Sphärenmasse als Fläche theilt sich nun in den Ausdruck des Gegensatzes der Pole und solcher Vermittlung durch den Aequator, und die Achse als Linie durch der Masse Mittelpunkt gehend und als Meridian auf ihrer Oberfläche erscheinend setzt in den Aequator, wo sie ihn schneidet, zwey neue Punkte, welche nicht Pole des Gegensa-

nuß, indem der höchsten Indifferenz sind, in welcher sich das Oben und Unten, Rechts und Links der Sphäre auslöschen. So erhält die Sphäre durch Mittelpunkt, Achse, Aequator und Meridian das Gerüste für die Entwicklung ihrer eigenen Produktivität, und zu den Polen Nord und Süd, welche der Achse gehören, fügt der Durchschnitt des Meridians mit dem Aequator die Pole Ost und West noch hinzu.

§. 371.

Die Masse der Sphäre, welche durch Abscheidung aus dem Aether entstanden, differirt von diesem durch Kot auf eine Raumgränze beschränkte Lebendigkeit, welche positiv diese Gränze ausfüllend Expansion, in dieser Gränze aber sich zusammendrängend Contraktion, und in dem mittlern Resultate beider Wirkungen Cohäsion heißt. Materiell genommen heißt diese erste Stufe der Vereinzelung des Aethers Luft, und ist ausgezeichnet durch den geringen Grad von Verkörperung, der zwar schon eine Raumgränze und in dieser Cohäsion hat, aber zu bestimmter Darstellung von Gegensätzen in derselben noch nicht gelangt ein Schwanken seiner Raumgränze mit Bestimmbarkeit derselben von außen behält, was man Flüssigkeit nennt.

§. 372.

Ist der Aether Luft geworden, so erreicht er eine neue Verkörperungsstufe, wenn der allgemeine Gegensatz der Dinge in der entgegengesezten Qualität zweier Luftarten individualisirt in ihrer Synthesis eine Gestalt findet, welcher die Tendenz zur vollen Vereinzelung als

Tro-

Tropfenbildung inwohnt, so daß das Wasser als tropf‐
bare Flüssigkeit nun die wahre Mutter der Vereinzelung
wird. Diese vollendet sich, wenn in dem Tropfen das
Gerüste der Sphärenbildung sich wiederholend die Di‐
mensionen des Raumes in ihrem Gegensatze fixirt, wo
sobann die nicht mehr schwankende Raumgränze des Fe‐
sten den polarischen Gegensatz der Länge aufschließend
Magnetismus entwickelt, dessen Differenz nach der zwei‐
ten Dimension sich erstreckend das elektrische Spiel der
Oberflächen gebiehrt, das in der gebrochenen Cohäsion
des flüssig gewordenen Festen chemisch die Wiedervereini‐
gung der durch Vereinzelung getrennten Fragmente der
Sphärenmasse wieder findet. Dabey hat diese Vereinze‐
lung ihre individuelle Bestimmtheit in der Krystallisations‐
form gewonnen, welche durch das in jeder Verbindung
besonders modificirte Verhältniß der beiden Luftarten als
allgemeiner Faktoren bestimmt ist, so daß denn auch die
Prozesse, in welche die Erdfragmente eingehen, von die‐
sen Faktoren abhängen, und jeder Zustand der Aufre‐
gung, wie z. B. Klang oder Erwärmung, durch solches
Faktorenverhältniß afficirt wird.

§. 373.

Aether, Luft, Wasser und Festes sind also die Ele‐
mentarstufen der Dinge, und eine Sphäre aus der er‐
sten dieser vier Stufen durch Abscheidung entsprungen
und in ihr schwebend enthält die drey lezten Stufen in
sich selbst nach den Perioden ihres eigenen Lebens in ver‐
schiedenem Verhältnisse, und die Einheit der Sphären‐
masse mit allen ihren Geburten erscheint in diesen als

T

Zug nach dem Mittelpunkte, der sich in ihr als Schneidepunkt entgegengesetzter Richtungen bildet, als Schwere. Dabey ist die unbestimmtere Form immer früher und allgemeiner als die bestimmtere, Luft und Wasser also sind älter und allgemeiner als Erde, und der alles umfassende und uranfängliche Aether mit seinen eignen Ausgeburten, den Sphären, im Gegensatze wird in seinem positiven Einflusse auf diese strahlendes Licht, indeß er zugleich passiv modificirbar durch sie von ihnen in ihr Leben aufgenommen wird, und ihre Bewegungen trägt. So wird die Entwicklung einer Sphäre in sich selbst zu ihrer vielfachen Gliederung, wobey die Gestalt des Ganzen dem Runden nachstrebt, indeß die Fragmente in Winkeln und Seiten die nicht überwundenen Gegensätze der Vereinzelung aussprechen.

§. 374.

In so ferne sich die Vereinzelung zugleich in die Vielheit geworfen hat, ist an der ersten Stufe der Dinge zugleich die zweite Kategorientafel realisirt, indem nämlich die Vielheit der Erdfragmente nach der Seiten- und Stufenentwicklung auseinander geworfen den materiellen Inhalt der Erdmasse in die Erscheinung herausstellt. Die Luft differenzirt durch das Licht und niedergeschlagen zu Wasser hat endlich das Feste gebohren, welches nun mit dem Reste von Wasser und Luft in Berührung und unter stetem aufregendem Einflusse des Lichts eigenes Leben aus sich entwickelt, für welches das Feste selbst, als Resultat der lezten Vereinzelung, Substrat wird. Dadurch beginnt die Geschichte des Ganzen

sich in seinen Fragmenten zu wiederholen und wird dadurch individuell.

§. 375.

Das einzelne Feste in Berührung mit Licht, Luft
und Wasser hat im Hervortreten seiner Eigenschaften und
Zustände seine ganze Beschaffenheit an den Tag legen
können, und die Urprinzipien des Ganzen, die auch im
Einzelnen liegen; jene oben bezeichneten Luftarten, treten
nun bey fortgesetzter Anregung von außen in das Wech-
selspiel der Prozesse. Ihrer Natur nach, breitet die eine
Luftart sich aus in flächenartiger Seitenentwicklung, dagegen die andere Luftart zusammendrängend das Leben
in seiner einfachen Richtung nach dem Anregungseinflusse,
fortführt, und mit jener Seitenentwicklung sich durcheinan-
theilend eine Stufenentwicklung darstellt. Dieses Entwicklungsleben heißt Pflanze, die Seitenentwicklung giebt
Blätter, die Stufenentwicklung giebt Stengelabsätze, und
wenn an dem ersten Stengel dieser ganze Lebensprozeß
nach den Seiten in untergeordneten Stengeln (Aesten
und Zweigen) sich wiederholt, so entsteht die dendritische
Form. Da der ganze Prozeß hier von dem mineralisch-
Festen (dem Erdstäubchen) ausgieng, so mußte die Ausscheidung des formalen Prinzips, als der Ursache der
Contraktion, den Prozeß anfangen, und ausserdem mußte die Cohäsion vorher gebrochen werden.

§. 376.

Dieses Brechen der Starrheit ist die Aufschließung,
mit welcher das Pflanzenleben in die zweite Kategorie
der vierten Tafel eintritt, welche Entwicklungssystem

heißt. Das einzelne Feste in Wechselwirkung mit der flüssigen Aussenwelt und in den Lebensprozeß der Entwicklung hineingezogen endet den lebendigen Gegensatz zwischen Flüssigem und Festem durch die Gefäßbildung, bey welcher das Feste als formgebend, das Flüssige aber als veränderlicher Inhalt erscheint, und das Pflanzenleben wird dadurch zu einem Durchgange des allgemeinen Lebens durch die Gränzen einer besonderen Cohäsion (§. 165 fg.), wobey das von aussen aufgenommene in die Eigenthümlichkeit der Pflanze übergegangen von ihrem Lebensprozesse stets wieder verlassen wird, um in neuer Aufnahme von aussen den Lebensprozeß fortzusetzen. Daher lebt die Pflanze in steter Erneuerung ihrer selbst, indeß das elementarische und mineralische Ding entweder in steter individualitätsloser Veränderung oder in einförmigem Festhalten seiner Faktorenverhältnisse dasteht. Die Gesammterscheinung der Pflanze heißt Blüthe, das durch den Vegetationsprozeß hindurchgegangene Erdstäubchen schließt nun als Frucht (Totalentwicklung) und Saame (Grundlage) neuen pflanzlichen Lebens die Natur und die Geschichte der Pflanze, deren erste sich in Wurzel, Stengel, Blatt und Blume, leztere aber in den Perioden des Keimens, Grünens, Blühens und Reifens dargelegt hatte.

§. 377.

In dem Gebiete der elementarischen und mineralischen Massen erscheint das tellurische Leben vereinzelt, und in der Pflanzenwelt wirft sich diese Vereinzelung in äussere Entwicklung, und die Pflanzenwelt ist natürliche

Beschreibung der Erde. Das Kleid wächst aber hier, wie bey den gefiederten oder behaarten Thieren, auf dem Leibe, weil es dessen äusserste Entwicklungsform ist, und so kann der Entwicklungsprozeß des Pflanzenlebens sich von seinem tellurischen Substrate so wenig losreissen, als im Geiste die Wahrnehmung von der Vorstellung sich losreissen kann. Die dritte Stufe des tellurischen Lebens, entsprechend der dritten Tafel der Kategorien, muß daher gesucht werden in einer Bildung, welche den räumlichen Zusammenhang des pflanzlichen Gefäßsystems mit der Erde aufhebend dieses mit einem andern zugleich gebohrnen Systeme ergänzt, und dadurch eine Doppelnatur giebt, welche Thier heißt. Da alles Ergänzungsverhältniß auf dem Gegensatze beruht, so muß das zweite System, welches in dem Thiere zu dem vegetativen Systeme hinzukommt, im Gegensatze mit diesem zerstreuenden Systeme ein zurückführendes seyn, und da nach der Lehre von der Stufenentwicklung in der dritten Stufe die beiden ersten noch mit unbestimmter Einheit (Wurzel) in Ein Produkt eingehen, so muß das neue System im Thiere, das Nervensystem, ursprünglich unbestimmter Natur seyn, und erst in seiner Verbindung mit dem vegetativen Systeme seine Bestimmtheit erhalten. Da nun ferner die dritte Potenz auch die beiden vörigen in sich enthält, so muß die mineralische Potenz der Masse, aber unter animalischer Form, hier wiederkehren, was man Knochensystem nennt. Demnach erscheint die dritte Stufe dreygliedrig mit einem Knochen-, Gefäß- und Nervensysteme, und das in der Vierzahl liegende Weltgesetz

wird dadurch befriedigt, daß das animalische Gefäßsy-
ftem, aus seinen Stengeln Blätter entwickelt, die Muskeln genannt werden.

So in sich selber verdoppelt steht die thierische Natur als Subjekt-Objekt da, und zugleich wieder als
Subjekt einseitig der tellurischen Natur als ihrem Objekte gegenüber. Leztere Gegenüberstellung erscheint schon
massenartig im Zuge der Schwere, und pflanzenartig in
der Selbsterneurung (Wachsthum) und Ernährung des
thierischen Lebens aus äusserem Stoffe, und eigentlich
animalisch wird dieses Verhältniß durch die Stufe des
Nervensystems, welche sich gegen die äussere Natur wendet. Das Nervensystem drückt nämlich seine Eingeboh-
renheit mit dem Gefäßsysteme in der bekannten Form
aus, welche Gangliensystem heißt, und läuft in einer
andern, welche Hirn heißt, in sich selber zusammen; seine mittlern Formen aber sind nach aussen gerichtet, im
Bewegungsnervensysteme reagirend, im Sinnesnervensy-
steme empfangend. Was aber in der lezteren Nerven-
form aufgenommen wird, ist nicht mehr wie in dem Gefäßsysteme der äussere Stoff, sondern des äusseren Stoffes äussere Form.

Dadurch entwickelt sich also zwischen Thier und Erde das ganze Subjekt-Objektivitäts-Verhältniß der dritten Kategorientafel. Die Erde, das thierische Leben in
seiner Aeusserlichkeit berührend, verräth sich diesem mit ih-

rer Selbstständigkeit als widerstehende Masse, wirkt auf
es ein und nimmt dessen Einwirkung an, aber ohne
mehr als ihre Form bildsam hinzugeben, und das thierische Leben fühlt seine Selbstheit in ihrem auf das Objekt gerichteten Streben zurückgedrängt. Indem sie so gegen einander gestellt sind, fällt ihr gegenseitiges Wirken
in die zweite und dritte Kategorie der dritten Tafel, so
daß das vom Objekt ausgehende (objektsubjektive) Wirken mit der Berührung des Subjektes beginnt, im subjektiven Leben zu einer Erregung seiner Thätigkeit ausschlägt, die sich seinen übrigen Verhältnissen accommo-
dirt, und die auf diese Weise dem Subjekte angeeignete
Einwirkung des Objekts wird endlich mit der Innerlich-
keit des subjektiven Lebens selbst Eins als Empfindung. Dagegen tritt die subjekt-objektive Wirkung aus
dem subjektiven Leben gegen das Objekt heraus, und erscheint auf dessen räumlichem Gebiete als Bewegung,
welche sich des Objektes bemächtigt, indem sie es der subjektiven Einwirkung allseitig bloßstellt, vorerst seine Selbstständigkeit in der Form angreift, bearbeitend dem Objekte eine subjektive Form aufbringt, und, über die Selbstständigkeit des Objektes im Wesen nichts vermögend, es
jedoch in der Form umwandelt. Wenn das subjektobjektive Verhältniß blos zwischen Pflanze und Erde oder
der Pflanzennatur des Thieres und der Erde gesezt ist,
so realisirt sich die Wechselwirkung ganz in dem Stoff-
wechsel als Durchgang des allgemeinen Lebens durch das
einzelne Leben, und der Stoff in das Gefäß aufgenommen wird von diesem in seinen Inhalt verwandelt, da-

bey aber auch zugleich gänzlich umgewandelt und mit
dem Wesen des pflanzlichen Individuums Eins.

§. 380.

Im Thiere steht demnach die mineralische Vereinzelung überhaupt da, als Leib, und, im Leibe als Knochensystem, das pflanzliche Wesen erscheint in dem Gefäßsysteme mit seiner Ernährung, und das eigentlich Thierische in dem Nervensysteme mit seinen zwey auf Empfindung und Bewegung gerichteten Mittelformen. In der
Duplicität, welche das Thier vor der Pflanze voraus
hat, liegt schon die Unmöglichkeit, daß es wie diese aus
einer trennenden Aufschliessung des Erdstoffes hervorgehe;
es muß vielmehr aus einer Verbindung der individuali-
sirten Urprinzipien hervorgehen, also erzeugt seyn, sey
es auf allgemein tellurische (Schöpfung) oder auf individuelle Weise durch Serualität. Denn wie der pflanzliche Trennungs- (Desorybations-) Prozeß an einer endlich erreichten Neutralität (Frucht) stirbt, nachdem vorher in der Blüthe die Urprinzipien sich in lezter Trennung als Staubfäden und Stempel gezeigt; so greift in
des Thieres synthetischem Lebensprozesse der Gegensaz
der Urprinzipien das ganze Individuum durch und thei-
let die Gattung. Die Pflanze hat die Geschlechter, das
Thier ist im Geschlechte.

§. 381.

Da bey dem Thiere die Entwicklung der Vielheit für
die Erscheinung in das vegetative System als die zweite
Stufe seines Wesens gehört, so hat das Nervensystem,
als mit welchem sich die Thiernatur schließt, seine Viel-

heit nur in der lebendigen Beziehung auf jenes, ist aber in sich selbst einfach. Es geht aber mit dynamischem Wirken in die qualitativen Gegensätze des vegetativen Systems ein, welche sich ihm als verschiedene Organe darbieten, und wenn das Nervensystem in seiner höchsten Stufe einen Theil hat, in welchem es am meisten von den Differenzen des vegetativen Systems abgewendet sich selbst auch am meisten angehört, so muß in diesem Theile des Nervensystems ein rein dynamisches Centralleben gesucht werden, in welchem das empfangende Sinnenleben seinen Mittelpunkt hat, und von welchem das protensive Bewegungsleben ausgeht. Ein Mittelpunkt entsteht hier aus der Indifferenz, welche diese doppelte Dynamik sich erringt, und welche stets gestört sich auch stets wiederherstellt. So wird sie Lebensprinzip für das Thier.

§. 382.

Da an dieser Einheit des Centrallebens, die von außen gekommenen Affektionen eben so wohl als die in das Nervensystem übergegangenen innern Veränderungen des Leibes als empfundene sich brechen, so werden die Empfindungen hier zum Gefühle, und, da von eben dieser Indifferenz aus, wenn sie ihr Uebermaß von Affektion zu entladen versucht, Affektionen theils auf die für sie disponibeln Theile des Leibes ausgehen, so entstehen hier die Bestrebungen zu solchen nach außen gerichteten Affektionen als Triebe, und in den Gefühlen liegt dann die vollständige Realisirung der dritten Kategorie der dritten Tafel, so wie die Realisirung der zweiten Kategorie dieser Tafel von den Trieben ausgeht.

§. 383.

Gefühle und Triebe geben einen Theil des innern thierischen Lebens, den man den gemüthlichen nennen kann, und welcher in seinen beiden Formen zunächst an die Sinne und die Glieder, mittelbar aber an das vegetative System gebunden ist. Dadurch entsteht, daß in den Gefühlen theils das Objekt von außen, theils der innere Zustand sich kund thut, und die Triebe theils auf die ihnen disponibeln Theile des Leibes, theils auf die Objekte sich richten. Immer aber hat dieser gemüthliche Theil des thierischen Lebens zunächst inhaltigen Charakter, daß etwas mich afficirt habe, oder daß ich etwas verlange, und Form kommt in dieses innere Leben nur dadurch, daß die Sinne selbst sich empfänglich für die Form des Objekts zeigen und die Glieder ihre Wirkung auf das Objekt formal zu modificiren vermögen.

Anmerkung. Glieder des thierischen Leibes sind nicht nur die Extremitäten, sondern alles willkührlich bewegliche an ihm, z. B. Zunge, Kehle ꝛc.

§. 384.

Die Sinne sind empfänglich für die Form dadurch, daß theils der Sinne selbst mehrere sind, welche sich einzeln oder gesammt auf Ein Objekt richten können, theils auch jeder Sinn ein großes von Gegensätzen eingeschlossenes Gebiet hat, innerhalb dessen sehr viele graduelle Unterschiede wahrnehmbar sind. Die Sinne, als Beziehungen des thierischen Centrallebens auf die Erscheinungsseite der objektiven Welt, ergreifen die Gegenwart dieser in ihrer niedersten Stufe als Masse, wie sie theils

raumerfüllend, theils geometrisch gestaltet sich dem subjektiven Leben durch Widerstand ankündigt, der in die Gegensätze des Harten und Weichen, Rauhen und Glatten
eingeschlossen ist; was aber die Masse enthält, nämlich
die Urprinzipien des materiellen Daseyns, spricht sich für
einen zweiten Sinn in die Qualitäten des Sauren und
Kalischen getrennt und für einen dritten im dynamischen
Conflikte aus, den das Ohr theilnehmend als Ton em-
pfindet. Wie sich endlich die Welt der Massen von dem
alles betastenden Lichte reproducirt in diesem synthetisch
abbildet, vernimmt der Lichtsinn des Auges, der nicht
aufgehört hat, ein Tastsinn zu seyn, ob er sich gleich
des Lichtes zum Tasten bedient. Auch der chemische und
der dynamische Sinn tasten, jener kostend, dieser hor-
chend; denn überall legen die höheren Stufen die erste
zum Grunde.

§. 385.

Indem so das thierische Leben von den Massenver-
hältnissen, den Qualitäten, dem dynamischen Conflikte
und der Lichterscheinung der objektiven Welt besonders
afficirt wird, entsteht ihm eine formale Reproduktion der
Aussenwelt in innerer Nachbildung, wie sie dem Lichte
entsteht, wenn es die Massen berührt. Diese Reproduktion in das fühlende Centralleben des Thiers übersetzt
wird da zur Vorstellung, d. h. zu einer gefühlten Nachbildung, und enthält nicht nur das Gefühl eines wider-
stehenden oder einwirkenden äusseren Etwas, sondern auch
das Wie dieses Widerstandes oder dieser Einwirkung.

§. 386.

So entwickelt sich in dem Thiere eine formale Welt von Vorstellungen, die sich an sein inhaltiges inneres Gefühlsleben als subjektive Reprobuktion der Außenwelt anschließen, und weil das sensible System mit dem vegetativen Systeme verwachsen ist, so erscheint die Aktivität des erstern in tief begründeter Abhängigkeit von dem leztern.

§. 387.

In der Reprobuktion der Außenwelt, welche in den Vorstellungen liegt, realisirt sich demnach die dritte Kategorie der dritten Tafel, nämlich das in das Subjekt übergehende Wirken des Objekts, auf formale Weise, und die Rückwirkung des Subjekts durch den Trieb und die Bewegungsorgane auf die Außenwelt ebenfalls formal geworden giebt die in der dritten Kategorie der vierten Tafel von dem thierischen Centralleben ausgehende Produktion. Diese beginnt mit einem Bemächtigen, welches in den Bewegungsgliedern des Thieres als ein Ergreifen des Objektes erscheint, und, je tiefer die Animalität steht, desto mehr mit dem vegetativen Systeme zusammenhängt, also vermittelst der Zähne geschieht, indeß das höhere Thier die Extremitäten zum Greifen verwendet. Geschieht das Ergreifen vermittelst der Zähne, so geht die weitere animalische Thätigkeit in den Nahrungsorganen durch vorbereitendes Beißen und aneignende Vermischung mit Thiersaft (Speichel) bis zur gänzlichen Verwandlung des fremden Stoffes in eigenen (Blut) durch die Verdauung fort; fällt aber das Ergrei-

fen in die Extremitäten, so wird der ganze Prozeß mehr
formal und kann unabhängig von der Ernährung zu
einer Uebertragung subjektiver Form in das Objekt ausschlagen, was eben der eigentliche Sinn der Produktion ist.

§. 388.

In dem Thiersafte, der sich mit der aufgenommenen
Speise vermischt, hatte der chemische Sinn von der einen
Seite, nämlich als Geschmacksorgan, seine Reaktion gegen die Außenwelt ausgeübt, und indem er das Objekt
benezte, seine Form schon verändert; daher denn auch
bey Thieren und Kindern das Bestreben erscheint, den
Stoff beleckend noch vor der Aufnahme in den Mund zu
benezen. Im Ergreifen hatte der Tastsinn seine reaktive
Seite gezeigt. Die zweite Hälfte des chemischen Sinnes,
der Geruch als Luftsinn betrachtet, giebt seine Reaktion
durch zurückgeschickte (ausgehauchte) Luft zu erkennen,
und wird diese Reaktion zur Heftigkeit aufgeregt, so erscheint sie als abstoßendes Schnauben gegen das Objekt.
Was nun hier das Organ des Luftsinnes als animali-
sirte Luft an die Außenwelt zurückgiebt, kann für den
dynamischen Sinn von einem andern Organe noch höher
modificirt zum Laute ausschlagen, so daß das Lautgeben
die Reaktion des thierischen Lebens auf die Affektionen
der Außenwelt wird. Wie der dynamische Sinn an sich
schon von der Ernährungsaufgabe des vegetativen Systems weiter entfernt liegt als der chemische Sinn, so
wird seine Reaktion auch freierer Ausdruck des animalischen Lebens, als es bey dem chemischen Sinne möglich

tß, und wenn vollends das Bemächtigen des Objektes durch das freiere Spiel der Extremitäten des Thieres so weit gehen kann, daß es dem Objekte eine Form giebt, die an demselben haftend sich dem Gesichtssinne des Thieres darstellt, das Thier also etwas sehen gemacht oder an dem Objekte sichtbar gezeigt hat, so hat das thierische Leben seinen Produktionskreis parallel mit seinem Reproduktionskreise durchlaufen.

§. 389.

Wird das mineralische (elementarische) und vegetative Leben im Thiere so erkannt, wie im §. 377. gezeigt worden, und ist das animalisch-tellurische Subjekt-Objektivitäts-Verhältniß nach §. 379. bestimmt; so kann eine Construktionstafel des Sinnen- und Bewegungs-Systems vollends den Begriff des thierischen Lebens ergänzen. Nämlich:

I. Mechanisch. Massensinn. Tastsinn. Greifen.

II. Chemisch. { Geschmack. Speichel. Belecken.
{ Geruch. Luft. Anhauchen.

III. Dynamisch. Gehör. Luft. Laut geben.

IV. Reproduktiv. Gesicht. Licht. Sichtbar machen (zeigen).

Dabey bleibt noch in höchster formaler Bedeutung:

1) Mechanischer Sinn . . . . . thetisch
2) Chemischer Sinn . . . . . . analytisch
3) Dynamischer Sinn . . . . . antithetisch
4) Reproduktions-Sinn . . . . . synthetisch

§. 390.

In der mineralischen Natur hat die Erde sich vereinzelt, in der pflanzlichen hat das Einzelne es zum Entwicklungsprozeß gebracht, und in der thierischen Natur erscheint diese Entwicklung mit einer Einwicklung, das pflanzlich zerstreuende Prinzip mit einem thierisch resumirenden, verbunden, und zwar ebenfalls im Einzelnen, so daß das Thier von aussen abgeschlossen zur Individualität gelangt ist. Die Erde kann also nach der Thierproduktion, in welcher bereits die Selbstverdopplung als Subjektobjektivität statt findet, nur noch Eine höhere Stufe erreichen, in welcher durch reine Darstellung der Totalitätsform mit dem Individuellen sich auch das Kosmische wieder verbindet, indeß das Thier blos in tellurischen Verhältnissen gelebt hat.

§. 391.

Wie die Thiernatur als dritte Stufe die zwey vorangegangenen in sich habe, ist bereits gesagt worden. In der vierten Stufe, welche Mensch heißt, kommt nun die dritte Stufe noch zur Multiplikation mit ihrer Wurzel, der in sich selber unbestimmten Einzelheit, welche von den drey Stufen der Thiernatur Entwicklung nehmend für diese zur lezten Einheit wird, in welcher das thierische Centralleben sich vollendet. Wenn also lezteres im Thiere blos als Durchschnittspunkt (Indifferenz) entgegengesezter Richtungen erscheint, so hat es in dem Menschen seine Selbstständigkeit als Seele. Weil nun mit vollendeter Einheit in einem Ganzen auch die Verhältnisse seiner Vielheit zur Vollständigkeit und ge-

ſetzmäßigen Ordnung gelangen, ſo iſt die Menſchennatur
in phyſiſcher Hinſicht ausgezeichnet durch die Symmetrie
der Geſtalt, die Vollzähligkeit und muſterhafte Reguli⸗
rung der Organe und ihrer Wirkungen, und eine voll⸗
ſtändige Entwicklung des bey den Thieren blos angefan⸗
genen Gehirnes.

§. 392.

Die Selbſtſtändigkeit der Seele in dem Menſchen
geſezt, ſo folgt für ſein inneres Reproduktions⸗ und
Produktionsleben vieles, was ihn von dem Thiere un⸗
terſcheidet. Zuvörderſt kann die Reproduktion ſowohl
als die Produktion aus der Abhängigkeit von dem vege⸗
tativen Syſteme und ſeiner materiellen Selbſterneurung
losgeriſſen und unter den Einfluß jener Einheit geſtellt
ſich mehr in formale Thätigkeit werfen, und zulezt ſogar
in ſubjektivem und objektivem Formbilden es zur Vollen⸗
dung der Form bringen. Dabey bleibt von dem inneren
Leben des Thieres theils die gemüthliche Seite mit Trieb
und Gefühl, theils die geiſtige mit Vorſtellung und vor⸗
ſtellungsmäßigem Wirken nach auſſen durch die Bewe⸗
gungsorgane, und wie dieß in dem Thiere durch die
Vereinzelung des Leibes auf deſſen Inhalt und Umfang
beſchränkt war, ſo auch noch in dem Menſchen.

§. 393.

Die Vereinzelung, die ſich in der mineraliſchen Welt
äuſſerlich durch die Kryſtalliſationsform ausſpricht, heißt
auf eben dieſem Gebiete innerlich Cohäſion, und beſteht
in einem gegenſeitigen Eingreifen und Feſthalten der Fac⸗

toren

deren unter einander. In das Gefühl des Thieres übertragen heißt diese Cohäsion Selbstgefühl und in den Trieb
übertragen selbstischer Trieb, der auf Erhaltung und Erweiterung des Einzellebens gerichtet ist. Da nun die
Vorstellung zunächst mit dem Gefühle zusammenhängt,
so geht das Selbstgefühl auch durch das Vorstellungsleben des Thieres hindurch als subjektiver Grundton, an
welchen sich alle einzelnen Vorstellungen anschließen; und
da das vorstellungsmäßige Wirken nach außen zunächst
mit dem Triebe zusammenhängt, so geht es ebenfalls von
diesem Selbstgefühle aus, welches sich an jenen Grundton der Vorstellungen anschließt.

§. 394.

In dieser vierfachen Form des Egoismus ist die
thierische Grundlage der Menschennatur enthalten, und
da die in dem Menschen hinzukommende selbstständige
Einheit als Seele theils alle Verhältnisse des Thieres
symmetrisch vollendet, theils auch eben diese Verhältnisse
unter dem Einflusse solcher Einheit formal erneuert, so
ist aus diesem doppelten Gesichtspunkte der Vorzug der
Menschennatur zu construiren. Für den thierischen Leib,
dessen Gestalt im Menschen ihre symmetrische Vollendung
erhält, resultirt daraus die Herrschaft der Achse (Wir-
belsäule) in der Stellung des Leibes, indeß bey den Thieren die Herrschaft des vegetativen Systems (Brust und
Bauch als Rumpf) die Stellung mit der Erdoberfläche
parallel hält, und aus dieser aufrechten Stellung des
menschlichen Leibes resultirt weiter die Freylassung der

U

obern Extremitäten von dem Dienste der Ortsbewegung. Dadurch wird die Hand erst zum vollendeten Organe des mechanischen Sinnes im Tasten und Greifen, und weil die aufrechte Stellung auch den Schädel mit den äußern Organen des chemischen Sinnes von der unmittelbaren Richtung auf die Erdoberfläche losreißt, so tritt mit dem Organe des niedersten Sinnes (Hand) auch das Organ des höchsten (Auge) in größere Unabhängigkeit von dem vegetativen Systeme und seinen Bedürfnissen; ja sogar die senkrecht gewordene Gesichtsfläche, welche den Perpendikel der ganzen Gestalt nach ihrer Art wiederholt, läßt das äußere Organ des Geschmacksinnes zu einem andern als dem Nahrungsgebrauche noch frey.

§. 395.

Diese vielfache Freylassung der Organe des menschlichen Leibes aus dem Dienste des Stoffes im vegetativen Systeme macht sie fähig, der Form dienstbar zu werden, falls diese in der Seele des Menschen erwachte. Dieses Erwachen muß aber nothwendig eintreten, einmal, weil jene Organe, so weit sie das vegetative System freyläßt, ein überschüssiges Leben erhalten, das sich auf andere Weise verzehren muß, und dann, weil eben diese Organe das, was sie aus dem subjektiven Leben in das objektive übertragen, aus diesem vielfach verändert wieder zurückkommen sehen. Ein Schlag in das Wasser giebt Wellen, ein Schlag an die festen Körper giebt mancherley Töne, indeß die Seele nur den Schlag kannte, der nun ihren Sinnen so mannigfach wieder zurück

bonnur, so daß sie fortfährt, Versuche zu machen. Das
Thier ohne selbstständige Seele übersieht diese Wirkungen
theils im Eifer der Nahrungslust, theils im Drange für
net Lebensfülle, sich unmittelbar durch äussere Thätigkeit
nach außen zu entladen.

§. 396.

Ist einmal die Form gewonnen, so hat sie doppelte Bedeutung, nämlich für die Empfänglichkeit in den
Sinnen und deren Wiederholung im Centralleben, dann
für die von hier aus auf die Bewegungsglieder gehende
Reaktion. In ersterer Hinsicht wird die den Objekten
abgewonnene Vorstellung von dem Subjekte in ihrer Bestimmtheit festgehalten, und in zweiter Hinsicht wird versucht, dieselbe Vorstellung durch Wirkung auf die Aussenwelt in dieser objektiv zu machen, damit diese und
keine andere durch die Sinne wieder in die Seele zurückkehre. Dieß giebt eine Herrschaft über die Vorstellungen und ein vorstellungsmäßiges Rückwirken auf die Aussenwelt, und wenn das leztere dahin gelangt, eine objektive Erscheinung zu Stande zu bringen, welche der subjektiven Vorstellung befriedigend entspricht, so ist die
Seele zu der Sprache gekommen, und diese hat dann
nur von der Bilderschrift ausgehend ihre eignen höhern
Stufen zu entwickeln, um den erkennenden Geist in seiner Freyheit herzustellen.

§. 397.

Ist die Sprache gewonnen, so wird die Herrschaft
über die Vorstellungen nicht nur in Hinsicht ihres Fest-

haltens erleichtert, sondern auch Erkenntniß ihrer Verhältnisse gegeben, so daß es möglich wird, die einen
Vorstellungen hervorzuheben, die andern fahren zu lassen, und besonders auch im Wirken nach auffen die
Vorstellungen und die ihnen entsprechende Thätigkeit der
Bewegungsglieder so zu ordnen, daß jene Thätigkeit zum
vorgestellten Ziele führe. Die Herrschaft über die Vorstellungen heißt Gedächtniß, und das auf das Ziel be-
rechnete Wirken heißt ein Handeln, und beides tritt für
den Menschen mit einander ein, wenn die in ihm erwachte Form zu Erfindung der Sprache gekommen ist.
Wenn nun bey den Thieren, welche der Sprache doch
entbehren, Gedächtniß eben so wohl als zweckmäßiges
Wirken vorzukommen scheint, so ist dieß darum, weil
ihr in Vorstellungen lebendes Gefühl durch Angewöh-
nung, nach welcher oft wiederholte Thätigkeit zu einem
bleibenden Faktorenverhältnisse der Organe wird, nicht
nur an einzelne Vorstellungen, sondern sogar an ganze
Vorstellungsreihen gebunden wird, wodurch am Ende
nicht nur die Vorstellungen, sondern auch ihre Verhältnisse gefühlt werden. Dieses formfühlende Gefühl heißt
Instinkt und er verräth seine niedrige Geburt theils durch
seine einseitige Beschränktheit, theils auch durch seine ein-
förmigen Produktionen, und wenn es der Instinkt beym
Affen oder Elephanten bis zur höchsten Gelehrigkeit bringt,
nach welcher er in tausend vorgemachte Thätigkeiten sich
hineinzufinden weiß, so bringt er es doch nimmer zur
Erfindung.

§. 398.

Für den zur Sprache gekommenen Menschen, der durch sie die Form gesondert von dem Wesen vorzustellen vermag, entsteht nun, weil nach §. 283 fg. die Entwicklung der Erkenntniß nur in der wechselwirkenden Gemeinschaft mit andern Seinesgleichen möglich ist, eine reproduktive Welt, welche von den Sprechenden ausgeht und in ihrer Gemeinschaft ihre Haltung findet. Ihr einer Inhalt liegt in der gemeinschaftlichen Erkenntniß der Dinge, und weil alle desselben Geistes sich erfreuen, so vermuthen sie nicht ohne Grund, daß das Uebereinstimmende in ihrer Erkenntniß das Wahre sey, und unselbstständige Geister lehnen sich an das Urtheil der Menge als an die Stütze ihrer Ueberzeugung an; der andere Inhalt dieser in der Gemeinschaft der Sprechenden allein gegründeten Reproduktionswelt besteht in der erprobten Zweckmäßigkeit ihres Handelns, welches auf die Bedürfnisse des Daseyns berechnet den Nutzen zum Gesetze hat. Dadurch erhält die §. 389. gegebene Sinnentafel folgende neue Bestimmungen: 1) aus dem Greifen, welches mit dem mechanischen Sinne in Verbindung steht, wird ein Behandeln (handhaben) des Objekts, und die Ableitung des deutschen Wortes von dem Worte Hand ist tief bedeutend; 2) aus der sich auf den chemischen Sinn beziehenden Wirksamkeit wird ein Schmeckbar- und Riechbar-Machen (Kochen); 3) aus dem Lautgeben für den dynamischen Sinn wird ein bildendes Behandeln der Stimme, Singen und Sprechen, und 4) aus dem, was für das Auge geschehen kann, um ihm etwas ſichtbar zu machen, wird überhaupt ein Darſtellen.

§. 399.

Daburch wird das Gefühl um vieles reicher, und der Trieb nach vielen Richtungen gezogen, und wenn auch für beide die in §. 293. bezeichnete egoiſtiſche Form Grundlage bleibt, und ſie ſelbſt noch Erkenntniß und Darſtellung unter der Vorſtellung des Nützlichen in ihr Intereſſe ziehen; ſo iſt doch dieſer vierfache Egoismus zugleich ein unendlich reiches Leben geworden, welches die Gefühle des Angenehmen zu multipliciren weiß, mit den Ergänzungsverhältniſſen, die der Trieb verlangt, weit über das Individuum und die eßbare Welt hinaus in die Gattung und die ganze ſichtbare Welt reicht, wel- ches in dem Verbinden und Trennen der Vorſtellungen theils die Luſt des Wiſſens, theils das Spiel des Den- kens genießt, und zu der Darſtellung eilt, in welcher ihm ſelbſtgeſchaffene Formen von auſſen entgegentreten, ſo daß es ſich ſelbſt auch von auſſen her entgegenkommt. Nun hat die Sprache das Individuum ſo gänzlich in die Gattung verwebt, daß es mit ihr nicht nur die vor- hin bezeichnete Reprobuktionswelt gemeinſchaftlich probu- cirt, ſondern auch von andern als Theil dieſer Repro- buktionswelt anerkannt in dieſer ein zweites Daſeyn hat, welches dem erſten thieriſchen ſuperſtruirt mit ſeinem Egoismus in Widerſpruch geräth, indem der Sprechen- de nur von andern gleichfalls Sprechenden verſtanden wird, und der für das Individuum geſuchte Nutzen nur in der Gemeinschaft mit andern Individuen erhalten werden kann, welche denselben Nutzen suchen.

§. 400.

Dieses alles ist Resultat der in dem Menschen erwachten Form, und dieses Erwachen in seinen Geist übergegangen giebt ihm die Möglichkeit der Abstraktion, welche nicht etwa in einer absoluten Trennung der Form von dem Inhalte der Erkenntniß besteht, was im Leben unmöglich auch in der Erkenntniß nicht zur Wirklichkeit kommen kann, sondern die Abstraktion steigert die Form von ihrer engsten Beschränktheit bis zur höchsten Allgemeinheit, wobey der Inhalt in jener sich zusammenzieht, wie er sich in dieser erweitert. Dabey wird aber der Inhalt in der Beschränktheit vielfacher, in der Allgemeinheit einfacher, und die scheinbare Vielfachheit des Inhaltes besteht an sich nur in einer vielfachen Brechung der Form in sich selbst, wobey das Gesetz verschwindet, indeß bey der Allgemeinheit der Form das Gesetz in dem Grade kennbarer hervortritt, als die Form einfacher wird. Das Gesetz besteht nämlich in den Verhältnissen und Beziehungen des Entgegengesezten, und wo die Form vielfach gebrochen ist, sich also die Gegensätze und ihre Beziehungen kreuzen, da versteckt sich das Gesetz hinter dem aus ihm gebildeten Netze, und nur die Zurückführung dieses Netzes auf Zettel und Einschlag kann das Gesetz wieder hervorziehen.

§. 401.

Die Abstraktion also, welche in der Steigerung der

Form aus ihrer vielfachen Brechung in der Erscheinung
auf ihre einfachen vom Wesen unzertrennlichen Gegen=
säße besteht, nimmt in der Erkenntniß die Richtung vom
Individuellen nach dem Generellen, und wenn dem Gei=
ste diese Richtung gewährt ist, so mag er auch die um=
gekehrte versuchen. In der ersten Richtung, wobey die
scharfe Bestimmung der Gegensäße die Aufgabe ist, heißt
der Geist Verstand, und sein Gebiet sind die logischen
Urtheile, wobey er schon in der Wahrnehmung anfängt,
Entgegengeseztes zu sondern; in der zweiten Richtung,
welcher die Gegensäße in der Lebendigkeit ihres Spieles
verschwinden, heißt der Geist Einbildungskraft,
und weil diese beiden Richtungen dem Geiste gleich mög=
lich seyn müssen, so schreibt der Mensch diese beiden
Vermögen sich zu, und muß sie den Thieren absprechen,
denen zwar allerdings Combinationen von Vorstellungen
auf vielfache Weise möglich sind, denen aber nimmer ver=
gönnt ist, in diesen Combinationen die Steigerung oder
Verminderung der Form zu erkennen. Sie sind ohne
Abstraktion.

§. 402.

Ist in der Erkenntniß die Abstraktion, so kann auch
die von der Erkenntniß ausgehende Darstellung sich die
Aufgabe sezen, blos die Form äusserlich zu produciren,
wobey der Nuzen der Sache bey Seite gesezt wird,
und die producirte Form hinreicht, den Geist zu ergö=
ßen. Diese formale Darstellung, welche ganz ohne In=
teresse an der Sache sie blos um der zu producirenden

Form willen behandeln und um dieser willen selbst wieder vernichten kann, heißt Spiel und steht mit der Abstraktion gänzlich auf einerley Höhe, so daß die Thiere des Spieles im strengen Sinne eben so wenig fähig sind als der Abstraktion.

§. 403.

Wenn durch das Erwachen der Form das geistige Leben so weit gesteigert ist, so kann das gemüthliche, bestehend aus Trieb und Gefühl, nicht mehr auf thierischer Stufe zurückbleiben, denn die Selbstständigkeit menschlicher Seele, welche beiderley Leben in sich concentrirt, muß die Steigerung der einen Seite auch der andern mittheilen. So wird denn das Selbstgefühl von formaler Erkenntniß durchdrungen zum **Selbstbewußtseyn**, und der thierische bloß auf Ergänzung des individuellen Lebens gerichtete Trieb nach der Form hinübergewendet zum **Willen**, indeß die Vorstellung Erkenntniß und das Wirken nach außen Darstellung geworden ist. Nun fallen aber in der dritten Kategorie der vierten Tafel Selbstbewußtseyn und Erkenntniß auf die Reproduktionsseite, Wille und Darstellung dagegen gehören der Produktion an, und wenn das ganze vegetative und sensible System des Menschen in dem Worte Leib zusammengefaßt wird, so steht dieser der selbstständigen Seele gegenüber, und zwischen beiden entwickelt sich die Reproduktion und Produktion doppelt, nämlich formal und inhaltig, woraus für die Menschennatur folgendes sechsgliedrige Schema entsteht:

Seele

Bewußtseyn   Wille

Erkenntniß   Darstellung

Selb

§. 404.

Erreicht der Mensch diese Höhe durch das Erwachen
der Form in ihm, und ist die Entwicklung der Form für
das Individuum an die Erfindung der Sprache und somit an die Gemeinschaft der Individuen gebunden, so
kann auch sein Bewußtseyn sich nicht von der Gattung
losreißen, und menschliches Bewußtseyn wird einerseits
mit seinem Selbstgefühle zugleich das Gefühl des Seyns
in der Gattung (Menschliche) verbinden, andererseits
aber mit seinem Wissen von diesem Selbstgefühle an den
Anblick von Seinesgleichen gebunden seyn, und das Individuum muß also einen Theil seiner Existenz in der
Anerkennung anderer suchen. Hat denn vermittelst der
Sprache, welche von sinnlicher, dann symbolischer Abbil-
dung der Gegenstände ausgehend mit Buchstabenschrift
endet, die Erkenntniß ihrer eigenen, vorerst als Mathematik abstrahirten Form sich bemächtigt, so ist sie nun
nicht mehr blos subjektiv, daß sie wie in der Vorstellung
das Bild des Gegenstandes enthielte, sondern sie ist zugleich objektiv, nämlich als Weltgesetz auch die Form der
Dinge enthaltend, und wenn sie nun hier das inhaltige
Weben der Einbildungskraft über die Gränzen dessen,
was die sinnliche Anschauung gegeben hat, hinausstre-
cken, und die in den Relationen der Vorstellung liegende Form der Begriffe zu einer universalen Weltanschauung

form in Ideen umbilden muß, so daß die Einbildungskraft auf dieser Stufe Phantasie und der Verstand die
organische Weltform erkennend Vernunft wird; so hat
auf diesem doppelten Wege die Reproduktionsseite der
Menschheit ihr Höchstes erreicht. Wird dann auch der
Wille zu einem aus selbstständiger Seele entspringenden
Streben, das erkannte Weltgesetz durch individuelles Wirken auf die Gattung zu realisiren, weil in dieser das
Daseyn des Individuums gesezt und anerkannt ist, das
Individuum also selbst nach seinem Begriffe durch sie ergänzt wird; so entsteht das sittliche Handeln; und wo
die Darstellung ebenfalls das Weltgesetz in sich aufnehmend es in äussern Variationen seiner Erscheinung (Ideen)
ken) heiter durchspielt, da hat die Darstellung statt des
Zweckmäßigen das Schöne gefunden, und ist gleichfalls
vollendet. Wenn also der Mensch zu der Liebe, zu der
Wahrheit, zu dem Guten und zu dem Schönen gelangt,
so ist er als vierte Stufe der Wesen vollendet, und heißt
Ebenbild Gottes.

§. 405.

Durch das Erwachen der Form in dem Menschen
und die Abhängigkeit ihrer Entwicklung von der Gemeinschaft des Individuums mit der Gattung ist ein doppel-
ter Unterschied des Menschen von dem Thiere gesezt, indem nämlich das leztere von der Gattung nur so weit
abhängt, als zu Vollendung des Individuums nothwendig ist, d. h. in der Zeugung des Fötus und in phy-
sischer Entwicklung der Kindheit; dagegen der Mensch
durch die Sprache in Eine Reproduktionswelt mit der

Gattung verwebt von der Gattung zur Entwicklung der Sprache erzogen und in dieser Reproduktionswelt orientirt werden muß. Die Entwicklung dieser Reproduktionswelt wird sonach eine in der Zeit zu lösende Aufgabe der Gattung, und indeß das Thier die Differenzen der Thiergattung blos gleichzeitig in Arten und Unterarten entwickelt (Seitenentwicklung), weil das Individuum nur die individuelle Aufgabe hat, erhält die Menschengattung die höhere Aufgabe, zeitlicher Entwicklung ihrer Reproduktionswelt in einer Weltgeschichte. Diese von der Menschengattung zu producirende Reproduktionswelt — gewöhnlich das Leben genannt — soll von der einen Seite (theoretisch) zu einem klaren Bilde des Universums ausschlagen, von der andern Seite aber (praktisch) das Verhältniß der Menschheit als Subjekt (Erdgeist) zu dem Objekte (Erde) vollenden, also die Reproduktions- und Produktions-Seite der Menschheit durchführen.

§. 406.

Wenn nun also dem Menschen die Weltgeschichte angewiesen ist, um in ihr zu leben, indeß das Thier mit seinem individuellen Daseyn blos der Naturgeschichte angehört, so vollendet sich durch die vier Perioden der Weltgeschichte die Construktion seiner Natur.

I. Die Schöpfungsperiode des Menschengeschlechts, das nach der heiligen Urkunde aus Erde geschaffen worden. Ein in dem Leben des Planeten hervorgerufener Gegensatz, der hernach seine Vermittlung gefunden, mußte das Menschengeschlecht hervorgebracht haben. In die= ser Zeit der individuellen Begründung (goldenes Zeital= ter) muß zwar schon das einfache Erwachen der Form in dem Menschen gedacht werden, indem schon sein Körperbau ihn dazu führt, und er ohne dieses auch gar nicht Mensch heißen könnte; aber die Reproduktion und die Produktion haben ihre Faktoren noch nicht getrennt, und die Prozesse sind demnach im Ineinandergreifen befangen. Kein Bewußtseyn, das sich als Gedanke vom Gefühle getrennt hätte, und kein Wille, der das Gesetz der Darstellung von dieser getrennt als Zweck festzuhal= ten vermocht hätte. Daher denn auch im Innern Un= schuld und Einfalt, und in dem Subjektobjektivitätsver= hältnisse der Menschennatur zu der Erde ein unmittel= bares Wechselverhältniß arbeitsloser Ernährung und kind= lichen Spiels.

II. Periode der erwachenden Gegensätze, im Men= schen selbst durch das entstandene Geschlecht, und in sei= nem Verhältnisse zu der Erde durch die das Bedürfniß ergänzende Arbeit. Daraus Familienverhältnisse und Völkerstämme, dann Arbeitsverhältnisse oder Stände, und leztere mit den erstern verwebt in Menschheitsmassen (Völkern), welche ihr Gattungsgefühl auf ihren Ver= wandtschaftsumfang (Abstammung) einschränken, und als Reiche gestaltet den Gattungscharakter vorerst in Völker= charakteren ausprägen.

III. Periode der Cultur, in welcher sich die Zeu= gungs= und Arbeitsverhältnisse aus dem Gefühle in den Begriff übersetzen, und die Reiche als Staaten ihre

Verhältnisse von Seite der Reproduktion und Produktion in einer Wissenschaft durcharbeiten, welche auf das Letzte zurückkommend das Weltgesetz findet (Weltwissenschaft, Philosophie), und in einer Kunst, welche von dem Bedürfnisse und seiner Befriedigung durch die Hand ausgehend jene Wissenschaft zu Hülfe nimmt, um als Technik die Erde beherrschend und das Produkt ästhetisch vollendend zu enden.

• IV. Periode der erlöschenden Gegensätze im Menschen und in seinem Verhältnisse zu der Erde, nachdem sie in der zweiten Periode seine Natur zerreissend zur Erscheinung gekommen und das physische und moralische Uebel erzeugt haben. Die dritte Periode hat durch das erkannte Weltgesetz geleitet in der Staatenbildung und Ausbildung der Verfassung die Vermittlung dieser Gegensätze gefunden, und dadurch die vierte Periode der Genesung des kranken Menschengeschlechts in sich selbst und der Vollendung seines Verhältnisses zu der Erde durch tief eingreifende Technik vorbereitet.

Anhang.

Inhalt.

§. 1.

Nachdem im ersten Abschnitte dieses Buches das Weltgesetz aufgestellt worden, welches gleiche Gültigkeit hat
für das Seyn wie für das Erkennen, hat der zweite
Abschnitt sich zur Erkenntniß gewendet, und ihre Arten
und Stufen gezeigt, weil es nächste Aufgabe dieses ganzen Werkes ist, den Menschen sein eigenes Erkennen
durchschauen zu lassen. Nun gehört zwar die Erkenntniß zu der reproduktiven Seite der Seele, das Erwachen der Erkenntniß als Form ist aber an die Thätigkeit
der produktiven Seite gebunden, und so kommt die Erkenntniß erst durch die Sprache zu Stande, und des
Geistes Herrschaft über sein eignes Erkennen ist an seine
Gewalt über das Aussprechen desselben gebunden.

§. 2.

Hat nun die Sprache ihr Schema in den vier Begriffen von Wort und Bild, Zahl und Figur, so muß
der freie Geist sich die Aufgabe setzen, sein Erkennen
durch diese vier Formen herauf und herab durchführen
zu können, nachdem ihm die Eigenthümlichkeit jeder dieser Formen und das Wesen der Erkenntniß bekannt ist.
An sich könnten wir also die Theorie der Lösung dieser
Aufgabe als enthalten in den zwey mittlern Abschnitten
dieses Buches voraussetzen; weil aber selbst der erste Abschnitt desselben unseren Zeitgenossen als neueste Gestalt

x

der Wissenschaft besteht, so sehen wir uns genöthigt, der
Unbehülflichkeit der Meisten in Behandlung des Neuen
durch diesen Anhang zu Hülfe zu kommen.

§. 3.

Dieser Anhang ist also zu betrachten wie eine Ge-
brauchslehre für die Anwendung des Weltgesetzes auf die
verschiedene Darstellungsart der Erkenntniß, damit der
Leser dadurch zur vollen Gewalt über seine Erkenntniß
gelange, und wenn die vier Abschnitte des Buches ad
rem geschrieben seyn mußten, so nimmt dieser Anhang
dagegen eine subjektive Wendung ad personam des Le-
sers. Diesem soll also hier klar werden, wie das Wort
in das Bild versinkt oder das Bild zum Worte sich steigert, dann wie die Zahlen oder Figuren das in sich aufzunehmen vermögen, was im Bilde objektiv, im Worte
subjektiv die Weltform dargestellt hatte. Daß aber diese
der einzige Gegenstand aller Darstellung sey, wird der
aufmerksame Leser aus unserem Buche verstanden haben.

§. 4.

Wird die Erkenntniß durch diese vier Arten der Darstellung hindurchgeführt, so wird sie durch die Eigenthümlichkeit einer jeden auf besondere Weise gestaltet und
von dieser Seite vollendet, so daß also die Vollendung
der Erkenntniß gerade auf der Durchführung ihrer Stufen durch diese Arten beruht. Daher erhält dieser Anhang die vier Kapitel von: bildlicher, geometrischer,
arithmetischer, und philosophischer Darstellung der Erkenntniß.

I.
Von bildlicher Darstellung.

§. 5.

Bild ist überhaupt die begränzte Erscheinung, und die Vorstellung, welche objektive Erscheinung subjektiv nachbildet, ist ebenfalls Bild, wie die Erscheinung. Nun ist diese letztere theils zeitlich bewegt, theils räumlich firirt, und so ist das Säuseln des Haines im Winde eben so bildlich wie seine Baumgruppen und Schatten.

§. 6.

Ist nun die Vorstellung die Wurzel aller Erkenntniß, und geht sie aus den in der sinnlichen Anschauung zusammenlaufenden Sinneseindrücken hervor, so ist auch alle Erkenntniß ursprünglich bildlich, und wenn sie sich darstellen will, so zeigt sie entweder auf das Objekt in der Wirklichkeit hin, oder sie macht durch Behandlung des äußern Stoffes eine solche Erscheinung außer ihr wirklich. In beiden Fällen spricht sie durch Bilder, und die gemachten Bilder haben den Vorzug vor den gezeigten, daß sie willkührliche Veränderung in Form und Zusammenstellung gestatten, und also der Bildersprache bequemer sind.

§. 7.

Die Vorstellung kann also ihren sinnlichen Inhalt in Bildern niederlegen, und die Wahrnehmung, welche bloß eine analytische Auseinanderlegung der Vorstellung ist, kann dasselbe thun, so weit sie der sinnlichen Anschauung getreu bleibt. Wäre es nun bey solcher bildlichen Dar-

stellung nicht blos auf ben Ausbruck der Vorstellung oder
Wahrnehmung abgesehen, sondern gefiel es dem menschlichen Geiste, in welchem überhaupt, wenn er f p r i ch t,
die Form schon erwacht seyn muß, mit der sinnlichen
Form seiner darzustellenden Vorstellungsbilder bis zu ihrer Vollendung zu spielen, so würde das dargestellte Bild
aus der unselbstständigen Bedeutung eines Sprachausbru-
ckes in den selbstständigen Begriff einer Kunstgestalt übersetzt werden, und die bildende Menschenhand, solche Form
dem materiellen Stoffe aufdringend, würde plastische
Künstlerin seyn.

§. 8.

Wird in dem Bilde die ästhetische Vollendung der
Form, d. i. die Schönheit gesucht, so hat es schon seine
nächste Bedeutung für die Erkenntniß, der es ein Zeichen seyn sollte, verlohren, denn es sollte die Erscheinung genau wiedergeben, wie sie vorlag. Will aber die
Erkenntniß einmal auf die Wahrheit der Nachbildung
Verzicht thun, so kann sie es auch noch aus anderen Ur-
sachen als um des Spiels mit der Form willen; sie kann
es auch für die Bequemlichkeit des Ausdruckes thun, und
dieß wird sogar nothwendig, wenn der Ausdruck sich
vielfach entwickelt. Da entstehen denn Abbreviaturen und
Akkommodationen des Bildes, bis es endlich zum willkühr-
lichen Zeichen wird, das nur noch eine Nothwendigkeit
erhält durch die Uebereinkunft, in welcher sich gemeinsam
lebende Menschen begegnen.

§. 9.

Hat sich das Zeichen einmal von dem Gesetze der

objektiven Wahrheit und Treue des Bildes losgerissen, so wird ihm für seine zunehmende Vielheit ein anderes Gesetz nothwendig, welches aus dem Begriffe kommen muß und subjektiv ist, wie jenes erste Gesetz sinnlich und objektiv war. Die eben erwähnte Uebereinkunft gemeinsam lebender Menschen findet dieses zweite Gesetz der Bezeichnung in der ihnen gemeinschaftlichen Wirkungsart des Verstandes, der die Vorstellungen selbst von ihren Verhältnissen unterscheidet und für jene wesentliche Zeichen, für diese aber nur Abänderungen, in der Grammatik Flexionen genannt, erfindet, wodurch allmählich die dem Menschengeschlechte eigene Reprobuktionswelt zu einer Zeichenwelt wird, in welcher als gemeinsamer Sprache sich alle verstehen. Da werden nun diese Sprachzeichen theils zu Erinnerungen an Bilder, theils zu Erinnerungen an deren subjektive oder objektive Verhältnisse, und das gesprochene oder geschriebene Wort arbeitet sich immer mehr in das Gebiet des Begriffes hinüber und läßt die im Bilde wiedergegebene sinnliche Anschauung zurück.

§. 10.

Je mehr die Sprache dem Begriffe dienend Allgemeines ausdrücken lernt, desto mehr kommt die Einzelheit der Anschauung, die in dem Bilde gelegen war, mit dieser Allgemeinheit in Gegensatz, und das Bild neben solche Allgemeinheit gestellt, wird für diese zum Exempel, welches die Regel anschaulich macht, wie eine benannte Rechnungsaufgabe die Formel. Indem nun die Sprache bey diesem Gebrauche der Bilder sich im

mer mehr aus der objektiven Anschauung in die subjektive Reproduktionswelt hinüber arbeitet, wird sie in ihrer Zeichenwelt selbstständig und das zum Erläuterungs-
mittel herabgesunkene Bild wird zurückgedrängt.

§. 11.

Daher entsteht für die Behandlung der Erkenntniß
in Begriffen die Aufgabe: für die Allgemeinheit der Begriffe angemessene Beyspiele zu finden, welche Aufgabe
darum von Wichtigkeit ist, weil die Erkenntniß zur Mittheilung bestimmt ist, und eine vorzügliche Art dieser
Mittheilung, der Unterricht nämlich, dieses Hülfsmittels
gar nicht entbehren kann. Nun ist früher im Buche bey
Gelegenheit der Kategorien und der Logik gezeigt worden, daß das Besondere von dem Allgemeinen nicht im
Wesen verschieden, sondern überall nur ein Zusammenfluß allgemeiner Bestimmungen nach bestimmten Graden
und Verhältnissen sey; soll also das Besondere als
Exempel für das Allgemeine gebraucht werden, so muß
die Art, wie das Besondere nach dem ersten Schema
der ersten Kategorientafel gesezt worden, in dem Exempel wie in dem Begriffe enthalten seyn. Diese Art mag
Genesis heißen, und das Exempel findet sich also für
jeden Begriff, wenn die in einem Begriffe allgemein ausgesprochene Genesis in einer einzelnen Anschauung besonders dargestellt wird. So giebt das Kleeblatt ein Exempel des Dreygliedrigen, und die Halbirung des menschlichen Körpers, deren Anlage sogar im Rückenmarke
noch sichtbar ist, ein Beyspiel des Zweygliedrigen.

§. 12.

Ein Beyspiel soll also 1) mit dem Begriffe, welchem es dient, auf einerley Gebiet (Grundwesen) stehen, wie der Miethkontrakt, der für den Begriff Vertrag als Beyspiel angeführt werden kann, mit diesem auf einerley Gebiet, nämlich dem Vertragsrechte steht, und auf diesem Gebiete eine beschränkte Form ausmacht; 2) das Beyspiel und sein Begriff müssen einerley Gegensatz (Ursprung) und 3) einerley Vermittlung (Ursache) desselben enthalten, somit 4) als einerley Wirkung erscheinen. Für das Vertragsrecht geht jeder Vertrag, also auch der als Beyspiel angeführte Miethkontrakt, aus dem Gegensatze der Interessen hervor, der in der Einwilligung sich vermittelt, jeder Vertrag also entspringt aus solchem Gegensatze und solcher Vermittlung.

§. 13.

Die Wirksamkeit der Beyspiele im Unterrichte aller Art beruht darauf, daß alle Erkenntniß von einzelner Anschauung ausgeht und erst zur Allgemeinheit des Begriffes gesteigert wird, die allgemeine Form also in der Einzelnheit des Beyspieles selbst vor den Sinn tritt, welcher dann durch die Mehrheit der Beyspiele allmählich aus der Einzelnheit herausgetrieben der Allgemeinheit sich nähern oder auch in der öfteren Wiederholung eines einzigen Beyspiels der Form sich bemächtigen kann, welche in dem Beyspiele liegt. Immer verweilt der Geist auf dem gegebenen Beyspiele so lange, bis es ihm gelingt, die Form in demselben besonders zu denken, und wie die Beyspiele ein großes Hülfsmittel sind für den Schü-

ler der Wissenschaft, so ist die Leichtigkeit ihrer Auffin-
dung auch ein großer Beweis von der Gewalt des Lehrers über seinen Stoff und von seiner Freyheit in Behandlung der Form. Sind Begriff und Beyspiel aus
dem Gebiete des moralischen Handelns der Menschen genommen, und ist das Beyspiel erfunden, um eine bestimmte Maxime des Handelns anschaulich zu machen,
so heißt das Beyspiel Gleichniß oder Parabel, dergleichen das neue Testament viele und treffliche hat, und
auch die äsopische Fabel ist noch ein Exempel, obgleich
hier das menschliche Handeln in die Thierwelt verlegt,
und der Eigenthümlichkeit der Thierarten angepaßt wird.
Daher steht am Ende das: fabula docet, d. i. der moralische Begriff, für dessen Veranschaulichung die Fabel
ersonnen ist.

§. 14.

Hat das Bild dieses Verhältniß zu dem Begriffe,
wenn die Abstraktion sich schon weit von der Bildersprache und Bilderanschauung entfernt hat; so verändert sich
jenes Verhältniß durchaus, wenn auf der Stufe der Idee
nicht nur die relative Allgemeinheit des Begriffs für ein
bestimmtes Gebiet der Dinge, sondern seine Universalität
erkannt und anerkannt worden, wie nämlich in dem Einzelnen selbst noch eine Weltform erscheine. Da kommt
das Bild, als objektive Darstellung einzelner Anschauung,
hoch zu Ehren als Inhaber einer Form, in welcher sich
auch das Universum gefällt, d. h. als Symbol. Wenn
jede Uhr ein Exempel ist, an welchem der Begriff der
Zeitmessung anschaulich gemacht werden kann, so ist da-

gegen die Uhr auch Symbol des All, welches in dem durch Umlauf vermittelten Gegensatze seines bewegten Lebens gegen das ruhende sich selbst seine Zeit mißt. Symbole werden, wie Exempel, auch durch genetische Erklärung gefunden; aber hier muß die Genesis des Einzelnen auf die des All zurückgeführt werden, wonach denn auch das Symbol als Repräsentant des All auf diesem Gebiete erscheint. Stehen zwey Gebiete der Dinge als Bild und Abstraktes sich gegenüber, wie z. B. das Gebiet der Farben und das der Gesinnungen, so können aus jenem Gebiete Symbole für dieses genommen werden, wie die weiſſe Farbe für die Reinheit der Gesinnung, und solche Uebertragungssymbole heiſſen Metaphern; aber auch hier muß das Symbol und das Symbolisirte, obwohl auf verschiedenen Linien der Dinge gestellt, doch von einerley Genesis und eine Form seyn, in welcher sich auch das Universum gefällt. Das All nämlich ist überall, wo seine Einheit noch nicht zerriſſen worden, weiß und rein, und die Sprache, die im Gebiete des Ideellen noch wenig Fuß gefaßt hat, läßt die Metapher lange zu dem Sinne sprechen, bis endlich die Abstraktion das Symbol zu entbehren im Stande ist. Da heißt denn die Handlungsweise ein Weg, die Gewalt eine Hand, und die Erkenntniß ein Licht auf dem Wege.

§. 15.

Gehört das Symbol der Idee, wie das Exempel dem Begriffe, so ist wegen der Universalität, welche die Idee behauptet, alles Existirende eine Allform, folglich jede Erscheinung Symbol, und wenn die Wissenschaft ei-

nerseits jeder Erscheinung ihre universelle Bedeutung verschaffen, z. B. die Flamme als reines Symbol des Lebens selbst deuten soll; so kann und soll der Geist auch
den umgekehrten Weg gehen, und die Ideen insgesammt
symbolisiren. Daraus entsteht dem Geiste eine Weltanschauung, in welcher alles Unsichtbare sich sinnlich gestaltet, eine Bilderwelt, in welcher die Ideen Körper
annehmen, und hinwiederum die Körper Ideen zu See-
len erhalten, d. h. eine poetische Welt.

§. 16.

In der poetischen Anschauung kehrt die Idee wieder
zu der Vorstellung zurück, von welcher sie durch die
Steigerung der Erkenntniß sich entfernt hatte, denn das
Bild ist die Vorstellung; aber die Vorstellung erscheint
hier nicht mehr als erste Stufe der Erkenntniß, sondern
als lezte der Darstellung, und die poetische Aufgabe kann
demnach heissen, eine Idee zur Vorstellung zu bringen,
dagegen die wissenschaftliche heissen muß: eine Vorstellung zur Idee zu bringen. Soll die poetische Aufgabe
gelöst werden durch das Genie, in dessen unfreier Anschauung die Vorstellung mit der Idee verwachsen ist,
daher denn auch die Mittelstufen zwischen beiden nicht in
ihrer Abstraktion hervortreten können; so geschieht dieß
mit Uebergehung dieser Mittelstufen in Einem ungetheilten Akte geistiger Anschauung und Darstellung; soll aber
der freye Geist die poetische Aufgabe lösen, so muß er
dieselben Stufen bildend herabsteigen, welche er construirend heraufgestiegen ist.

§. 17.

Wenn die Vorstellung als einzelnes Bild Gefäß der Idee werden soll, so muß sie vereinigen, was in der geometrischen Anschauung des Kreises so schön vereinigt erscheint, das Individuelle und Universelle. Immer mit einem bestimmten Durchmesser versehen erscheint der Kreis doch auch immer mit der Allheit der Richtungen, die sich in Durchmessern vereinzeln; und so soll auch die einzelne Vorstellung bey der Beschränktheit des Einzelnen doch noch als Weltform erscheinen. Daher muß die poetische Anschauung jeder einzelnen Vorstellung noch die universelle Bedeutung hinzufügen, aber so, daß die Einzelnheit dabey nicht verschwinde, indem sonst das Universelle als ein Allgemeines der Abstraktion dastehen würde. Wird der Fuß als Organ thierischer Ortsbewegung bezeichnet, so verschwindet über diesem Begriffe das Bild.

§. 18.

Bild und Idee sind die ersten Faktoren poetischer Anschauung, und wenn hier die Idee die Seele, das Bild aber den Leib dazu giebt, so muß mit dieser Beseelung auch Leben in den Leib kommen, und zwar nicht nur allgemeines, sondern eigenthümliches, wie es diesem Leibe gemäß ist. Dieses Leben erscheint denn der dritten Kategorientafel zufolge in eigenthümlicher Empfänglichkeit für das Aeußere und eben so eigenthümlicher Rückwirkung gegen dasselbe, und es läßt sich diese doppelte Eigenthümlichkeit genau nach dem Begriffe bestimmen, der in dem Bilde als der Vorstellung lag. War in dem Fuße die Adhärenz mit der Erdfläche im Stehen und

das Losreissen von derselben (im Schreiten begriffsmäßig
enthalten, so wird beides auch als poetische Lebendigkeit
des Fußes erscheinen müssen, und wenn der Fuß nach
diesem Begriffe keine Hand ist, so wird er auch in der
poetischen Anschauung Werke der Hand nicht verrichten
dürfen. Dagegen aber wird der Fuß, wenn er statt der
Erdfläche eine Luft- oder Wasserfläche tritt, auch in der
poetischen Anschauung Flügel oder Flosse (Ruder) seyn
dürfen.

§. 19.

Diese Lebendigkeit, welche in jeder poetischen Anschauung seyn muß, weil sie beseelt ist, soll aber in ihrem Wirken nicht in die Beschränktheit menschlich individuellen Wirkens eingeschlossen werden, welches sich begriffsmäßig nach einem Zwecke bewegt, sondern wie das
Allleben selbst ohne äusseren Zweck mit seiner Thätigkeit
und ihren Produkten blos spielt, so muß auch die Lebendigkeit einer Idee in ihrem poetischen Leibe nur Spiel
seyn. Wenn nun das Spiel von den Verhältnissen des
Wirkens zwischen Mittel und Zweck sein Gesetz nicht
nimmt, so ist es darum keineswegs ohne Gesetz, sondern
des Spiels Gesetz liegt in den Verhältnissen der Thätigkeit und ihres Produktes zu dem Subjekte, und in den
Verhältnissen der verschiedenen Theile der Thätigkeit unter sich. Daher kann ein Leben, welches mit seinen Aeuß-
ferungen nur spielt, gar leicht ohne alles Interesse an
der Existenz des Produkts dieses eben so spielend wieder
vernichten und in dem Wechsel von Produktion und Ver-
nichtung eben seine Lust finden; indeß das Leben, wel-

thes in der Produktion einem Zwecke nachjagte, das Produkt nothwendig festhalten muß, denn es hat Arbeit ge-
kostet und soll jezt, weil es fertig ist, nützen. Wie nun
hier die Begriffseinheit das ganze Gesetz für die Produktion giebt, so ist dagegen für ein spielendes Leben seine Lebenslust das erste Gesetz, und das zweite entsteht
ihm, wenn es ihre Aeußerungen abwägt, so daß sie sich
symmetrisch begränzend, wie die Höhen und Tiefen der
Töne, der Forderung eines Ganzen Genüge thun.

§. 20.

Der poetischen Anschauung wird also folgendes Schema gehören:

Idee

Lebendigkeit   Spiel

Bild

und wenn sie sich in die Tonsprache wirft, so wird auch
das Hörbare an dem Worte sich nach dem Spiele an-
schließend zum Versmaaße werden. Uebrigens hat die
Tonsprache, weil sie das ganze Gebiet menschlicher Intelligenz in sich aufnimmt, hier, wie in der Wissenschaft,
eine doppelte Welt auszudrücken, nämlich die objektive,
in welche der Mensch sich hineingestellt findet, und die
subjektive von uns so genannte Reproduktionswelt, die
der Mensch in der unzertrennlichen Gemeinschaft mit seinesgleichen sich selbst schafft, das Menschenleben.

§. 21.

Beyderley Welt muß zuvörderst im Ganzen poetisch
gefaßt werden, was für die objektive Welt oder das All
dadurch geschieht, daß die Intelligenz (Gott) in ihrer

Abfolutheit aufgelöst und den erscheinenden Dingen (Natur) als Seele zugetheilt wird, die sich mit ihnen vereinigt. Nun hat die Natur selbst ihre Stufen und das Allgemeine steht auch hier über dem Einzelnen; die Natur wird also in der poetischen Anschauung ein Ganzes herrschender und dienender Kräfte, wovon die ersten als Götter, die lezten als Dinge erscheinen, und von der Abfolutheit einer göttlichen Natur nichts übrig bleibt als die Uebermacht des Ganzen nicht nur über seine dienenden sondern auch über seine herrschenden Kräfte, das Schicksal, dem selbst die Götter unterthan sind. Die subjektive oder Reproduktionswelt des Menschen bildet nun in diesem großen Kreise eine engere Sphäre und wendet sich zunächst an die Götter, wenn sie es mit dem Schicksale zu thun hat, aber seinem Schlusse entgeht sie ebenfalls nicht, und ihr großes Interesse ist, ihm voraus zu erforschen. Daher läßt sich menschliches Geschick durch Prophezeihung leiten, und die herrschenden Götter oder Dämonen greifen selbst hier leitend ein, weil der Mensch individuell kurzsichtig und trotzig theils sein Schicksal nicht versteht, theils wenden will.

§. 22.

Demnach besteht für die Poesie eine doppelte Aufgabe, einmal für die objektive Welt eine Kosmogonie zu entwerfen, welche zugleich Theogonie seyn muß, und zweitens, die Reproduktionswelt des Menschengeschlechts in vielerley Gedichten nach ihren einzelnen Parthieen durchzuarbeiten. Da dem Menschen die Weltgeschichte eigen gehört, so ist diese Poesie der Reproduktionswelt

zuvörderst episch, d. h. welthistorisch einen Moment
aus der Weltgeschichte heraushebend; und da die Weltgeschichte einerseits Begebenheiten enthält, in welchen das
Schicksal seine Plane fortwälzt, andrerseits aber Hand-
lungen, in welchen der Mensch sein eignes Schicksal zu
schaffen sucht; so geht die Poesie des Menschenlebens
theils in Erzählungen über, theils in poetische Gestaltung der Handlung als Drama. Nun läuft dieß
alles am Ende auf des Individuums Fühlen, Wollen,
Erkennen und Wirken zurück, und dieß giebt einen individuell subjektiven Theil der Poesie, der unter dem Namen der Lyrik bekannt ist. Auch in diesem kleinsten und
lezten Theile der Poesie, welchem die Sangbarkeit zum
Gesetze gemacht wird, bildet sich das Ganze noch ab, indem aus epischer Situation in lyrischer Behandlung die
Romanze entspringt, das Reflexionsspiel als Ode sich in
die didaktische Poesie wirft, das musikalische Gemüths-
spiel sich als Lied componiren läßt, und der einzelne lyrische Gedanke jeder Art sich im Epigramme gefällt.

§. 23.

Alle diese Dichtungsarten, welche das Genie blind
producirt, können und müssen der freien Wissenschaft anheimfallen, nachdem das Wesen der Poesie als umge-
kehrtes der Wissenschaft gänzlich begriffen ist, und diese
leztere in diesem Buche sich selbst construirt hat. Jede
Vorstellung, die sich durch Aufzeigung ihrer universellen
Bedeutung zur Idee steigern läßt, kann auch Poesie werden, wenn die Idee wieder in sie herabsteigt, um in ihr
zu erscheinen, und die vorhin erwähnten Dichtungsarten

verhalten sich hiebey auf folgende besondere Weise: 1)
Kosmogonie ist nur möglich, so weit Naturphilosophie
wirklich ist. Naturphilosophie muß aber die Faktoren und
Prozesse der Natur auf ihre Seitenentwicklung in Arten
und Gattungen und ihre Stufenbildung in Naturreichen
bringen, also beiderseits zur Gestaltenconstruktion gelangt
Naturgeschichte werden. Dann liegt in den Gestalten
das Bild und in ihrer Bedeutung die Idee. In Ermang-
lung des Naturgeschichtlichen hat sich die Kosmogonie
der Alten theogonisch ins Religiöse geflüchtet. 2) Epische Poesie ist nur möglich, so weit Menschen- und Völ-
kergeschick welthistorisch begriffen worden, daher flüchtet
das alte Epos aus der gleichzeitigen Welt in die Sagen-
geschichte. 3) Dramatische und erzählende Poesie (Mährchen) sind durch ihr Material der epischen Poesie nahe
verwandt, je mehr sie sich aber aus der reichen Bege-
benheitswelt in die Tiefe des menschlichen Gemüthes und
Geistes zurückziehen, desto mehr wird ihnen Anthropologie nöthig. So hat Shakespeare seinen Begebenheits-
reichthum aus seiner Lektüre in Geschichten und Mährchen genommen, von seinem Eigenen aber eine reiche
Anthropologie dazu gegeben, durch welche er einst wissenschaftlich wieder erreicht werden wird. Eben so hat
Göthe durch reiche Anthropologie den Roman auf seine
Höhe gebracht. 4) Lyrische Poesie, als welche am meisten vereinzelt das Bild der Welt im Geiste und Gemüthe des dichtenden Individuums spiegelt, scheint fast jedem erreichbar, den auch nur hin und wieder poetische
Stimmung anwandelt; und so hat sich im Mittelalter

die

die selbst erst reden lernende Sprache der Neuern munter/
fingerisch in die Lyrik geworfen, und jezt, wo beson/
ders bey uns Deutschen die Sprache schon von selbst
spricht, spricht fast jeder in Versen. Aber die lyrische
Poesie darf selbst im Epigramme noch das Schema der
Poesie überhaupt nicht vergessen, und wenn sie die leich/
teste Dichtungsart scheint, weil sie die vielfache Organi/
sation eines grossen Ganzen nicht hat, so kann dagegen
desto grössere Gediegenheit im Einfachen von ihr ver/
langt werden.

§. 24.

Wenn nun die Wissenschaft die Aufgabe der Poesie
lösen will, wie sie bey erreichter Mündigkeit endlich muß,
so hat sie auf folgende oben schon begründete Parallel/
reihe zu achten:

Idee	Symbol
Begriff	Exempel
Wahrnehmung	Zeichen
Vorstellung	Bild

und zwar ist diese Reihe von oben nach unten durchzu/
arbeiten. Es sey also die Idee das Schicksal und sein
Symbol im despotischen Staate der Fürst, so werden
von ihm dem Begriffe nach Glücksgüter und Standeser/
höhungen abhängen, er wird also zum Exempel den Ar/
men reich, den Geringen vornehm machen können, und die/
sen seinen schaffenden Willen durch wahrnehmbare Zeichen
seiner Gunst für die Anerkennung aller Unterthanen aus/
sprechen. Dieß wird nun vorgestellt im Bilde von einem
Bettler, den der Fürst zu seinem Vezier oder im Bilde

Y

von einem Floh, den er aus besonderer Vorliebe zu sei=
nem Minister gemacht, wie es bey Göthe heißt:

Es war einmal ein König,
Der hatt' einen großen Floh, ꝛc.

Oder es sey die Idee, daß die Menschennatur ihre ideelle
Höhe nur in beständigem Kampfe gegen die physische
Natur zu behaupten vermag, und wenn sie in diesem
Kampfe nachläßt, sogleich von dieser wieder herabgezo=
gen wird, symbolisirt durch die Luft, welche die Frisch=
heit des physischen Lebens dem abgearbeiteten Kulturmen=
schen oder noch am Sinnlichen hängenden Kinde einflös=
sen muß. Diese Idee kommt nun auf ihren Begriff, in=
dem erkannt wird, daß auf jede erreichte höhere Stufe
des Daseyns die niedere noch eine Zeit lang herabziehend
einwirkt, wie zum Exempel das neu gebohrne Kind die
Sehnsucht nach dem Leben im Mutterleibe durch seinen
tiefen und oft wiederholten Schlaf lange noch kund giebt.
Nun zeigt die Wahrnehmung, daß die erreichte höhere
Stufe vor ihrem Unterliegen unter dem Einflusse der
niedern anfangs noch einigen Widerstand thut, und das
alles kann vorgestellt werden unter dem Bilde eines ar=
men Fischers, der

"Kühl bis in's Herz hinan"
und des Angelns müde endlich dem Sirenengesange Ge=
hör giebt, der ihn zum glücklichen Fischlein in die Flu=
then hinablockt. Wird ein Kind mit seiner sinnlichen
Lust zum Bilde gewählt, so holt es der Erlkönig selbst
aus den Armen des Vaters, nachdem es seine Lockungen
angehört.

§. 25.

Jene Parallelreihe enthält also die Formel, und an den oben angeführten Beyspielen zeigt sich ihre Anwendung sehr einfach, und die größte Schwierigkeit könnte hier nur in der Reduktion der Idee auf den Begriff liegen. Diese Schwierigkeit kann aber gehoben werden, wenn man das ernstlich durchdenken will, was bereits im zweiten Abschnitte des Buches über das Verhältniß des Begriffes zu der Idee gesagt worden, und was im vierten Kapitel dieses Anhanges noch mehr erläutert werden soll. Die besondern Schwierigkeiten aber, welche die höhern Dichtungsarten der Lösung dieser Aufgabe entgegenstellen, könnten nur durch eine künftige weitere Durchführung unserer Construktion durch alle Gebiete des Wissens beseitigt, vorerst aber doch hier zur Erwägung aufgestellt werden. Die epische Poesie nämlich verlangt welthistorischen Stoff, der geographisch und ethnographisch durchgeführt endlich in biographischer Behandlung der Hauptcharaktere ende. Die erzählende Poesie (Mährchen, Novelle, Roman) verlangt Begebenheiten, die biographisch durchgeführt das Geographische und Ethnographische nur als Locale benützen; und die dramatische Poesie verlangt einen Charakter, dessen anthropologische Construktion klar vorliege, und in Wirkungen und Rückwirkungen zwischen ihm und der Welt durchgeführt werde. Ohne Zweifel wird nun die Wissenschaft alle diese erwähnten Verhältnisse erst durchconstruirt haben müssen, ehe sie es wagen kann, poetisch damit zu spielen; hat sie aber Naturphilosophie und Menschenleben durchconstruirt, so wird sie sich an der fröhlichsten aller Aufgaben ergötzen, nämlich: ein und dasselbe Thema durch lyrische, dramatische, erzählende und epische Poesieformen durchspielen zu können. Ein großer Theil der hiezu erforderlichen Construktion der Verhältnisse der Familien und Stände und des politischen Lebens liegt in meinem Buche vom Staate schon da.

II.
Von geometrischer Darstellung.

§. 26.

Hat das Bild in das Wort aufgenommen Poesie gegeben, so war es dagegen in seiner eigensten Form durchgeführt, d. h. im Objektiven der Masse, plastisches Kunstwerk. Wird nun von diesem seine Erscheinung im Lichte abstrahirt und besonders dargestellt, so entsteht das Flächenbild, welches in Farben das Materielle der Dinge und in Linien die Construktionsverhältnisse der Gestalt enthält, welche Verhältnisse besonders herausgehoben die Geometrie geben. Diese webt also ein Raumnetz, und es ist die Frage: was und wie viel von der Weltanschauung sich in diesem Gewebe darstelle.

§. 27.

Die Geometrie verliehrt also nicht nur das Wesen der objektiven Darstellung des Bildes, die Masse, sondern auch das Wesen des Flächenbildes, die Farbe. Außer dieser hat aber das Flächenbild noch ein Mittel, die durch die Farbe ausgedrückte Körperlichkeit anzudeuten, nämlich die durch ausfüllende Linien bewirkte Schattirung im Gegensaße mit den durch bloße Umrißlinien bewirkten Lichtparthien oder Lichtern, und dadurch wird das Flächenbild Zeichnung, nachdem es von der Farbe beherrscht noch Gemälde gewesen war. Aber auch dieses Mittels, individuell und lebendig zu bilden, soll die Geometrie sich begeben; für sie soll die Gestalt blos Figur werden.

§. 28.

Dadurch fällt die Geometrie ganz in das Abstrakte der Raumanschauung, die ihre Elemente als räumliche Richtungen durch Linien ausdrückt, und in Gegensätzen und Vermittlungen derselben zu weiteren Bildungen fortschreitet. Nun sind die Linien selbst schon Vermittler des Gegensatzes ihrer Endpunkte, die Figuren sind Vermittler von Linien, und die geometrischen Körper vermitteln Figuren im Gegensaße ihrer Ebenen, und das Ganze giebt sich als eine Evolution von Gegensätzen und Vermittlungen.

§. 29.

Weil demnach die Geometrie aller lebendigen und individuellen Anschauung leer ist, so kann sich in ihr von Vorstellungen gar nichts ausdrücken, was nicht selbst Linie oder Figur ist, also die im Raume ausgedehnte Erscheinung trifft, und von Wahrnehmungen kann sich hier auch nichts ausdrücken, als was die möglichen Veränderungen der Linien und Figuren betrifft. Nun fällt zwar die Zeit mit ihren Raumveränderungen als Bewe-

gung ebenfalls in die Geometrie, und so scheint es, als
ob diese von der einen Seite dennoch etwas Lebendiges
enthielte; allein die Bahnen der Bewegung als Linien
verzeichnet sind schon todt, und auch der Kalkul, der sie
in Geschwindigkeiten übersetzt, vermag ihnen keine lebendige Seele einzuhauchen, sie bleiben Gespenster. In so
ferne aber die Bewegungslinien sowohl als die andern
Linien eine, wenn auch abstrakte, Anschaulichkeit haben,
können sie für Ideen, denen ähnliche Verhältnisse inwoh-
nen, symbolisch werden, wie das Kreuz, der Kreis,
beide zusammen u. s. w.

§. 30.

Linien an sich müssen gleichgeachtet werden den Elementen auf irgend einem Gebiete z. B. den Sprachlauten, so daß in den geraden Linien die Vokale und in
den krummen die Consonanten enthalten sind, oder auch
die geraden Zahlen und die ungeraden. Was nun die
Geometrie durch Gegensätze und deren Vermittlung aus
diesen Elementen hervorbringt, ist gleichzuachten dem,
was aus irgend andern Elementen und deren Vermittlung hervorgebracht wird, z. B. in der Sprache die
Worte. Wie nun überall Elemente einen allgemeinen
Charakter haben, unter dem sie gedacht werden, und einen besondern, unter dem sie vorhanden sind; so ist es
auch mit den Linien und Figuren der Geometrie. Ein
rechter Winkel behauptet überall den Charakter seines
Begriffs; aber in jedem wirklich verzeichneten rechten
Winkel sind seine Schenkel von gegebener Länge, und dieses Besondere ist in der Geometrie das Meßbare. Als

Geometrie schreibt also die Linienschrift Gegensätze und
deren Vermittlung schematisch, und als Meßkunst wird
sie individuell, und diese Individualität ihrer Räumlichkeit eigen kann nicht übergetragen werden auf die Individualität des Nichträumlichen, so daß z. B. Begriffs-
verhältnisse könnten auf Grade und Zolle gebracht werden.

§. 31.

Die Geometrie als Meßkunst betrachtet hat ein Maaß
für die Winkel an dem rechten Winkel und ein Maaß
für die Linien an dem Halbmesser, und hat dabey nöthig gefunden, um das Maaß ganz individuell zu machen, für die Kreisperipherie 360 Grade, also für den
rechten Winkel 90 Grade, und ausserdem für das Verhältniß des Durchmessers zu der Peripherie die Zahl 3
mit dem bekannten Decimalbruche festzusetzen. Die Zahl
360 ist, obgleich aus dem Sonnenjahre entlehnt, an sich
willkührlich, und die Zahl für das Verhältniß des Durchmessers zur Peripherie ist es ebenfalls, in so ferne die
Fortsetzung ihrer Dezimalstellen beliebig ist. Diese Maa-
se und diese Art zu messen kann und soll nun der Begriff nicht nachahmen, und so wird er sich nie geometrisch individuell d. h. meßbar ausdrücken können. Dagegen aber hat die Construktion der Ideen Maaßstäbe
anderer Art, welche genau festgehalten dieser Construktion eine geometrischaftige Sicherheit geben, und der erste dieser Maaßstäbe auf dem Gebiete der philosophischen
Construktion ist der Gegensatz, welcher überall zwischen
dem ersten und vierten Gliede eines Schema statt findet,

und in der Tafel der Urbegriffe der absolute Gegensatz genannt worden ist. Das Verhältniß eines ersten und vierten Gliedes, als Verhältniß von Wesen und Form, ist überall der größte Gegensatz der Begriffe und Dinge, und die andern Gegensätze sind um so viel kleiner, als ihre Glieder mehr in einander übergehen.

§. 32.

Geht das Wesen in die Form heraus, und die Form gegen das Wesen zurück, so müssen sich beide auf halbem Wege begegnen, wie Licht und Nacht in Morgen und Abend, oder Prime und Oktave in der Terze und Quinte. In jedem dieser mittlern Pole ist der Gegensatz halb, die beiden mittlern Pole selbst aber verhalten sich doch auch zu einander wie die absoluten, nämlich umgekehrt, weil z. B. der eine Pol Schatten und Licht, der andere Licht und Schatten genannt werden muß. Ist die Darstellung der Polarität ungehindert, wie bey den Polpunkten eines Kreises, so erhellt sogleich, daß Ostpol und Westpol eben so gut, wie Nordpol und Südpol um einen Durchmesser von einander entfernt seyen, und nur bey verkümmerter Darstellung, wie in der Tonleiter, wo die vier Pole in eine Reihe zusammengezwängt werden, kann es täuschend anders erscheinen. Daher gilt also: daß die absoluten Pole gegeneinander, und die relativen Pole gegeneinander einen ganzen Gegensatz bilden, absolute Pole aber gegen relative und relative gegen absolute einen halben.

Anmerkung. Nach geometrischer Messung giebt also der Gegensatz von Wesen und Form, wie der von Gegensatz und Vermittlung, einen Winkel von 180°, dagegen der von Wesen und Gegensatz oder Form und Vermittlung einen rechten Winkel von 90° giebt. Der ganze Gegensatz hat also sein Maaß an dem Durchmesser und dem Halbkreise, der halbe Gegensatz an dem Halbmesser und dem Quadranten. Nun ist in der Trigonometrie der Halbmesser ein Sinus totus, und jeder andere Sinus gilt für einen kleineren Bogen als der Quadrant ist; man kann also auch in Begriffs-Trigonometrie üben, wenn man für einen gegebenen halben Gegensatz Mittelglieder in seinen Quadranten einträgt, z. B. zwischen Poesie und Musik, die Deklamation, zwischen Plastik und Mahlerey das Relief und die Mosaik, und dann den entstandenen Gegensatz durch eine Linie ausdrückt, welche kleiner ist als der Halbmesser. Diese Linie ist sodann der Sinus des kleineren Gegensatzes, und nimmt ab oder zu, je nachdem die eingeschobenen Glieder gegen den einen oder den andern Polpunkt des Quadranten fallen. Man setze, daß in einem Quadranten von bestimmter Bedeutung, auf dem Gebiete der Wissenschaft eine construirbare Anzahl von Mittelgliedern in gleichen Entfernungen (Gegensätzen) unter sich und eben solchen Entfernungen der äußersten Glieder von den Polpunkten hineinfallen, etwa sechs solcher Mittelglieder, so wird dadurch der Quadrant in 8 gleiche Theile getheilt,

und man kann trigonometrisch genau die Sinuse
für die Bogentheile angeben.

§. 38.

Daraus entsteht also für die Geometrie eine Möglichkeit, Gegensätze auszudrücken und zu messen, und da
die Synthesen von den Gegensätzen abhängen, so reicht
die Geometrie auch noch für diese, und die philosophische Construktion kann also Gegensätze der Begriffe und
Ideen geometrisch schematisiren und messen, und, wenn
ihre Synthesen hinzukommen, auch diese in die Schematisirung und Messung hineinziehen, woraus Figuren erwachsen. Hier ist denn die Synthese durch ein einfaches
Mittelglied, oder das Dreyeck, das erste; die Synthese
eines Gegensatzes durch einen gegenübergestellten andern
Gegensatz, oder das Viereck, das zweite; die Synthese
eines absoluten Gegensatzes durch zwey andere, welche
sich in seinen Durchmesser gleich theilen, oder das
Sechseck, das dritte; und das vierte ist die ineinander-
fließende Synthese aller aus Einem Punkte möglichen
Gegensätze, oder der Kreis. Diese Figuren geben also
gleichfalls allgemeine Schemate für die philosophische
Construktion, und das Kreutz im Kreise, aus welchem
alle Figuren entstanden sind, ist selber das höchste aller
Schemate.

    Anmerkung. Die Bedeutung der zwey-, drey- und
    viergliedrigen Vereinzelung ist schon bey der ersten
    Kategorientafel erklärt worden, und es ist jedes
    Ding die Synthese seiner zwey Faktoren, also ein
    Dreyeck, z. B. der Verkehr mit seinen zwey Fakto-

ren Bedürfniß und Befriedigungsmittel; jedes Ding
ist auch ein Viereck, wenn sich seine Faktoren verdoppeln und dann ergänzen, z. B. wenn zu dem
Bedürfnisse das Verlangen, und zu dem Befriedigungsmittel die Arbeit hinzukömmt; jedes Ding ist
auch ein Sechseck, wenn es zwischen seinen absoluten Gegensatz zwey kleinere hineinstellt, die sich gar
genüber in seinen Durchmesser theilen, z. B. wenn
der Verkehr zwischen seine absoluten Pole: Werth
und Gegenwerth einerseits das Bedürfniß und das
Verlangen, andrerseits die Arbeit und das Produkt
derselben hineinstellt; jedes Ding ist auch ein Kreis,
wenn es sich selber als Form des Ganzen betrachtet, das in seiner Möglichkeit bedürftig in einer
Wirklichkeit Befriedigung findet, zwischen beyden
also zeitlich und räumlich Verkehr mit sich selbst
treibt.

§. 34.

Die Geometrie hat also in ihren Winkeln und Figuren einen Schematismus der Gegensätze und Vermittlungen, welcher in der philosophischen Construktion planmäßig durchgeführt das Wesen der Dinge von seiner
gegensätzlichen Seite offenbar macht. Kann man die
Geometrie durch dieses Schematisiren der Gegensätze in
Winkeln und der Inbegriffe von Gegensätzen in Figuren
der philosophischen Construktion dienen, und hat die Geometrie im Kreise selbst den Ausdruck für die Idee des All,
in welcher alle Gegensätze auf und untergehen; so hat
diese Linienschrift doch gar keinen Ausdruck für die Idee

heißt Ironie; welches mit allen diesen Gegensätzen spielt, und darum bleibt auch für sie zwischen gerader und krummer Linie oder Figur und Kreis eine ewige nie auszufüllende Kluft, welche den Mathematikern als die unlösbare Aufgabe der Quadratur des Kreises bekannt ist. Denn zwischen einem bestimmt gegebenen Gegensatze gerader Linie und dem Ineinanderfließen aller Gegensätze in ihrer durchgängig gleichen Zurückbeziehung auf Einen Punkt macht nur das Leben selbst den Uebergang, und alle Schematisirung kann diesen Uebergang nur in irgend einem seiner Momente fixirt darstellen, wodurch er aufhört, Uebergang zu seyn.

§. 30.

In Winkeln sind die Gegensätze gegeben, und in Figuren sind sie als bestimmte Inbegriffe unter sich fixirt. Nun ist aber jedes Glied eines Gegensatzes bestimmbar durch das andere, und ein in Figuren fixirtes Linienverhältniß ist vielfacher Abänderung fähig. Daher erhält die Geometrie noch eine höhere Aufgabe, als sie in den Figuren zu lösen hatte; sie soll nämlich die Wechselbestimmung der Gegensatzglieder construiren, wobey denn das eine Glied als bestimmbar, das andere als bestimmend gesetzt werden, die Veränderlichkeit beider gegen einander aber an eine Regel gebunden werden muß, welche für die Geometrie nur in der stätigen Veränderung der Kreislinie gefunden werden kann. Daher stellt die Geometrie zwey einander rechtwinklicht entgegengesetzte Linien, als Sinus und Cosinus, oder Ordinate und Abscisse, in den Kreis, und sucht für ihre vom Kreisbe

gen abhängige Veränderlichkeit; wobey die Ordinate als
bestimmend, die Abscisse aber als bestimmbar angesehen
wird, die möglichen Verhältnisse ihrer Wechselbestimmung. Dieser geometrische Schematismus der von dem
Ganzen abhängigen Wechselbestimmung des Einzelnen
muß ebenfalls der philosophischen Construktion dienen
können, sobald sie in irgend einem nach Zeiten oder Gebieten veränderlichen Ganzen (Zeitperioden oder Naturreichen) einen Gegensatz entdeckt hat, dessen einer Faktor in seiner Bestimmtheit ganz von einem anderen im
Ganzen und mit dem Ganzen veränderlichen Faktor abhängt. Sey in einem Quadranten (Zeitalter) die Consumtion die Abscissenlinie, die Produktion aber Ordinate, jene also Querfluß, diese Sinus der Trigonometrie, so wird das Verhältniß des Uebergewichts auf Seite des Sinus steigen, bis er an der Gränze eines andern Quadranten zum Sinus totus wird, d. h. bis die
Produktion ihr Maximum erreicht hat. Dann wird die
Consumtion anfangen, das Bestimmende in diesem Wechselverhältnisse zu werden.

§. 36.

Der lezte Schematismus, mit welchem die Geometrie der philosophischen Construktion zu dienen vermag,
liegt in dem, was sie stereometrisch durch den Gegensatz
ihrer Ebenen bewirkt. Das Gemeinschaftliche der Richtung in Linien und Figuren nennt sie eine Ebene,
und sezt zwey Ebenen, die senkrechte und horizontale, unter einem rechten Winkel einander entgegen, wie zwey
solche Linien, und die synthetische Gesammtheit aus dem

Gegensatze solcher Ebenen heißt nun Körper. Damit schematisirt die Geometrie noch das Lezte der Erkenntniß, die Idee, welche die zwey Dimensionen des All, die ideale und die reale, so vereinigt, daß die Gegensazverhältnisse der einen sich in der andern wiederholen, und auch dieselbe Art der Vermittlung in beiden ist. Ist also überhaupt Construktion gefunden für eine Idee, so gilt sie immer in dieser doppelten Bedeutung, so daß z. B. die organische Form in einem Erkenntnißganzen dieselbe seyn muß, wie in einem Ganzen animalischen Lebens und der Verkehr geistiger Naturen eben so zu schematisiren ist, wie der Austausch der Werthe und Gegenwerthe im Physischen. Durch diese doppelte Bedeutung erhält denn die Idee ihre vollständige Geltung eben so, wie die räumliche Ausdehnung als Synthese beider Ebenen ihr Volum erhält. Die in den stereometrischen Körpern bemerkbare Differenz der Grundflächen (Anlage) Höhen (Durchführung) und Oberfläche (Erscheinung) ergiebt sich denn auch hier wieder, nachdem von den beiden ersten das eine oder das andre in die Natur oder die Kunst fällt.

III.
Von arithmetischer Darstellung.

§. 37.

Enthält die Geometrie Grundrisse, welche mit Umrissen, Schattirung und Farbe ausgearbeitet das Bild

als Gemälde darstellen und dadurch einen besondern Zweig
objektiv darstellender Kunst geben; so führen die Punkte,
aus welchen die Zahlen der Arithmetik hervorgehen, als
bezeichnete Lebensmomente wieder auf einen andern Zweig
ästhetischer Kunst, der hervorgerufenes Leben der Masse
in ein Spiel von Entwicklungsmomenten versetzt, und
Musik heißt. Diese musikalischen Entwicklungsmomente,
Töne genannt, ruhen unter sich, wie die Zahlen, auf
den Verhältnissen correspondirender Glieder, und bilden
eine lebendige Zahlenevolution oder Tonleiter, wenn sie
den Umfang eines ersten Momentes, den Grundton, theilweise gebrochen entwickeln; aber wie die Geometrie von
uns nicht bis in die Zeichnung und Mahlerey verfolgt
wurde, so können wir auch hier die Arithmetik nicht zur
Musik führen.

§. 38.

Nach unserer gegenwärtigen Aufgabe soll die Arithmetik als besondere, der geometrischen entgegengesetzte,
wissenschaftliche Darstellungsweise erscheinen; die Zahlen
werden also hier Elemente, wie dort die Linien. Nun
liegt das Wesen aller Zahlen in der Entwicklung von
Momenten, die blos durch ihre Entfernung vom Aus-
gangspunkte bestimmt werden, so daß diese Entfernung
einen größern oder kleinern Inbegriff von Momenten
darstellend die Zahl selbst ist; woraus denn hervorgeht,
daß die Vorstellungen oder Begriffe der Wissenschaft nur
in so weit als Zahlen behandelt werden können, als sie
jeder andern Bestimmtheit außer ihrer Entfernung vom

Anfangspunkte entsagen, wie dieß bey Momenten oder Punkten der Fall ist, deren Inbegriff eine Zahl heißt.

§. 39.

Der mögliche Gedanke, mit Vorstellungen oder Begriffen in Wörten rechnen zu wollen, erwartet demnach seine Realisirung nicht davon, daß diese Worte eine mit aller Schärfe bestimmte Begriffsbedeutung erhalten, was etwa durch eine gelungene Definition zu erreichen seyn möchte; für das Rechnen mit Worten müssen vielmehr die Worte sich aller andern Bedeutung entäussern, die sie ausser ihrer Stellung in Reihe und Glied durch ihre sinnliche oder ideale Anschaulichkeit haben könnten. Man numerire also vorerst die sechzehn Begriffe, die zu den vier Schematen einer Kategorientafel gehören, streiche dann die Nummern wieder aus und nehme statt derselben die Worte in der Bedeutung jener Nummern, so wird man mit diesen Worten zu rechnen im Stande seyn. Da heißt also auf der zweiten Tafel die Totalentwicklung 16, die Vollendungsstufe heißt 12, und beide von einander abgezogen bleibt 4, das heißt die Totalentwicklung differirt von der Vollendungsstufe um das ganze Schema, welches die Seitenentwicklung und die Stufenbildung zusammenfaßt, und hier Erscheinung genannt worden. Eben so ist hier die Anlage 1, und wenn 4 hinzukommt, das heißt, wenn vier weitere Schritte geschehen, so steht die Anlage in 5, das heißt, bey ihrer Spaltung in Urprinzipien, mit welcher die Seitenentwicklung beginnt. Erwägt man nun, daß auch in der wahren Entwicklung der Dinge jedes Ding nichts ist als sei-

seine Stelle, oder der Schritt, den die Entwicklung des Ganzen in ihm gethan hat, so wird man begreifen, daß das, was jezt oberflächlich zu seyn scheint, nämlich die Worte als Nummern zu behandeln, am Ende der Wissenschaft das Höchste und Lezte seyn müsse. Dabey muß aber nicht das Dekadensystem, sondern die Tetradik zum Grunde gelegt, und die Ziffern müssen in tetradischer Schematisirung gedacht werden. Da ist denn jeder Zahl ihre Bedeutung so wie jeder Bedeutung ihre Zahl sicher, und wenn man sich die ästhetische Kunst auf vier Schemate, der Poesie, Musik, Mahlerey und Plastik, construirt denkt, wobey die Plastik den Anfang macht, so erhält man folgende mit ihren Worten völlig gleichbedeutende Zahlen: Büste 1, Statue 2, Relief 3, Gebäude 4, Portrait 5, ganzes Bild 6, Landschaft 7, historisches Gemälde 8, Choral 9, Tanz 10, Lied 11, Oratorium 12, Lyrik 13, Mährchen 14, Drama 15, Epos 16. Man braucht jedesmal nur zu wissen, auf welchem Gebiete construirt werden soll, was in dem Schriftausdrucke durch einen Schlüssel angedeutet werden kann, so sichert die Construktion jedem Begriffe seine Stelle und jeder der sechzehn Zahlen auch ihre Bedeutung.

§. 40.

Wenn denn jedes Ding nach seiner tiefsten Bezeichnung die Stelle selbst ist, die es im Ganzen hat, so hat die arithmetische Darstellung, welche diese Stelle durch die Zahl bezeichnet, vor der geometrischen, welche blos die Gegensätze und Vermittlungen der Dinge schematisiren kann, einen großen Vorzug. Die Elemente der

Geometrie, die Linien, können einzeln genommen: der
philosophischen Construktion nichts gelten, für welche nur
die Winkel und Figuren brauchbar sind; in der Arithmetik ist aber jede Zahl für sich schon ausdrucksvoll,
denn Zwey wird überall den Gegensatz, Drey überall
die Vermittlung bezeichnen, und es kommt dann nur auf
eine schematische Entwicklung des Ideensystems an, um
die Zahlen 6, 10, 14 als Stellvertreter der Zwey in
der zweiten, dritten und vierten Tetrade, und eben so
die Zahlen 7, 11, 15 als Stellvertreter der Drey mit
vollkommen bestimmter Sachbedeutung anzuerkennen, die
bezeichneten Begriffe also durch diese Zahlen selbst aufs
wissenschaftlichste auszudrücken. Denn was die Zahl 6
bezeichnet, ist wie diese Zahl selbst das zweite Glied der
zweiten Tetrade, im obigen Beyspiele die ganze Figur
des Mahlers, so wie die Zahl 2 die Statue der Plastik
war. Die Zahl 10 ist sodann die zweite Form in der
Musik, nämlich das Taktstück oder der Tanz, in welchem die Momente im Gegensatze der Zeitdauer auftreten, welchen Gegensatz sodann die melodische Fortschreitung durch Tonqualitäten vermittelt u. s. w. In den
Zahlen liegt demnach, wenn sie tetradisch gestellt werden, ein nicht nur bezeichnender, sondern sogar construi-
render Ausdruck der Dinge und Erkenntnisse.

§. 41.

Dieß beruht darauf, daß die Zahlen in ihrer Entwicklung (dem Zählen) selbst eine Reihe geben, welche
der Entwicklungsreihe der Dinge entspricht, indeß die
Linien schon Entwicklungsmomente (Punkte) vorausse-

ßen, und ihre Beziehungen sind. Der geometrisch sche-
matisirende Ausdruck ist daher der objektiven Erscheinung
der Dinge näher, wie denn seine Figuren Grundrisse
sinnlicher Bilder sind; der arithmetische Ausdruck dagegen ist durch seine höhere Abstraktion der Construktion
in Worten näher, und, weil er nicht bloße Beziehungen
des Gegebenen, sondern Entwicklungsmomente des Wer-
denden schreibt, seiner Natur nach genetisch und der
Constrktion willkommener. Daher muß man sagen: die
Dinge sind Zahlen, und ihre Beziehungen Linien.

§. 42.

Die Zahlen sind also nicht wie die Linien Elemente
überhaupt, sondern jede Zahl hat an sich schon eigenthümliche Bedeutung, weil das Wesen der Dinge mit jedem Schritte, der es von seiner ersten Unbestimmtheit
(Einheit) entfernt, ein andres wird, und die Zahlen
diese Schritte ausdrücken. Dabey aber haben die Zahlen
als Elemente auf ihrem eigenen Gebiete genommen noch
Prozesse, in welchen sie das auf der ersten Kategorieen-
tafel gegebene allgemeine Schema der Prozesse nachbilden. So giebt hier die sogenannte Rechnung mit entgegengesezten Größen die Zahlen in ihrem Setzen und
Aufheben, der Differenzirungs = und Indifferenzirungs=
Prozeß erscheint als Subtraktion und Addition, die Verbindung und Trennung als Multiplikation und Division, und der lezte Prozeß als Potenziren und Wurzelausziehen. Wie denn aber die Zahlen alles, was auf
ihrem Gebiete möglich ist, nur als eine größere oder
geringere Entfernung von dem Ursprunge begreifen, was

man ein Mehr oder Minder zu nennen pflegt, so muß
es denn auch in die Natur der Zahlen gerechnet werden,
wenn sie auch die Resultate aller dieser Prozesse nur als
eine Vielheit ausdrücken, indeß der Wortausdruck von
Qualitäten, ja von Eigenthümlichkeiten redet.

§. 43.

Addition und Subtraktion sollten mit einem gemeinschaftlichen Namen als oberflächliche Zahlenprozesse bezeichnet werden, in welchen die Zahlen ohne Wechselbestimmung blos durch ihre äußere Gränze geschieden, entweder ineinanderfliessen, wie zwey Wassertropfen, die
sich berühren, oder auseinandergehen, wie ein großer
Tropfen, von dessen Masse sich ein Theil losreißt. Das
Resultat ist denn ein Vorschreiten oder Rückschreiten der
Zahlreihe, und wenn die Begriffe nach dem oben §. 39.
gegebenen Beyspiele als Ziffern genommen werden, so
ist leicht zu begreifen, daß, wenn von der dramatischen
Dichtkunst, als der Zahl 15, die 3 abgezogen wird,
man sodann in der Entwicklung der ästhetischen Kunst
auf den 12ten Schritt zurückkomme, welcher das Höchste
der musikalischen Kunst ist. Eben so kommt man von
diesem 12ten Schritte auf das Drama, als den 15ten
Schritt, wenn man zu dem 12ten Schritte noch drey
neue Schritte hinzufügt. Faßt man demnach alle 16 Begriffe streng als blosse Schritte einer Evolutionsreihe auf,
was ja das Wesen der Zahlen eigentlich ist, so wird
die Subtraktion und Addition in Begriffen, welche vorher tetradisch construirt sind, nicht mehr Schwierigkeit
haben, als in Ziffern selbst; will man aber die Begrif-

sie nach logischer Ansicht auffassen, wo sie überall aus ihren eigenthümlichen Bestandtheilen gebildet werden, so lassen sie weder die Addition noch die Subtraktion buchstäblich zu, obwohl der Indifferenzirungs- und Differenzirungs-Prozeß, der nach diesen beiden Rechnungsarten zum Grunde liegt, sich in Begriffen auf die im Buche selbst bezeichnete Weise der Generalisirung (Addition) und Spezialisirung (Subtraktion) der Begriffe nachbildet. In jeder Bibelle zeigt sich der eingetheilte Begriff als die Summe seiner Eintheilungsglieder, und jedes Eintheilungsglied kann nach Hinwegnahme der andern aus dem Ganzen als Rest oder als Differenz zwischen dem Subtrahendus und dem Ganzen angesehen werden. Wenn die Welt die Summe des Idealen und Realen ist, so bleibt nach Hinwegnahme des einen aus dem Ganzen das andre als Rest.

§. 44.

Multiplikation und Division, als arithmetische Nachbildung des Verbindungs- und Trennungs-Prozesses, dessen Faktoren bereits selbstständig und in Wechselwirkung mit einander erscheinen, sollten ebenfalls von der Sprache mit einem gemeinschaftlichen Namen bezeichnet seyn, der ihr tiefer eingreifendes Wesen ausdrückte. Hier fließen nämlich nicht beide vorher getrennte Zahlen blos in einer gemeinschaftlichen Gränze zusammen oder sondern sich aus derselben, sondern eine Zahl läßt sich gefallen, die Form der andern anzunehmen, und das aus dieser Wechselbestimmung entstandene Produkt trägt den doppelten Charakter seiner beiden Faktoren, z. B. Zwanzig ist eine vierfache Fünf, oder eine fünffache Vier. Dabey schreitet die Zahlreihe durch die Multiplikation auch wieder vorwärts, und durch die Division rückwärts. Nimmt man nun, nach vorausgegangener intrahischer Construktion, die Begriffe ebenfalls wieder als bloße Schritte oder Ziffern, so kann nichts hindern, den 5ten Schritt in der Entwicklung der Kunst, welchen Portrait heißt, wenn er 3mal genommen worden, als den 15ten, d. h. als Drama zu finden, und den 15ten Schritt in seinem ersten Drittheil als Portrait zu sehen; oder keinen Sinn hat es, zu sagen: das Portrait mit dem Relief (der Drey) multiplicirt gebe das Drama, oder dieses mit dem Relief dividirt gebe das Portrait.

<h3 style="text-align:center">§. 45.</h3>

Dagegen ist aber den Begriffen allerdings eine ihnen eigenthümliche Nachahmung des Multiplikations- und Divisions-Prozesses gestattet, indem Inhalts- und Form-Begriffe sich auf eben diese Art verbinden und trennen lassen. In dem Begriffe Schreibfeder liegt die Feder als Wesen, mit welchem durch den Schnitt die Bestimmung zum Schreiben sich als Form innigst vereinigt hat, und beide Begriffe lassen sich auch wieder aus ihrem gemeinschaftlichen Produkte als dessen besondere Faktoren herausheben. Dieses Verhältniß findet aber durchaus nur bey zwey Begriffen statt, welche einseitig oder gegenseitig für einander Wesen und Form sind, einseitig wie Subjekt und Prädikat überhaupt, oder gegenseitig wie Mathematik und Philosophie, wo nämlich die Philosophie, so weit sie mathematischen Ausdrucks ein-

glänzlich ist, in mathematischer Form dargestellt werden,
oder auch die Mathematik, so weit sie Gesetz der Ideen
ist, auf Philosophie gebracht werden kann. In so weit
nun jeder Begriff schon an sich einen materiellen und
formalen Faktor enthält, z. B. die Kunst die Idee und
die objektive Darstellung; so ist auch jeder Begriff schon
für sich als Multiplikationsprodukt zu betrachten, was
in geometrischem Ausdrucke heißen wird: jeder Begriff
ist ein Dreyeck.

Anmerkung. Im Deutschen drücken sich die Multiplikationsprodukte häufig durch zusammengesezte
Substantive, z. B. Schreibfeder, Stadtthor, Brand-
stiftung u. s. w. und man kann diese zusammenge-
sezten Begriffe durch die zwey Fragen: was? und:
wie? jedesmal auflösen oder dividiren. Z. B. was
ist gestiftet? Brand; wie ist er entstanden? durch
Anlegen. Mein Freund Kölle, der noch ehe ich
meine Kategorientafeln gefunden, in meiner Con-
struktionsweise viel und glücklich gearbeitet hatte, ist
darauf gefallen, aus einem kleinen von ihm durchconstruirten Gebiete der Technik, dem Branntwein-
brennen aus Getraide, ein Multiplikationstäfelchen
nach Weise der Einmaleinstafeln zu entwerfen, welches ihm auch trefflich gelungen ist. Er hat hier in
einer senkrechten Reihe die vier Begriffe: Malzung,
Extraktion, Gährung und Destillation, welche die
innere Geschichte des Ganzen enthalten, gestellt,
und in einer oben hinlaufenden wagrechten Reihe
stehen die vier Begriffe: Material, Geräthe, Ver-

fahren, Produkt, welche die äußere Erscheinung des Geschäftes enthalten, und man findet hier, wie auf der Einmaleinstafel das Produkt überall da, wo die beiden Reihen, von hälftigen Gliedern ausgehend, sich unter einem rechten Winkel begegnen. Sprachlich genommen geht nur hier die Multiplikation jedesmal durch die bloße Zusammensetzung der Substantive vor sich, z. B. Extraktionsgeräthe, Gährungsmaterial, u. s. w. und scheint so eine leichte und oberflächliche Sache; allein es wird dabey jedesmal aus den zusammentretenden Worten ein neuer und selbstständiger Begriff gebildet, und weil die senkrechten Linien hier alle dem Aeußern, die wagrechten aber dem Innern der Sache gehören, so werden hier immer Inneres und Aeußeres in einander multiplicirt. Dabey hat der Erfinder dieser ersten Multiplikationstafel in Begriffen noch das hinzugethan, daß er jedes gefundene Multiplikationsprodukt nicht nur im Wortausdrucke mit seinen zwey Substantiven hingestellt, sondern auch noch auf ein viergliedriges Schema gebracht hat. Seine mir bis jezt schriftlich mitgetheilte Tabelle wird er einst dem Publikum in einem Werke über die Destillation mittheilen, zu welchem er in seiner Schrift: über das Wesen und die Erscheinung des Galvanismus, oder Theorien des Galvanismus und der geistigen Gährung nebst Andeutungen über den materiellen Zusammenhang der Naturreiche, Tübingen b. Cotta 1825. 8. trefflichen Grund gelegt hat.

§. 46.

Wenn die Multiplikation der Begriffe das Verhältniß von Wesen und Form zwischen ihnen voraussetzt, so
können auch, wie das eben angeführte Multiplikationstäfelchen zeigt, ganz auf diese Art entgegengesetzte Be-
griffsreihen Glied für Glied mit einander multiplicirt
werden; und das Multiplikationsprodukt, welches in solchen Täfelchen die Spitze des rechten Winkels ausmacht,
ist eigentlich die Hypotenuse der beyden Begriffe, die sich
in ihm multiplicirt finden, so daß also die Multiplikation rechtwinklichte Dreyecke bildet. Daraus ergiebt sich
die Division der Begriffe als eine Wiederherstellung des
in dem Multiplikationsprodukte neutralisirten Gegensatzes
durch das gesonderte Heraustreten von Wesen und Form
aus demselben, so daß z. B. wenn die Cohäsion als ein
wechselseitiges Durchdringen von Expansion und Contraktion anerkannt ist, sie ohne Inhalt als Contraktion,
ohne Form aber als Expansion evanescirt, weil das gegenseitige Durchdringen beider Faktoren dem Begriffe
allein das Bestehen gab. Daher ist auch hier in Begriffen, wie in Zahlen, die Division von der Subtraktion
unterschieden, indem jene die Wechselbestimmung der Faktoren aufhebt, diese aber die mehr umfassende Sphäre
bloß auf eine minder umfassende einschränkt. So erhält
man aus dem Begriffe der Pflanzenwelt nach Abzug
der Phanerogamen die Kryptogamen als Rest. Geometrisch kann nun wieder gesagt werden, daß die Division
die Dreyecke auf die Schenkel ihres rechten Winkels zurückbringe, die von einander getrennt (einzeln gedacht)

als Linien unendlich (auf jede Weise bestimmbar) werden, indeß sie durch die Hypotenuse verbunden diese besondere Bestimmtheit erhielten und Figur wurden.

§. 47.

Hat nun die Multiplikation in Begriffen auf ihrem Verhältnisse als Wesen und Form beruhend Produkte der Wechseldurchdringung gegeben, welche durch die Division aufgelöst jeden Begriff sich selbst wieder gaben, so ist die Potenzirung oder Selbstmultiplikation einer Zahl den Begriffen als Steigerung und das Wurzelausziehen als Zurückführung des Begriffs auf seine erste Form natürlich. So weiß z. B. der Begriff recht gut, daß die Reflexion nicht ein ursprünglich einfaches Denken, sondern ein Denken des Gedachten enthält, also ein Denken in der zweiten Potenz, so wie das Gefühl eine Empfindung in der zweiten Potenz ist; und wenn das gesammte Erkennen von der Vorstellung ausgeht, so muß es auch in allen seinen Stufen als ein gesteigertes Vorstellen anerkannt werden. Als Wurzel solcher Steigerung wird sodann immer ein Begriff gefunden werden, der nicht mehr seinesgleichen, sondern etwas fremdartiges unter sich hat, wie der Begriff Vorstellung, der weiter hinabgeführt auf die Empfindung und noch weiter hinabgeführt auf das Objekt kommt. So wird der Laut zum Worte, zum Satze, ja zur Rede gesteigert, und die Wurzel der Rede bleibt doch nur der Laut, denn was unter diesem noch liegt, die Stimmorgane mit ihren Eigenschaften, ist seinesgleichen nicht mehr. Wurzel ist überall die einfachste Form von ihresgleichen.

§. 43.

Die Zahlenprozesse sind also

1) das Zählen, oder die Bildung und Aufhebung der Zahlreihe im vorwärts und rückwärts Zählen;

2) das Addiren und Subtrahiren, wobey eine Zahl über ihre Gränze bis auf die durch eine andere Zahl bezeichnete Gränze erweitert oder eingeschränkt wird;

3) das Multipliciren und Dividiren, wobey zwey Zahlen sich gegenseitig zu einer höhern Zahl steigern oder die gesteigerte Zahl in diese beyden aufgelöst wird;

4) das Potenziren und Wurzelausziehen, wobey die eine Zahl sich selbst steigert oder von der Steigerung auf sich selber zurückläuft.

Den erste dieser Prozesse macht sich in jedem Bewußtniß, die nach rechter Construktion entwickelt ist, von selbst, indem da alle Glieder der Construktion, wie die Zahlen selbst, nur durch ihre Entfernung vom Anfang verschieden sind, also Zahlen gleichgesetzt werden können. Der zweite Zahlenprozeß wird von den Begriffen durch ihre Generalisirung und Spezialisirung nachgebildet; der dritte Zahlenprozeß findet statt zwischen Begriffen, die sich wie Inhalt und Form zu einander verhalten, weil in ihrer Wechseldurchdringung einen neuen Begriff geben, eben deswegen auch nach aufgelöster Wechseldurchdringung sich wieder einzeln herstellen lassen; und der vierte Zahlenprozeß setzt einen Begriff in solche Wechselwirkung mit sich selbst, daß er sich weiter aufschließt, oder aus dieser Aufschließung wieder auf sein einfaches Wesen zurückläuft. Nun kann in der Arithmetik jedes

Multiplikationsprodukt, also auch jede Potenz, durch wiederholte Addition gleichfalls erreicht werden, und so ist auch in Begriffen jede höhere Stufe die allgemeinere, welche die niederen Stufen in ihrem Umfange begreift, und der Begriff Staat, der durch die Multiplikation der Begriffe Volksleben und Organisation mit einander gefunden wird, kann auch gefunden werden als Inbegriff oder Summe aller Formen des Volkslebens. Außerdem kann auch jede höhere Erkenntniß, welche auf die Stufe der Vorstellung herabgesezt wird, auf dieser additionsweise begriffen werden, weil auf dieser Stufe die inneren Gegensätze verschwinden. Daher kommt, daß der blos sinnlich beschreibende Stil in der Wortsprache sich mit der Conjunktion: und begnügen kann, wie z. B. und Hiob thät seinen Mund auf, und verfluchte den Tag seiner Geburt, und sprach. Dieser Stil geht nämlich auf die Begriffsgegensätze, welche durch die andern Conjunktionen ausgedrückt werden, nicht ein, und so kann auch vom Menschen gesagt werden, daß er Seele, Leib, Rumpf, Kopf, Hände, Füße, Einbildungskraft, Verstand, Phantasie und Vernunft habe, obwohl alles dieses nach sehr verschiedenen Gründen und Ansichten in ihm ist. Der blossen Vorstellung gelten alle Begriffe gleich, wie der Arithmetik die Einer (Punkte), und sie geht auf ihre innern Verhältnisse gar nicht ein; für sie also könnte man, wie für die durchgeführte Construktion, sich der Begriffe als Ziffern bedienen, wenn man nur erst eine Reihenfolge unter ihnen fixirt, d. h. sie numerirt hätte. Gerade so stellt auch ein

Inventarium alle in einem Besitz vorfindliche Sachen zusammen, ohne alle Rücksicht auf die Art ihrer Erwerbung oder die besonderen Rechte ihres Besitzes; es sind Nummern.

§. 49.

Daraus ist also klar, wie weit philosophisches Denken sich in Zahlen und Zahlenprozessen ausdrücken könne. Uebrigens ist die Arithmetik mit diesen Zahlenprozessen nicht weiter, als die Geometrie mit ihren Winkeln, so daß man sagen kann: wie sich in der Geometrie die Winkel zu den Linien verhalten, gerade so verhalten sich in der Arithmetik die Zahlenprozesse zu den Zahlen. Wie nun aus den Winkeln Figuren gebildet werden, so kommen aus den Zahlenprozessen Combinationen derselben, welche unter dem Namen der Formeln bekannt sind, und dem in §. 341. u. fg. des Buches weiter entwickelten materiellen Inhalte der Arithmetik vorstehen, auch wegen der Meßbarkeit der Linien und Linienverhältnisse auf die Geometrie anwendbar sind.

§. 50.

Ist die Formel eine Combination von Zahlenprozessen, wie z. B. die Formel, nach welcher das vierte Glied einer geometrischen Proportion gefunden wird, so verschwindet für die Arithmetik der Formeln, d. h. für die Algebra, die Nothwendigkeit des numerischen Ausdruckes der einzelnen Zahlen, diese können also hier durch allgemeine Zeichen (Buchstaben) vertreten werden, wenn nur ihre Einzelheit und Mehrheit sammt dem Zah-

lenprozeſſe genau ausgebrückt wird. Dadurch erſcheinen
dieſe Formeln ſelbſt als Ausdruck eines aus Zahlenprozeſſen zuſammengefloſſenen Ganzen, und ſind alſo für
jede Produktion, die aus Zahlenprozeſſen hervorgegangen iſt, wie eben das vierte Glied der Regel de Tri,
eine genetiſche Erklärung derſelben, ſo daß die Formel
noch den Begriff feſthielte, ſelbſt wenn ihn der Zahlen-
ausdruck verließe, wie das z. B. bey Differenzialformeln
für das unendlich Kleine der Fall iſt. Weil denn eine
Formel die genetiſche Erklärung irgend einer arithmetiſchen Produktion iſt, ſo enthält ſie auch deren Geſchichte, und wie denn ſchon eine einzelne Zahl auf mancherley Weiſe entſtanden ſeyn kann, ſo kann auch Eine
arithmetiſche Produktion durch mehrerley Formeln ausgedrückt werden. Immer aber zeigt die Formel den Weg,
die arithmetiſche Produktion, von welcher die Rede iſt,
ſelbſt zu produciren.

§. 51.

Iſt nun das erſte, was auf dem Gebiete der Arithmetik über die Zahlenprozeſſe hinaus liegt, die Bildung
der Verhältniſſe, Proportionen und Reihen, ſo ſind auch
die Formeln für den Ausdruck, alſo auch für die Findung, von Reihengliedern die erſten, und weil die Arithmetik im Grunde ſelbſt Reihe iſt, Zahlreihe nämlich, ſo
kann es an ſich keine anderen Formeln geben, als für
Reihen und deren Glieder, z. B. für Potenzreihen aus
zweyfacher Wurzel die Binomialformel. Weil aber eine
Reihe theils, wie eben die Binomialreihe, aus mehrfa-
chen Anfängen hervorgehend ſich nach verſchiedener Rich-

tung fortsetzen, theils auch entwickelt bis zu einem gewissen Grade in der Geschlossenheit ihrer Glieder als
Ganzes betrachtet werden kann, wobey dann für die
einzelnen Glieder nicht bloße Reihenverhältnisse, sondern
Ganzheitsverhältnisse vorkommen müssen; so giebt es auß-
ßer den Formeln für Reihen und deren Glieder auch
noch Formeln der combinatorischen Analysis, welche aus
der Totalitätsform entspringen.

§. 52.

Die Formel steht also im Dienste der höhern Arithmetik, die über die Zahlenprozesse hinaus liegt, und hilft
theils finden, theils ausdrücken. Dabey aber hat sie auch
in sich eine Selbstständigkeit, welche darin besteht, daß
ihre Glieder, d. h. die in ihr mit einander verwebten
Zahlenprozesse theils sich unter einander, theils mit einander das Ganze bestimmen, welches nun nach voran-
gegangener Formel auch durch ein einzelnes Zeichen ausgedrückt werden kann. Diesem einfachen Ausdrucke muß
denn der zusammengesezte Ausdruck der Formel allerdings gleich seyn, und die Formel heißt nun eine Gleichung, auch ist die Wechselbestimmung ihrer Theile so
streng, daß durch zweckmäßige Behandlung der Theile
der Formel jeder einzelne Theil seine höchste Bestimmtheit erhalten muß. Es dürfte also unter diesen Theilen
auch einer seyn, der für sich allein unbekannt wäre; es
würde doch nach einer planmäßig durchgeführten Wechselbestimmung mit den andern Theilen und dem Ganzen in höchster Bestimmtheit hervortreten müssen.

§. 53.

In so ferne nach §. 39 fg. dieses Anhangs überhaupt Begriffe durch Ziffern ausgedrückt werden können; in so ferne dann die Addition und Subtraktion in Begriffen auf Generalisirung und Spezialisirung, also auf Eintheilung hinausläuft; in so ferne weiter die Multiplikation und Division in Begriffen auf dem logischen Gegensatze der Sachbegriffe (Subjekte) und Formbegriffe (Prädikate) beruht; in so ferne endlich das Steigern und Wurzelausziehen den Zahlen und Begriffen gemein ist, in so weit läßt sich auch denken, daß irgend ein Begriff, der aus diesen Verhältnissen zusammen hervorgegangen wäre, auch durch ihre naturgemäße Zusammenstellung in einer algebraischen Formel ausgedrückt werden könnte, welche dann als Gleichung für diesen Begriff angesehen und in ihren einzelnen Theilen so behandelt werden könnte, daß für jeden einzelnen Theil eine besondere Gleichung daraus hervorgienge, weil jeder Theil durch seine Verhältnisse zu allen übrigen ausgedrückt ist. Aber alle diese Formeln, deren sich die Arithmetik mit so vielem Vortheile theils für den Ausdruck, theils für die Findung ihrer Produktionen bedient, sind bloße zufällige Combinationen von Zahlenprozessen, deren jede für sich und auf diesem Gebiete allein dasteht, ohne je mit den andern auf eine gemeinschaftliche Bedeutung zurückgehen und ein System von Erkenntniß begründen zu wollen. Daher kann es der philosophischen Erkenntniß auch nicht um solche Formeln zu thun seyn, und wenn schon die Behandlung der Begriffe als Ziffern eine te-

tra-

tradische Construktion derselben vorausſezt, ſo wird die Philoſophie ihre Formeln auch nur auf dieſem Wege zu ſuchen haben.

§. 54.

Für die philoſophiſche Construktion giebt es alſo eigentlich nur Eine Formel, welche alle Dinge auf die allgemeine Form der Dinge zurückführt und aus dieſer hervorgehen läßt, daß nämlich

das Weſen überall durch vermittelte Gegenſätze in die Form heraustrete, und durch Löſung der Vermittlung und Erlöſchen der Gegenſätze wieder in ſich ſelber zurückkehre;

was nach dem vierten Schema der Urbegriffe für die Erkenntniß als: Theſis, Analyſis, Antitheſis und Syntheſis ausgedrückt werden kann, arithmetiſch aber in der Vierzahl, und geometriſch in dem Kreutze enthalten, überall eine ſich durchdringende Verbindung zweier ungleich artiger Gegenſätze iſt. Wenn ſich daher die Algebra ſpezieller Formeln erfreut, ſo wird dagegen die Philoſophie ſtolz ſeyn, alles auf die allgemeine Formel bringen zu können; indem ſie aus allem die vier Weltglieder heraushebt; und wenn die Algebra in ihren Formeln eine genetiſche Erklärung ihrer zufälligen Produktionen beſitzt, ſo wird die Philoſophie durch ihr Verfahren alles Zufällige auf das Nothwendige bringen, und wenn ſie das Nothwendige in den einzelnen Dingen zu ſuchen hat, ſo wird ihr das erſte Schema der erſten Kategorientafel die ſichere Formel dazu geben. Uebrigens iſt denn auch eben

erst durch diese tetradische Construktion möglich, in der
Philosophie von Formeln zu sprechen, und der Mathematiker hat keineswegs Unrecht, wenn er die Formel,
d. h. die Form zum heuristischen Gebrauche gestaltet, als
das Siegel der Wahrheit betrachtet.

§. 55.

Wenn nun die Philosophie sich blos Einer Formel
erfreut, welche alles, was sie berührt, in das Ganze
auflöst, also verschwinden macht, so könnte dagegen die
Mathematik stolz thun und sagen, daß sie durch ihre
Formeln jedem Dinge seine Individualität sichere, ob
sie gleich das Gesetz seines Innern heraushebe. Darauf
würde die Philosophie antworten, daß die Algebra, welche ihre Formeln aus blossen Zahlenprozessen zusam-
mensezt, mit diesen selbst den Boden verlohren habe,
den sie als Arithmetik in der Zahlreihe noch hatte, nämlich die Evolutionsform der Dinge, indeß die Philosophie von Urbegriffen anfangend und zu Kategorien fortgehend ein Weltsystem zu entwickeln. vermögend sey, in
welchem jedes Ding seine Individualität durch die Stelle
ausdrücke, die ihm in dieser Evolution eingeräumt sey.
Andere Individualität giebt es auch nicht, und wenn
für eine bis auf einen gewissen Grad fortgeschrittene
Evolution dieser Art irgend ein conzentrirter Ausdruck
die Stelle bezeichne, welche A oder B in jener Evolution hat, so sey dieser Ausdruck die wahre Individuali-
tätsformel.

IV.

Von philosophischer Darstellung.

§. 86.

In der bildlichen Darstellung giebt sich die Vorstellung unter der Form objektiver Anschauung wieder, und darum ist die plastische Gestalt das vollkommenste Bild, welches durch das Scheinbild oder Gemälde nur in so weit ersetzt werden kann, als der Gesichtssinn den Tastsinn zu entbehren vermag. Wird die bildliche Darstellung in das Wort übergetragen, so muß dieses seine Neigung zum begriffsmäßigen Auffassen der Vorstellung unterdrücken und sich selbst auf die sinnliche Anschauung herabsetzen, wo es sodann, wie das existirende Sinnliche selbst, Leib der Idee zu werden im Stande ist; wenn aber das Wort seinem Triebe zur Trennung der Form von dem Inhalte nachgeht; so kommt es von der bildlichen Darstellung aus durch den Schematismus der Geometrie und die Zahlensymbolik der Arithmetik hindurch zu der Formel, welche durch die Zahlenprozesse schon möglich wird, hier aber noch in ihrer Vielheit erscheint. Hat nun die Erkenntniß die Aufgabe, die Vorstellung zur Idee zu bringen (§. 193.), und kommt die Idee dazu, alle Verschiedenheit der Form aus der Evolution des Einen Wesens zu erklären; so muß die Wortsprache endlich der philosophischen Darstellung gewidmet auf eine allgemeine Formel zurückkommen, die sich ewig selbst wiederholt, und in ihren Gliedern die Zahl; in deren Stellung das Schema, und in der poetischen Wendung des Ganzen das Bild hat.

Philosophische Darstellung ist demnach schematische viergliedrige Construktion, in welcher Form und Wesen des Dargestellten gänzlich zusammenfallen; und das bis zur höchsten grammatikalischen Ausbildung (S. 355 fg.) durchgearbeitete Wort seine Idee durch seine Stelle in einer Entwicklungstafel bezeichnet, und, wenn die Sprache schon in ihren Lautelementen durchconstruirt wäre, auch durch seine Zusammensetzung ausdrücken müßte. Ehe aber die Sprache solche Vollendung erreicht, in welcher sie schematischer Construktion zu folgen vermag, hat sie noch niedere Stufen der Organisation zu durchlaufen, welche von der Organisation des Wortes als Laut ausgehen müssen.

Das Wort als Laut genommen heißt Sylbe, und ist eine mehr oder minder einfache Vollendung der zweierley Sprachelemente, welche in ihrer Reinheit Vokale und Consonanten genannt werden, als Diphthongen aber und Doppelhauche (z. B. ch, z) auch in zusammenfließende Formen eingehen. Die Tonsprache ist demnach ein systematisches Sylbenspiel, welches von der blos mit grammatikalischer Bestimmtheit gesezten Sylbe nach zwey Richtungen sich einseitig entwickeln, und beide Formen der Seitenentwicklung wieder synthetisch vereinigen kann. In dem Sylbenspiele der Tonsprache liegt nämlich theils der auf ihren Vokalen beruhende Anklang der Laute,

theils der auf den Uebergängen der Laute durch Confo-
nanten beruhende Takt der Bewegung, und wenn jene
Anklänge, um nicht in Identität unterzugehen, eine den
Vokalen beigemischte Differenz der Consonanten verlangen, wodurch sie Reim werden, so verlangt der Be-
wegungstakt als Sylbenmaaß ein quantitativ abge-
messenes Verhältniß der Vokale und Consonanten nach
dem Verweilen der Redeorgane bey ihrer Bildung. Da
bey einer aus einem schematisch organisirten Alphabete
herausgearbeiteten Sprache die Vokale ein ganzes Gebiet von Worten (z. B. subjektives, objektives ꝛc.) bezeichnen, und die Differenzen auf diesem Gebiete durch
beygefügte Consonanten angedeutet werden, so sind die
Reime einer solchen Sprache natürlich, und auch die
ältesten Sprachen sollen in dieser Art viele Assonanzen
und Reime gehabt und aus beiden sinnreiche Wortspiele
(zu welchen noch Shakespeare hinneigt) entwickelt haben;
in neueren Sprachen aber, als welche das Gesetz des
Alphabetes und der ersten Sylbenbildung lange verlohren haben, sind die Reime in den Worten selbst frembes
nur dem Ohre schmeichelndes Klangspiel geworden, und
die unvollkommenen Reime, die Assonanzen, werden gar
nicht beachtet. Selbst das Naturgesetz der Metrik, das
der griechischen und lateinischen Sprache so tief einge-
prägt ist, daß die Pronunciation auf einer Sylbe verweilen muß, deren Vokal zwey Consonanten nachfolgen,
hat die neuere Sprachbildung in dem Grade verkannt,
daß in der deutschen Sprache die Länge blos auf der
Sylbe ruht, welche durch die Bedeutung herausgehoben ist.

§. 59.

Inzwischen ist die Gestaltung der Sprache durch
Reim und Sylbenmaaß ihrer Verwandtschaft mit dem
Gesange, dessen Melodie in dem Reime und dessen Takt
in dem Sylbenmaaße wiederkehrt, so natürlich und einer sinnlichen Periode des Volkslebens so nahe gelegen,
daß bekanntlich die Minnesinger eben durch Reimen die
neuern Sprachen zum Gedankenausdrucke gebildet haben;
und daß selbst bey den Griechen die metrische Rede viel
älter ist als die prosaische. Die metrische Rede muß daher, wie die prosaische, im Stande seyn, den Ausdruck
eines Sinnganzen zu bilden, und zwar für den Reim
durch die Wiederkehr seiner Gegensätze, die in der Ein-
sylbigkeit oder Zweysylbigkeit und in dem Wechsel seiner
Vokale bestehen, und für das Sylbenmaaß durch die angemessene Association seiner Längen und Kürzen zu Vers-
füßen und deren Verwebung zu Strophen, in welchen
der Sinn steigend beginnt und fallend beschlossen wird,
wie in dem griechischen Hexameter. Da durch solche objektive Gestaltung ihres Ausdruckes die Sprache überhaupt ihre objektive Seite vollendet, durch welche sie der
ästhetischen Kunst verwandt wird; so ist natürlich, daß
die ästhetische Sprachkunst, die Poesie, sich des Reimes
und Sylbenmaaßes bedient.

§. 60.

Gehört nun diese objektive Gestaltung der Rede zu
der poetischen, also bildlichen Seite der Tonsprache, so
wird nach Lösung dieser schönen Verhältnisse die oratio
soluta oder pedestris das Bild in der Vorstellung ver-

laſſen, und zunächſt ſich für den Ausdruck der Wahrnehmung, dann aber auch für den Ausdruck des Begriffs bilden. Jenes giebt den beſchreibenden oder erzählenden Stil, den man am beſten den Chronikenſtil nennen könnte, dieſes den raiſonnirenden oder pragmatiſchen,
der Anſichten aufſtellt, um die Erſcheinungen zu erklären.

§. 61.

Für die Wahrnehmung iſt jede Vorſtellung ſelbſt-
ſtändig und einzeln, und heißt, durch ihren Namen bezeichnet, in der Sprache ein Subſtantiv; was in der
Vorſtellung wahrgenommen wird, es ſeyen Theilvorſtel-
lungen oder Verhältniſſe, wird als adhärent oder inhä-
rent angenommen, und heißt in der Sprache ein Adjektiv, das dem Subſtantiv in ſeinen Sprachverhältniſ-
ſen nachfolgt. So bedarf denn die Wahrnehmung zu
ihrem Ausdrucke nur noch einer Vermittlung von Subſtantiv und Adjektiv, welche aber nicht wie die logiſche
Copula von ſubjektiver Bedeutung des Denkens, ſondern
von objektiver Bedeutung der Wahrnehmung ſeyn muß,
jedoch wie die logiſche Copula iſt heißt. Dieſe Wahr-
nehmungscopula wird denn in der Sprache mit Recht
verbum ſubstantivum genannt, indem es eben ſo wohl
die Selbſtſtändigkeit der Subſtantive begründet, als auch
das Enthaltenſeyn der Adjektive in ihnen, denn der Satz:
der Stein iſt ſchwarz, behauptet eben ſowohl, daß der
Stein ſey, als daß er ſchwarz ſey. Dieſer Satz als lo-
giſches Urtheil genommen ſpricht blos von der Vereinbarkeit beider Begriffe im Denken.

§. 62.

Der Wahrnehmungsstyl spricht also in an einander gereihten Sätzen seine beschreibenden oder erzählenden Wahrnehmungen aus, und bedarf zunächst außer Substantiv und Adjektiv, die durch ein Verbum copulirt werden, wozu im Allgemeinen sich das Zeitwort der Substanz eignet, nur noch eine Fortsetzung dieser Vermittlung von einem Satze zum andern, was in den Sprachen durch das und ausgedrückt wird, von dessen häufigem Gebrauche in der sinnlichen Sprache schon früher die Rede war. Dabey aber hat der Wahrnehmungsstyl auf die Formen der Vorstellung zu achten, wie sie §. 201. des Buches in dem Schema:

Was?

Wo?   Wann?

Wie?

aufgestellt worden sind, diese Fragen müssen aber alle aus der Wahrnehmung beantwortet werden, denn für diese Stufe des Styls ist entweder der Begriff noch nicht vorhanden, oder doch sein Gebrauch noch nicht sicher.

§. 63.

Die Frage: was? wird also in diesem Style durch sinnliche Beschreibung beantwortet, welche von Vergleichung der Sache mit andern nach Unterschieden oder Aehnlichkeiten ausgeht, wobey es also auch nicht ohne Werth ist, zu sagen, was das Ding nicht sey. Die Frage: wo? verlangt lokale Bezeichnung, die Frage: wann? erzählende Zeitbestimmung, und für die Frage: wie? soll zusammengefaßt werden, was von der Gene-

ſis eines Dinges und ſeinen quantitativen und qualitativen Verhältniſſen in die Wahrnehmung fallen konnte.
Daher bedarf denn der Wahrnehmungsſtyl auſſer dem
und noch mancher Partikeln, welche Unterſcheidung oder
Gleichſetzung, Einſchränkung oder Erweiterung, Trennung oder Verbindung ausdrücken, und ſo kann er kaum
anders, als ſeine Sätze auſſer der bloſſen Zuſammenreih-
hung durch und noch vermittelſt mancher Conjunktionen
in Perioden zuſammenzubinden.

§. 64.

Was der Wahrnehmungsſtyl gethan hat, um die
Erſcheinung des Gegenſtandes erſchöpfend auszuſpre-
chen, kann der Begriffsſtyl dann weiter benützen, um
die äuſſern Verhältniſſe in innere zu überſetzen, und das
Anſchauen in ein Denken zu verwandeln, wobey es zuvörderſt darauf ankommt, in den Reſultaten der Wahrnehmung Beſondres und Allgemeines zu ſondern, und
jenes aus dieſem in feſter Form abzuleiten. Dieß lehrt
die Logik; und wenn ſie die Reſultate der Wahrnehmung
zuvörderſt zu einer Expoſition der Vorſtellung benützt,
ſo geht ſie von der Expoſition weiter zur Definition,
in deren zwey Prädikaten das Gebiet bezeichnet iſt, welchem der Gegenſtand angehört, und die Stelle, welche
er in dieſem Gebiete einnimmt. Aus dieſem im Allgemeinen beſtimmten Begriffe des Gegenſtandes können nun
ſyllogiſtiſch eine Menge Prädikate deſſelben gefolgert werden, die als beſchränktere in jenen zwey allgemeinen
Prädikaten enthalten ſind, und es wird dadurch möglich,
den Gegenſtand endlich tabellariſch entwickelt zur Ueber-

läßt seiner möglichen Verhältnisse hinzustellen. Auf diesem Wege der Behandlung ist also die Wahrnehmung
zum Begriffe geworden, dem Gegenstande ist seine Stelle angewiesen, seine vielen Prädikate sind auf zwey wesentliche zurückgeführt und auf diese begründet, und durch
die Klassifikation ist endlich die Einheit seines Wesens in
der aus ihr entspringenden gegensätzlichen Vielheit dargestellt worden.

§. 65.

Diese Aufgabe hat der Begriffsstyl zu lösen, und
die Logik soll ihn dabey leiten. Allein wenn auch die
Logik bisher ein klares Bewußtseyn ihrer selbst und vollendete Form gehabt hätte, so wäre doch diese Aufgabe
für jeden besonderen Fall nicht auf einfache Weise zu
lösen, sondern das Herausfinden des Begriffs aus der
Wahrnehmung, das Scheiden der wesentlichen Prädikate von den unwesentlichen, die Begründung dieser auf
jene, und die eintheilungsgerechte Entwiklung und Darstellung aller Prädikate fordert überall ein sorgfältiges Betrachten des Gegenstandes und ein besonnenes Drehen
und Wenden desselben nach allen Seiten, die er hat,
und wobey er auf jeder Seite gefaßt in ein anderes Licht
tritt; so daß der Begriffsstyl dadurch höchst vielfach und
künstlich ausfallen muß. Die eben angeführten Bemühungen zu Lösung seiner Aufgabe können zusammen durch
das Wort Reflexion oder Raisonnement genügend bezeichnet werden, und lassen einsehen, daß der Begriffsstyl,
indem er von dem Wahrnehmungsstyle Sätze und einfache Periodenformen sich geben läßt, diese letztern durch

vermehrte. Conjunktionen nach den vielerley Gegensätzen und Beziehungen der Seiten und Ansichten des Gegenstandes erweitern müsse, und daß ihm dadurch, weil alle diese Ansichten durch die Einheit ihres Gegenstandes und die Consequenz des logischen Denkens verbunden auch in der Rede als ein Ganzes erscheinen wollen, ein sehr künstliches Redegebäude erwachse, wie es in jeder Sprache der schriftstellerische Styl ist und seyn muß. Was daher die Prosa von vielfachen Formen in sich enthält, das muß sie im Begriffsstyle entwickeln, und wenn endlich, weil das Gelesene auch in Hörbares übersetzt werden kann, das Ohr an solches Redegebäude ebenfalls Ansprüche macht, so kehrt die wohlgeordnete Rede durch den in ihrem Periodenbaue fühlbaren Numerus einiger maaßen wieder zum Sylbenmaaße der poetischen Rede zurück.

§. 66.

Wenn nun die beiden eben bezeichneten Arten des Styls auch ihre Aufgabe für die Wahrnehmung und den Begriff lösen, so daß in der Exposition der Vorstellung der Gegenstand beschreibend bezeichnet ist, durch die Definition die vielen Prädikate auf zwey reducirt sind, welche zur Grundlage dienen, aus welcher die andern sich schließen lassen, und wenn dem also bestimmten Begriffe die Division als geordnete Exposition den lezten Dienst leistet, so bleibt doch selbst nach einer glücklichen Realisirung dessen, was in dem vierten Schema der Logik verlangt wird, der philosophischen Darstellung noch ein Großes zu thun übrig. Sie hat nämlich an die Stelle

der aggregatischen Exposition eine das Leben nachbildende Entwicklung des Vielen aus dem Einen zu setzen; an
die Stelle der Definition, welche blos zur begriffsmäßigen Unterscheidung genügt, soll die philosophische Darstellung die Stelle setzen, welche das Definitum im Ganzen einnimmt, und wodurch es nicht nur fein innerstes
Wesen, sondern auch ideenmäßig feine universalen Beziehungen ausspricht; für die syllogistisch gefolgerten Prädikate soll die philosophische Darstellung die Formen des
Dings substituiren, in welchen es nach allgemeinem Gesetz die Entwicklung seines individuellen Lebens durchführt; endlich soll die philosophische Darstellung statt einer durch regelmäßige Spaltung der Gegensätze (Eintheilung) entstandenen Tabelle ein Tableau geben, in
welchem das Ding die strenge Gesetzmäßigkeit seiner eigenen Natur und Geschichte anschauen kann, wie dieß
in Kategorientafeln geleistet ist.

§. 67.

Alles dieß leistet unsere viergliebrige schematische
Construktion; sie ist lebendige Entwicklung des Vielen
aus dem Einen, Erhebung des Begriffs zur Universalität der Idee, Ableitung alles Besondern aus feiner wahren Allgemeinheit, und georbnetes Ganzes einer den Gegenstand erschöpfenden Erkenntniß (System). Von diesen vier Seiten soll sie nun noch dem Leser vorgeführt
werden, damit er Meister dieser Construktion werde.

A.

§. 68.

Wo die Erkenntniß nichts zu unterscheiden vermag,

da bleibt sie selbst nur ein Streben, erst durch das Finden einer Gränze und des Entgegengesezten jenseits und dießseits derselben wird das geistige Streben zu wirklicher Erkenntniß. Eben so verhält es sich mit dem Seyn, welches auch nur durch Begränzung und Gegensetzung zum Etwas wird, und in seiner Unbestimmtheit dem unbestimmten geistigen Streben gleichgesezt, Leben genannt werden muß. In diesem doppelten Leben aber schwimmen die Gegensätze des Seyns und der Erkenntniß, schwimmenden Inseln oder Tönen vergleichbar.

§. 69.

Zu fixiren sind sie bey der Identität ihres Inhaltes durch die Verhältnisse und Beziehungen ihrer Form, welche am Ende in Reciprocität auf sich selber einen Theil jenes Lebens einschliessen und abscheiden, daß er als Gegenstand eine bestimmte Erkenntniß gewährt. Darum ist diese Kunst des Abscheidens aus dem Ganzen und des Einschliessens in reciproke Verhältnisse — das Bilden von Figuren (Kreisen) des Lebens die eigentliche Kunst der Erkenntniß.

§. 70.

Da muß denn der Anfang gemacht werden mit der einfachen Begränzung, in welche eingeschlossen das Leben Wesen genannt wird, und fortgegangen wird durch den Gegensaß und seine Vermittlung, die mehr oder minder vielfach wiederholt am Ende doch auf jene erste Begränzung zurückkommend Form genannt wird. Darum ist klar, daß die Erkenntniß nicht anders als tetradisch

anzufangen und fortzuschreiten vermöge, wenn sie über
sich selbst klar geworden ist; bis sie aber hierzu gelangt,
wird sie denn freylich manche andere Wege verfuchen.

§. 71.

Jede Tetrade enthält also den Uebergang irgend eines Wesens in seine Form, und die vier Glieder einer
Tetrade sind selbst als vier Formen der Verwandlung
des (idealen oder realen) Lebens zu betrachten, welche
sich zwar gegensätzlich zu einander verhalten, aber nicht
blos Unterscheidungen des Gegebenen (Eintheilungen)
sondern Entwicklungsgestalten des Entstandenen sind,
obwohl, wenn das Schema dasteht, seine Glieder auch
als Eintheilungen angesehen werden können, wie ja jedes Multiplikationsprodukt auch als Additionssumme vorkommen kann.

§. 72.

Wie denn das Leben überall von der Unbestimmtheit
ausgehend mit der Bestimmtheit endet, so können Schemate, wie das Schema der Prädikamente der ersten Kategorientafel, gerade dieses Verhältniß, welches das al-
lereinfachste ist, durchführen. Wie nun weiter das Leben in der Seitenentwicklung von Urprinzipien bis zu
Klassen der Dinge aufsteigend seine Gränze beständig erweitert, in den Stufen aber eine Form seiner selbst auf
die andere thürmt, so können auch Schemate den einen
oder den andern dieser einseitigen Charaktere nachbilden,
und wie endlich nach der vierten Kategorientafel schon
das erste Glied zu einem Ebenbilde des lezten entwickelt

seyn kann, so kann auch diese Art der Entwicklung in den Schematen vorkommen. Troß dieser vierfachen Verschiedenheit der Schemate behalten sie doch immer einerley Typus.

Anmerkung. Ein Schema der ersten Art: unbestimmt, bestimmbar, bestimmend, bestimmt. Ein Schema der zweiten Art: Städte, Länder, Welttheile, Erdoberfläche. Ein Schema der dritten Art: Laut, Wort, Saß, Rede. Ein Schema der vierten Art: Individualität, Entwicklungssystem, Individualleben, Totalitätsform.

§. 73.

Der gemeinschaftliche Typus aller Schemate liegt darin, 1) daß alle aus dem Wesen in die Form übergehen; 2) daß eben deswegen das zweite, als das heraustretende, Glied sich an das erste, das dritte aber als das übergehende Glied sich an das vierte anschließt, wodurch alle Schemate eine Arsis und Thesis erhalten; 3) daß das erste und vierte Glied in einem absoluten Gegensaße stehen (Zettel), zwischen welchen der relative Gegensaß des zweiten und dritten Gliedes (Einschlag) so eingewebt wird, daß das Schema im Ganzen ein rechtwinklichtes Kreuz bildet; 4) daß alle Schemate, welche Grundverhältnisse darstellen sollen, nicht mehr und nicht minder als vier Glieder haben können. Schemate mit sechs Gliedern haben blos die Mittelglieder gespalten; dreigliedrige Schemate z. B. Anfang, Mittel, Ende, sind, wie die Dreyecke der Geometrie, blos einfache

Synthesen eines Gegensatzes (unreife Figuren), nicht aber volle Produkte.

§. 74.

Nach diesem Typus sind nun theils die Urbegriffe: Wesen und Form; Gegensatz und Vermittlung, selber gestellt, theils auch die aus ihnen hervorgegangenen weiteren Schemate in der Tafel der Urbegriffe, wobey nichts supponirt wird, als die vorhin bezeichnete Idee von Leben, in deffen Spiel die ewige Wiederholung deffelben Typus beständig neue Produkte erzeugt. Jene vier Urbegriffe sind daher selbst von der allgemeinsten Bedeutung, indeß die aus ihnen entwickelten vier Schemate nur für den Umfang des Urbegriffs gelten, aus dem sie entwickelt sind. Da nun die nach den vier Schematen der Urbegriffe folgenden Prädikamente eine Abstraktion von diesen Schematen selbst sind, welche über die Differenz ihrer Glieder hinwegsieht, so verhalten sich diese Prädikamente zu den Urbegriffen als Form zu dem Wesen, und die vier Schemate stehen als Entwicklung dazwischen, welche mit ihrer ersten Hälfte (Arsis) dem Wesen, mit ihrer zweiten Hälfte (Thesis) aber der Form angehört. So ist das viergliedrige zugleich sechsgliedrig.

§. 75.

Nach der Tafel der Urbegriffe ist also alles Wesen identisch und beginnt mit Begränzung (Endlichkeit), welche aus dem quantitativen Verhältnisse der Gränze und des Begränzten zu einem qualitativen Gegensatze beider übergeht, der die beiden auf einander beziehend in bestimmtimmter Realität sie vermittelt. Ferner ist der Gegensatz mit seinen vier Formen ein Verhältniß, welchem die Formen der Beziehung durchgängig entsprechen müssen, und die Form überhaupt ist ein Setzen, welches nur durch die Reciprocität seiner Formen zur vollendeten Begränzung des Endlichen kommen kann.

§. 76.

Unter dieser Allgemeinheit der Urbegriffe stehen nun die Stufen der allgemeinen Entwicklung des Lebens, für welche die vier Kategorientafeln den allgemeinen Typus eben so durchführten, wie er in der Tafel der Urbegriffe mit absoluter Uneingeschränktheit seiner Bedeutung durchgeführt worden. Hat irgend ein Gegenstand der Erkenntniß, z. B. die Erde, der Mensch, eine Entwicklung, welche nach allen vier Stufen vollständig ist, so kann auch seine Erkenntniß nach allen vier Kategorientafeln Schritt für Schritt durchgeführt werden; hat aber seine Entwicklung nur eine oder einige dieser vier Stufen, z. B. erscheint er nur im Verhältnisse der Subjektobjektivität, oder wird er nur von dieser Seite erwogen, so findet seine Construktion überall an den betreffenden Kategorientafeln ihre sichere Leitung. Denn was z. B. zum Subjektobjektivitäts-Verhältnisse gehöre, spricht die dritte Kategorientafel für alle Fälle genau aus, eben so wie die zweite Tafel die Entwicklung überhaupt construirt.

§. 77.

Durch die Anwendung dieser Tafeln sind also die allgemeinsten Bestimmungen für alle Gegenstände der Erkenntniß mit Sicherheit aufzufinden, und die Erkenntniß wird dadurch von Seite ihrer Allgemeinheit bearbeitet. Eben so genügt aber diese Construktion der Individualität der Dinge und ihrer Bilder, der Vorstellungen. In jeder Vorstellung kann, in ihrem Umfange und Inhalte, ein viergliedriges Schema nach obigem Typus (§. 73.) gebildet werden, welches sodann die Grundverhältnisse dieser Vorstellung zeigt, und von selbst entweder auf das Urschema (Wesen, Gegensatz, Vermittlung, Form) oder auf eines der aus demselben abgeleiteten Schemate in der Tafel der Urbegriffe oder den Kategorientafeln zurückläuft.

§. 78.

Um für eine beliebige Vorstellung ein solches Schema bilden und die Vorstellung dadurch construiren zu können, ist es gut, eine möglichst vollständige Exposition der Vorstellung vor sich zu haben, die man auch fast immer in den gemeinen Kenntnissen der Menschen bereit findet, weil eben diese Kenntnisse auf dem Gebiete der Vorstellung und Wahrnehmung, also dem Gebiete der Exposition, einheimisch sind, indeß sie den Begriff selten berühren und die Idee ganz aus dem Spiele lassen. Aus solchen Kenntnissen, die in vulgären Redensarten dalliegen, hebt man nun, um ein Schema zu gewinnen, die einfachste darin enthaltene Form des Dinges oder der Vorstellung heraus, und sezt ihr dann die zusammengesezteste und vollendetste entgegen, wodurch die extre

nen Pole des Dinges gefunden sind, welche das erste
und vierte Glied in dem Schema ausmachen. Nun sucht
man die zwey Mittelformen, als den Uebergang von
dem einfachsten zum zusammengeseztesten, und sind diese
gefunden, so ist auch das Schema nun fertig, und man
kann es theils nach §. 73. untersuchen, ob es überhaupt
schulgerecht sey, theils nach §. 72., zu welcher Art von
Schematen es gehöre; endlich kann man auch sehen,
auf welches Schema der fünf Tafeln es sich zurückbrin-
gen lasse.

Anmerkung. So zahlreich die Beyspiele von Schematen nach unserer Construktion sind, welche das
Buch darbietet, so halte ich es doch nicht für über-
flüssig, hier noch einige aus den Regionen des gemeinen Lebens beyzufügen, damit man sehe, daß dieser Construktion das Geringe eben so unterworfen
sey, wie das Große und Hohe. I. Eigenthum.
Erposition: jeder Mensch soll etwas haben, was er
sein nennen kann, und die Sachen müssen mit sich
anfangen lassen, was der Mensch will. Dabey kann
aber nicht zugegeben werden, daß jeder Mensch willkührlich nach jeder Sache greife, sondern es muß
hierin eine Ordnung seyn. Was aber einer gesetz-
mäßig erworben hat, darüber muß man ihn auch,
so lange er die Sache behalten will, nach Belieben
schalten lassen. Schema:

Persönlichkeit

Erwerb   Besitz

Sachlichkeit.

II. **Mufik.** Erpofition: der Flötenfpieler von Alaban-
dus blies in fich hinein. Das war keine Mufik zum
Hören. Aber Töne find auch nicht genug; wenn
fie keinen Wechfel von Confonanzen und Diffonan-
zen und keinen abgemeffenen Schritt haben, fo geben fie nur Lärm, nicht Mufik, und Mufik von einigen wenigen Tönen genügt auch niemands Ohre.
Man will ein Ganzes von Melodien zur Harmonie gebildet haben. Schema:

Ton

Takt   Melodie

Harmonie.

III. **Bedürfniß.** Erpofition: gar vielerley bedarf der
Menfch; er will nicht nur effen und trinken, er
will auch gekleidet feyn und wohnen, und feine
Wohnung foll ihm auch nicht blos leere Wände
darbieten. Er füllt fie mit Werkzeugen und Mö-
beln aller Art aus. Schema:

Nahrung

Kleidung   Wohnung

Geräthe.

IV. **Haushaltung.** Erpofition: die Haushaltungs-
kunft ift eine fchwere Kunft. Man foll nicht nur
mit dem Einkommen auch auskommen; man foll fo-
gar für unvorhergefehene Bedürfniffe, für Noth und
Alter noch etwas zurücklegen. Da muß denn alles
wohl zu Rathe gehalten werden, auch müffen die
Gefchäfte zu rechter Zeit gefchehen und in einander
greifen, und die Sachen alle ihren beftimmten Ort

haben, daß man nicht lange darnach suchen darf.
Schema:

Einkommen

Vertheilung   Verwendung

Verwaltung.

Der Haushalt ist nämlich die Verwaltung des Familieneinkommens, wobey aus der zweckmäßigen Vertheilung desselben auf die Bedürfnisse, und zweckmäßigen Verwendung seines Materials für die Befriedigung der Bedürfnisse sich jene in der Exposition
geforderten Rücksichten ergeben.

B,

§. 79.

In den vier gegebenen Beyspielen, welche absichtlich
sehr verschiedener Art sind, liegt nun auch schon die Erhebung der Vorstellung zum Begriffe durch Definition.
Denn es ergiebt sich aus dem ersten Beyspiele, daß das
Eigenthum die ausschließliche Disposition einer Person
über eine Sache sey, aus dem zweiten Beyspiele ergiebt
sich die Musik als ein Spiel, welches die Töne durch
ihre melodischen Gegensätze im Zeitmaaße vermittelnd hin-
durchführt und sammelt, aus dem dritten Beyspiele ergeben sich die Bedürfnisse als Seiten des menschlichen Daseyns, welche einer Ergänzung von außen bedürfen,
und aus dem vierten Beyspiele geht die Haushaltungskunst als Verwaltungskunst des Familieneinkommens
hervor.

§. 80.

Diese Schemate leisten aber noch weit mehr, indem

sie die Idee mit ihren universellen Beziehungen angeben. Das Schema des ersten Beyspiels läuft nämlich durch Beziehung einzelner Sache auf einzelne Person auf das Verhältniß des Menschen zur Erde überhaupt zurück, so daß durch Einführung des Eigenthums dieses Verhältniß in seiner ersten Stufe bestimmt wird; das Schema der Musik zeigt diese Kunst als spezielle Nachbildung des Lebensspiels überhaupt durch Töne; das Schema der Bedürfnisse zeigt das individuelle Leben in seiner materiellen und formellen Abhängigkeit von dem allgemeinen Leben, und das Schema der Haushaltungskunst zeigt das Familienleben, wie es sich nach der zweiten Kategorie der vierten Tafel vegetationsartig aus dem Nationalleben durch Einkommen erneuert.

§. 81.

Daraus ergiebt sich die Möglichkeit, durch unsere Construktion

> spezielle Aufgaben der Wissenschaft auf
> allgemeinen Ausdruck zu bringen, und so
> für jede mögliche Bedeutung zu lösen;

Wenn nämlich das Eigenthumsrecht mit seinen Begriffen von Persönlichkeit und Sachlichkeit auf das Verhältniß von Subjekt und Objekt nach der dritten Kategorientafel zurückgeht, so folgt, daß der Mensch durch den Einfluß der Erde in sich zum Bewußtseyn gelangt auf diese umbildend zurückwirke, welches Verhältniß sodann für den Menschen und die Erde vereinzelt und im Erwerb subjektobjektiv, im Besitz aber objektsubjektiv seyend Eigenthum heißt. Der Inhalt dieses Verhältnisses des Menschen

zur Erde kann, dann seiner Natur gemäß weiter durch
die zweite und dritte Kategorie der vierten Tafel bestimmt
werden zur Ernährung, zum Sinnengenusse, zum Werkzeug, zum Kulturmittel u. s. w. für den Menschen. —
Wenn die angegebene Bedeutung der Musik, welche das
Alterthum unter dem Worte Sphärenharmonie bezeichnet
haben könnte, aufgefaßt wird, so leuchtet die Nothwendigkeit der Auflösung der Dissonanzen in der Musik allgemein ein, indem die reinste Consonanz, welche zwischen der Prime und Oktave besteht, auf dem Gleichgewichte ihrer Faktoren beruht, Dissonanzen also unpro-
portionale Verhältnisse sind, auf welchen kein Leben beruhen kann. Dadurch werden die Dissonanzen mit allem Uebel identisch, und die Krisis der Krankheiten wird
allgemeiner Auflösungsprozeß. — Wenn die Bedürfnisse
des individuellen Lebens Abhängigkeit von dem allgemeinen Leben aussprechen, so deuten sie eben daburch auf
die Vollkommenheit selbstständiger Naturen, welche nicht
wie die eckigten Figuren an jeder Seite mit einer andern
Figur verwachsen können, sondern als Kreise von allem
ausser ihnen nur im Sinne des Ganzen (im Punkte) berührt werden. Wenn die Haushaltungskunst als Vegetation der Familien begriffen wird, so construirt sie sich
vollständig nach dem zweiten Schema der vierten Kategorientafel, und was in der Haushaltung Einnahme
heißt, ist dasselbe was dort Stoffaufnahme genannt worden, welcher die Aufschließung als bürgerliche Erwerbs-
fähigkeit vorangeht, die Aneignung als Verwendung folgt,
und die Ausscheidung des Verbrauchten den Schluß macht.

Anmerkung. Wie man durch solche Behandlung der Aufgaben, sich im Augenblicke sichere Resultate verschaffen könne, welche man bey der Erfahrung erst langwierig und mühseelig zusammenbettelt, muß, mag ein Beyspiel aus der neuesten Medizin zeigen. Die Homöopathie stellt bekanntlich den Satz auf, daß dasselbe Mittel, welches bey gesundem Organismus diese bestimmte Krankheit verursacht, sie im kranken Organismus heile. Nun stelle man die Aufgabe in ihre Allgemeinheit, indem man statt Arzneymittel überhaupt Caussalität und statt der durch dasselbe hervorgebrachten Krankheit überhaupt Wirkung sezt, so heißt der Hahnemannische Grundsatz: eine Caussalität, welche diese bestimmte Wirkung sezt, wo sie noch nicht ist, hebt sie auf, wo sie ist. Hier erscheint denn der Hahnemannische Grundsatz sogleich in seiner Falschheit, denn sonst müßte auch ein Schlag, der das Glas zerbricht, es aus den Scherben wieder ganz machen. Im Allgemeinen ist die Homöopathie also grundfalsch. Nun construire man aber den Begriff der Caussalität, und nenne das erste Glied für das von ihr zu gewinnende Schema, daß nämlich eine wirksame Kraft eine bestimmte Veränderung auf dem Gebiete ihres Wirkens schlechtweg hervorruft, directe oder einfache Caussalität. Nun führe man die Caussalität in den disjunktiven Gegensatz zweyer Wirkungen, daß sie entweder sezten muß, was noch nicht gesezt ist, oder aufheben, was gesezt ist, und nenne dieß die alternative Caussalität. Weiter, erkenne man, daß die Caussalität auch gegebene Gegensätze vermitteln; also neutralisirend erscheinen kann, und endlich gestehe man der Caussalität auch die Möglichkeit zu, die jeder Regenbogen beweist, aus dem Einfachen die ganze Möglichkeit seiner Differenzen hervorzurufen, was man distributive Caussalität nennen könnte. Nun hat man das Schema für den Begriff Caussalität, und es zeigt sich, daß Hahnemann seinen Grundsatz von Mitteln abstrahirt hat, die, wie z. B. Rhabarber, nach der zweiten Form wirken, und daß er sehr unrecht daran ist, diese Art des Wirkens auf alle Arzneymittel ausgedehnt, als allgemeinen Grundsatz aufzustellen.

C.

§. 82.

Sind durch die Construktion die Begriffe zu solcher Allgemeinheit gesteigert, so können in syllogistischer Form Besonderheiten daraus entwickelt werden, welche sonst als Grundsätze vorkommen. So folgt in dem ersten Beyspiele, daß das Eigenthum für die Lösung der Aufgabe des Menschengeschlechts nothwendig, und daß Grundeigenthum, als ausgetheilte Erdoberfläche, das höchste Eigenthum sey. Weiter folgt, daß alles, was keine Persönlichkeit hat, Eigenthum werden könne, daß die Disposition über das Eigenthum keine Gränzen erkenne, als die in der Person liegen, und daß die Erwerbsformen sich nach der Natur der Sachen, die Besitzformen aber nach der Person richten müssen. So folgt in dem zwei-

ten Beispiele, daß der Ton, wenn er Musik werden soll,
aus seiner Einfachheit herausgehen müsse in den Gegensatz der Höhen und Tiefen; daß er in diesem Gegensatze
proportionale Verhältnisse aufsuchen müsse, daß er, um
Spiel zu seyn, diese proportionalen Verhältnisse (Conso-
nanzen) verlieren und wiederfinden müsse, daß er seine
Schritte dabey zu kleinen Zeitganzen (Täkten) verbinden
und in diesen die melodischen Gegensätze vermitteln müsse, und daß er in dieser doppelten Entwicklung von der
viergliedrigen Darstellung des Tones (Akkord) ausgehen
und in einer vierstimmigen Harmonie als Totalform auf
diese wieder zurückkommen müsse. —— Für das dritte Beyspiel folgt, daß die materielle Erneurung des individuellen Lebens aus dem allgemeinen durch Nahrung die
Grundbedingung seiner Fortführung sey, daß aber die
formelle Gestaltung des Menschenlebens nur von dem
Geräthe ausgehe, daß also dieses selbst auf die Berei-
tung der Nahrung zurückwirke, daß ohne dasselbe die
Kleidung weder im Stoffe vollendet seyn noch in der
Form ihre Aufgabe lösen könne, daß die Wohnung sich
an die Verrichtungen des Lebens anschließen müsse, wie
die Kleidung an die Theile der Gestalt, und daß sie
eben dazu auch des Geräthes bedürfe, und daß dieses
als formal in seiner Natur zuletzt selbst als formgebend
(Werkzeug) erscheine. — Für das vierte Beyspiel folgt,
daß das Einkommen als materielle Basis der Haushaltung auch Grundbedingung derselben sey, und durch alles erweitert werden müsse, was eine Verwendung für
Familienbedürfnisse zuläßt, wäre es auch selbst das ver-

bräuchte, daß die Vertheilung des Einkommens auf die
Familienbedürfnisse eine Uebersicht derselben und ihres
Verhältnisses zum Einkommen (Etat) voraussetze, daß
hiebey auch die möglichen Bedürfnisse Noth, Alter u. f.
w. zu berücksichtigen seyen, daß mit der zunehmenden
wirklichen Verwendung die Möglichkeit derselben abneh-
me, daß also, um jene groß zu erhalten, diese klein gehalten (gespart) werden müsse; daß die wirkliche Verwendung eine Disposition über Sachen sey, welche in
die Raum- und Zeitverhältnisse derselben eingehen (Ordnung halten), und in Schonung der Sachen die Ver-
größerung des Einkommens durch Nichtverbrauch derselben berücksichtigen, dabey aber auch die Kraft sparen
müsse, und daß eine zweckmäßige Verwaltung des Haus-
wesens wegen steter Erneurung der Familienbedürfnisse
eine stete Erneurung des Einkommens im Auge haben,
über die Repartition Rechnung führen und die Verwendung mit einem Sachverzeichnisse (Inventarium) belegen
müsse.

§. 83.

Man sieht leicht ein, daß alle diese Grundsätze nur
Folgerungen aus der Allgemeinheit des Begriffs sind,
der in den Schematen ausgesprochen ist, und daß sie
nichts thun, als was die syllogistische Form überall thut,
das Besondere unter das Allgemeine stellen (subsumiren),
daß also alle diese Folgerungen sehr leicht hätten in der
schulgerechten dreygliedrigen Form des Syllogismus dargestellt werden können. Sie halten sich alle genau in
dem Umfange ihres Schema, und setzen das erste Glied

als das wesentliche, die Persönlichkeit als den Grund
aller Rechte, den Ton als Baß der Musik, die Nahrung als Baß des physischen Lebens in seiner Erneurung und das Einkommen als ähnliche Baß des Fami-
lienlebens. Nach solcher Voraussetzung des ersten Gliedes thun denn diese Grundsätze nichts weiter, als daß
sie die Verhältnisse der drey übrigen Glieder zu diesem
ersten und unter sich selber analysiren, und dadurch in
Worten aussprechen, was in den Schematen selbst schon
durch die Stellung der Glieder bezeichnet ist. Daraus
erhellet zugleich im Allgemeinen, daß die Syllogismen im
Systeme der menschlichen Erkenntniß die Bestimmung haben, durch Vermittlung des Allgemeinen mit dem Besondern, die im Umfange einer Allgemeinheit liegenden Verhältnisse zu analysiren. Wenn also die Exposition die in
einer Allgemeinheit enthaltenen Vorstellungen auseinan-
derlegt, so legen die Syllogismen die darin enthaltenen
Verhältnisse auseinander, nachdem die vorangegangene
Definition den Umfang ausgemessen und aller darin enthaltenen Besonderheit ihren Charakter bestimmt hat.

D.

§. 84.

Das letzte, was nun noch von der tetrabischen Construktion verlangt werden kann, ist das System oder
die Totalitätsform des Entwickelten mit Erschöpfung seines Inhaltes und vollendeter Reciprocität seiner Formen. In so fern alle durch die Construktion zu findenden Formen aus einem absoluten oder relativen, quantitativen oder qualitativen Gegensatze in dem Einen her-

vorgehen, können sie auch auf dem Wege logischer Eintheilung als Gegensatzglieder gefunden werden, und die
auf diesem Wege gefundene Klaſſifikation oder Tabelle
von dem Inhalte eines Begriffs legt das Material der
Aufgabe zweckmäßig zur Ueberſicht geordnet vor Augen;
aber die Conſtruktion verflicht dieſe Gegenſätze (maſchen-
artig) in einander und webt daraus ein Netz (Welt-
ſchleyer), indeß die Diviſion blos Dendriten zu Stande
bringt. Dieſen Dendriten fehlt aber das innere Lebensprinzip (Wachsthum), welches die Conſtruktion dadurch
hat, daß nicht nur Schema aus Schema hervorgeht wie
Eintheilung aus Eintheilung, ſondern daß auch jeder
Theil ſich dem Ganzen gleich ſchließt, indeß er ſelber
vom Ganzen nicht nur getragen, ſondern auch umſchloſ-
ſen iſt. Die Diviſion verliehrt ſich in den lezten Zweigen ihrer Dendriten, die Conſtruktion kehrt animaliſch in
ſich ſelber zurück.

§. 85.

Das Syſtem findet unſere Conſtruktion zunächſt in
der Entwicklung einer Tetrade auf vier, wobey denn
noch der formale Charakter jeder der vier untergeordneten Tetraden ſich in Prädikamenten abſtrakt ausſprechen
kann. Dadurch erhält man eine Tafel, und die Vierheit von Tafeln, wie in den Kategorien, iſt denn die
höhere Stufe, welche als Leztes dem einfachen noch un-
entwickelten Begriffe gegenüberſteht, wie die Harmonie
der Muſik dem einfachen Tone. Hier hat denn die Totalitätsform ihr Nebeneinander in der Beſtimmtheit
jedes einzelnen Gliedes der Schemate, ihr Miteinan-

der in der gemeinschaftlichen Natur aller dieser Glieder, ihr Durcheinander in der Begründung, welche hier das Vorangegangene dem Folgenden giebt, und der Entwicklung, welche jenes durch dieses erhält, ihr Ineinander in der Verwandlung des Einen in Vielheit und der Reciprocität des Vielen auf das Eine als Allheit. Jeder der vier Abschnitte dieses Werks, dann auch der Anhang und in diesem selbst noch der Schluß giebt davon ein nach allen Theilen durchgeführtes anschauliches Beyspiel.